중·고등 영어도 역시 1위 해커스다.

해커스북 중·고등

HackersBook.com

해커스 **첫**수능 **영어** 유형독해 가 **특별한** 이유!

수능 영어 독해 모든 유형의 기틀을 다지니까!

**수능 영어 독해의
큰 틀을 잡는**
16가지 문제 유형별 학습

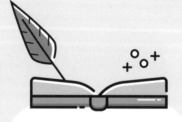

**수능 영어의 풀이 과정을
미리 경험해 보는**
고1 학평
유형별 기출 예제

**문제 풀이 실력을
최종 점검하는**
미니모의고사

수능 어법과 구문까지 한 번에 잡으니까!

중학교 문법을 토대로
수능 어법 포인트까지 학습하는
Grammar Focus

문장 구조를 이해하고
해석 방법을 학습할 수 있는
구문 풀이

해커스

첫 수능 영어

유형독해

해커스 어학연구소

CONTENTS

[책속의 책] 정답 및 해설

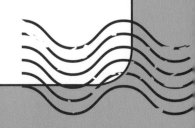

책의 구성과 특징

1 16개 수능 영어 독해 유형의 기본기를 다지는 **유형 학습**

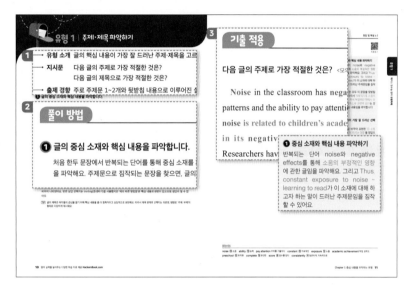

1 유형 소개/지시문/출제 경향
각 문제 유형에 대한 간략한 소개, 지시문, 출제 경향을 확인할 수 있습니다.

2 풀이 방법
중학생의 눈높이에 맞춘 친절한 설명을 통해 문제 풀이 방법을 학습할 수 있습니다.

3 기출 적용
중학생 난이도에 맞춘 고1 학평 기출 문제를 통해 풀이 방법을 적용하는 과정을 한눈에 확인할 수 있습니다.

2 풀이 방법을 적용하며 실력을 키우는 **유형 TEST**

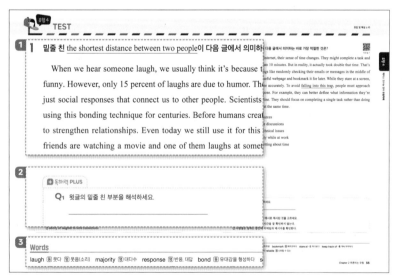

1 문제
최신 출제 경향을 반영한 문제에 앞서 학습한 풀이 방법을 직접 적용해 보며 실력을 키울 수 있습니다.

2 독해력 PLUS
유형 풀이 과정의 핵심을 묻는 추가 문제를 풀어 보며 해당 지문과 문제를 확실히 이해할 수 있습니다.

3 Words
따로 정리된 어휘들을 학습하며, 독해 실력의 밑거름이 되는 어휘력도 향상시킬 수 있습니다.

3 수능 어법까지 본격적으로 대비하는 **Grammar Focus**

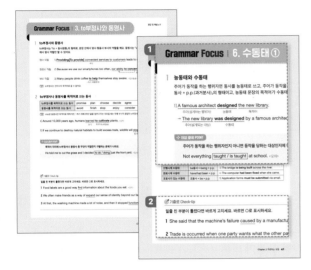

1 문법 설명 및 어법 출제 POINT
중학교 핵심 문법을 정리하고, 해당 문법이 수능 어법 문제에 어떻게
출제되는지 '어법 출제 POINT'를 통해 이해할 수 있습니다.

2 기출로 Check-Up
모의고사와 수능에 나왔던 문장들로 구성한 연습 문제를 풀면서 위에
서 학습한 내용을 점검할 수 있습니다.

4 실전 감각을 기르는 **미니모의고사**

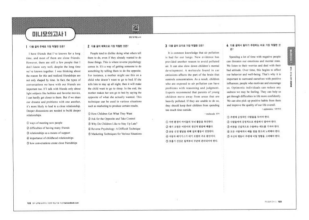

모든 유형을 한데 모은 미니모의고사 2회분을 풀어 보며, 문제 풀이 실
력을 점검할 수 있습니다. 앞서 배운 유형별 풀이 방법을 적용해서 실
전처럼 풀어 봅니다.

5 문제에 대한 완벽한 이해를 돕는 **정답 및 해설**

1 해석/해설/오답 분석
정확한 해석과 명료한 해설, 오답 분석을 통해 정답의 근거를 꼼꼼히
확인할 수 있습니다.

2 구문 풀이
상세한 구문 풀이를 통해 문장 구조를 익힘으로써 독해 실력을 한층 더
향상시킬 수 있습니다.

수능 영어 알아보기

Q ## 수능 영어, 왜 미리 대비해야 하나요?

A 2018학년도부터 수능 영어는 절대평가로 치러지고 있습니다. 90점은 1등급이지만 89점은 2등급으로, 1점 차이로 등급이 달라지기 때문에 한 문제 한 문제가 더 소중합니다. 지금부터 수능 영어의 다양한 지문을 접하며 독해력을 키운다면 수능이 눈앞에 다가왔을 때 향상된 실력과 자신감을 가질 수 있습니다.

Q ## 수능 영어 시험은 어떻게 진행되나요?

A 영어 시험은 점심을 먹은 뒤 오후 1시 10분부터 70분간 진행됩니다. 수능 영어 시험은 약 25분 동안 17 문제를 푸는 듣기 평가와 약 45분 동안 28 문제를 푸는 독해 평가로 이루어져 있습니다.

교시	시간	진행 및 평가 내용	문제 수
3교시 영어 시험	오후 1:00 ~ 1:10	시험 준비 및 듣기 평가 안내 방송	-
	오후 1:10 ~ 2:20 (70분)	듣기 평가 (약 25분)	17 문제
		독해 평가 (약 45분)	28 문제

Q ## 시간 관리는 어떻게 해야 하나요?

A 주어진 시간 동안 모든 문제를 풀려면, 독해 문제 하나를 푸는 데 평균 1분 30초를 잡을 수 있습니다. 그런데 문제 유형마다 난이도가 다르기 때문에 쉬운 문제들은 1분 이내로 해결하고, 어려운 문제들에 2분 정도 충분한 시간을 들일 수 있도록 문제 풀이 시간을 조절하는 것이 필요합니다.

Q ## 수능 영어 성적은 어떻게 나오나요?

A 수능 영어는 점수에 따라 등급이 결정되는 시험입니다. 100점 만점을 기준으로 0점에서 100점까지 총 9등급으로 나뉩니다.

점수	100~90	89~80	79~70	69~60	59~50	49~40	39~30	29~20	19~0
등급	1등급	2등급	3등급	4등급	5등급	6등급	7등급	8등급	9등급

Q 수능 영어 독해에는 어떤 문제들이 나오나요?

A 수능 영어 독해는 총 28 문제이고, 다음과 같은 유형들로 구성되어 있습니다. 지금은 문제가 많고 어려워 보이겠지만, 각 문제 유형의 풀이 방법을 하나씩 익히고 연습하다 보면 수능 영어에 익숙해질 수 있습니다.

문제 번호	문제 유형		배점	문제 수
18	목적 파악하기		2	1 문제
19	심경·분위기 파악하기		2	1 문제
20	주장 파악하기		2	1 문제
21	함축 의미 추론하기		2~3	1 문제
22	요지 파악하기		2	1 문제
23	주제 파악하기		2	1 문제
24	제목 파악하기		2	1 문제
25	도표 정보 파악하기		2	1 문제
26	세부 정보 파악하기 (인물 일대기)		2	1 문제
27	세부 정보 파악하기 (안내문)		2	2 문제
28				
29	어법상 틀린 것 찾기		2~3	1 문제
30	어휘 적절성 파악하기		2~3	1 문제
31	빈칸 추론하기		2~3	4 문제
32				
33				
34				
35	흐름과 무관한 문장 찾기		2	1 문제
36	글의 순서 배열하기		2~3	2 문제
37				
38	주어진 문장의 위치 찾기		2~3	2 문제
39				
40	요약문 완성하기		2	1 문제
41	장문 독해 1	제목 파악하기	2~3	2 문제
42		어휘 적절성 파악하기	2~3	
43	장문 독해 2	글의 순서 배열하기	2	3 문제
44		지칭하는 대상 추론하기	2	
45		세부 정보 파악하기	2	

Chapter 1

중심 내용을 파악하는 유형

유형 1 | 주제·제목 파악하기
Grammar Focus 1. 수 일치

유형 2 | 요지·주장 파악하기
Grammar Focus 2. 수량/부분 표현

유형 1 | 주제·제목 파악하기

→ **유형 소개** 글의 핵심 내용이 가장 잘 드러난 주제·제목을 고르는 유형이에요. 수능에 각각 1문항씩 출제돼요.

→ **지시문** 다음 글의 주제로 가장 적절한 것은?
다음 글의 제목으로 가장 적절한 것은?

→ **출제 경향** 주로 주제문 1~2개와 뒷받침 내용으로 이루어진 설명문 혹은 논설문이 나와요.

풀이 방법

❶ 글의 중심 소재와 핵심 내용을 파악합니다.

처음 한두 문장에서 반복되는 단어를 통해 중심 소재를 파악하고, 그것에 대해 하고자 하는 말이 드러난 주제문을 찾아 핵심 내용을 파악해요. 주제문으로 짐작되는 문장을 찾으면, 글의 나머지 내용이 그것을 뒷받침하고 있는지 확인합니다.

❷ 핵심 내용이 가장 잘 드러난 선택지를 고릅니다.

핵심 내용을 같은 뜻의 다른 말로 잘 바꾸어 나타낸 선택지를 정답으로 고릅니다. 글에 쓰인 표현을 사용했지만 글의 핵심 내용과 관련이 없으면 주제나 제목이 될 수 없으므로 정답으로 고르지 않도록 주의합니다.

주제문	Asking someone for something is the most useful and immediate invitation to social interaction. 어떤 사람에게 무언가를 부탁하는 것이 사회적 상호 작용으로의 가장 유용하고 즉각적인 초대이다.
정답 선택지	A Relationship Opener: Asking for a Favor 관계를 여는 도구: 부탁하기
오답 선택지	Polite Ways of Inviting Our Neighbors 이웃을 초대하는 예의 바른 방법들

→ 주제문의 invitation to social interaction(사회적 상호 작용으로의 초대)을 정답 선택지에서 A Relationship Opener(관계를 여는 도구)로 바꾸어 나타냈어요. 반면 오답 선택지는 Inviting(초대하기)을 사용했지만 '예의 바른 방법들'은 핵심 내용과 관련이 없으므로 정답이 될 수 없어요.

> **TIP** 글의 제목은 독자들의 관심을 끌기 위해 핵심 내용을 좀 더 함축적이고 상징적으로 표현해요. 따라서 제목 문제의 선택지는 의문문, 명령문, '주제: 부제'의 형태로 다양하게 제시돼요.

지문듣기

다음 글의 주제로 가장 적절한 것은? <모의응용>

Noise in the classroom has **negative effects** on communication patterns and the ability to pay attention. **Thus, constant exposure to noise is related to children's academic achievement, particularly in its negative effects on reading and learning to read.** Researchers have found that in preschool classes where noise levels were reduced, children spoke in more complete sentences and scored higher on prereading tests. Research with older children suggests similar findings. On reading and math tests, elementary and high school students in noisy schools or classrooms consistently perform below those in quieter settings.

① impacts of noise on academic achievement
② new trends in classroom design
③ ways to control a noisy class
④ various kinds of reading activities
⑤ roles of reading in improving writing skills

❶ 중심 소재와 핵심 내용 파악하기
반복되는 단어 noise와 negative effects를 통해 소음의 부정적인 영향에 관한 글임을 파악해요. 그리고 Thus, constant exposure to noise ~ learning to read가 이 소재에 대해 하고자 하는 말이 드러난 주제문임을 짐작할 수 있어요.
나머지 문장들은 모두 이 문장을 뒷받침하고 있어요. 따라서 지속적으로 소음에 노출되는 것은, 특히 부정적인 면에서 아이들의 학업 성취도와 관련이 있다는 것이 이 글의 핵심 내용임을 파악합니다.

❷ 핵심 내용이 가장 잘 드러난 선택지 고르기
핵심 내용을 잘 바꾸어 표현한 '① 소음이 학업 성취도에 미치는 영향'을 정답으로 고릅니다.

Words

noise 몡소음   ability 몡능력   pay attention 주의를 기울이다   constant 혱지속적인   exposure 몡노출   academic achievement 학업 성취도
preschool 몡유치원   complete 혱완전한   score 통점수를 받다   consistently 틘일관되게, 지속적으로

지문듣기

1 다음 글의 제목으로 가장 적절한 것은?

Between the 16th and 18th century, pineapples were a very popular but rare food in Europe. The climate in Europe made it difficult to grow pineapples. People spent around $5,000 to $10,000 in today's money to import a single pineapple from another country. It was so costly that few people could afford one. Even some nobles didn't have enough money to purchase and eat a pineapple. These prices eventually led to the odd practice of "renting" pineapples. This way, they could still display a pineapple proudly to show off their high status for their party guests. Pineapples were not just a fruit, but also a symbol of great luxury.

① Who Started the Pineapple Trade?
② The Practices of Wealthy Europeans
③ Faking Wealth Is Not a New Concept
④ Pineapples: A Historic Sign of Wealth
⑤ Growing Pineapples in Europe: A Failure

➕ 독해력 PLUS

Q₁ 윗글의 주제문을 찾아 쓰고 해석하세요.

주제문: _____

해 석: _____

Q₂ 윗글에 쓰인 symbol과 뜻이 비슷한 단어를 선택지에서 찾아 쓰세요.

_____

Words

import ⑧수입하다 afford ⑧~을 살 여유가 있다 noble ⑨귀족, 상류층 odd ⑩이상한 practice ⑨관습 rent ⑧대여하다 display ⑧전시하다 show off ~을 자랑하다, 뽐내다 status ⑨지위, 신분 symbol ⑨상징 luxury ⑨사치, 사치품 [선택지] trade ⑨무역, 거래 fake ⑧꾸며내다

2 다음 글의 주제로 가장 적절한 것은?

Regular handwashing dramatically reduces the spread of disease by removing germs from your skin. Because you use your hands to touch many things, they frequently come into contact with germs. If you then touch your eyes, or mouth, these germs can easily get into your body. You can't see these germs with just your eyes, but they range from harmless bacteria to life-threatening viruses. To avoid spreading germs, you should clean underneath your nails, between your fingers, and up to your wrists with soapy water. If soap and water aren't available, then you can use alcohol-based hand sanitizer instead. Washing your hands regularly is an easy way to keep you and those around you safe.

① diseases caused by germs
② ways that bacteria enter the body
③ advantages of using hand sanitizer
④ handwashing as a way to prevent disease
⑤ reasons why hands spread illness quickly

➕ 독해력 PLUS

Q₁ 윗글의 중심 소재를 찾아 쓰세요. (두 단어)

_____

Q₂ 윗글에서 주제를 뒷받침하는 내용으로 제시된 것을 고르세요.
① 눈을 만지면 손에 있는 세균이 몸에 들어갈 수 있다.
② 자주 쓰는 물건을 세척하면 세균을 없앨 수 있다.

Words

dramatically ⓫ 극적으로 spread ⓜ 전파, 확산 ⓓ 퍼뜨리다 come into contact with ~와 접촉하다 germ ⓜ 세균 range ⓓ (범위가) 이르다 ⓜ 범위
life-threatening ⓗ 생명을 위협하는 available ⓗ 구할 수 있는 hand sanitizer 손 세정제 [선택지] illness ⓜ 질병

지문듣기

3 다음 글의 제목으로 가장 적절한 것은?

We normally think it's better for children to experience little stress. If we notice children in a difficult situation, we feel like we have to help them out of it. In extreme cases, parents will attempt to remove every obstacle from the path of their children. However, children become more skilled at problem-solving by dealing with stress. Most experts agree that children can use their previous experiences to find solutions when they face similar issues later. They are less affected by similar stressful experiences when they come up in the future. For example, a child who has struggled to complete a school assignment on time will be less likely to panic about deadlines.

① Methods for Children to Cope with Stress
② Problem-Solving: A Vital Parenting Skill
③ How to Reduce Stress in Children
④ Common Solutions to Childhood Issues
⑤ The Positive Effects of Stress on Children

➕ 독해력 PLUS

Q1 윗글의 주제문을 찾아 쓰고 해석하세요.

주제문: _____

해 석: _____

Q2 윗글에서 주제를 뒷받침하는 내용으로 제시된 것을 고르세요.
① 문제 상황에 대해 가장 효과적인 해결 방안을 떠올릴 수 있다.
② 비슷한 문제에 직면했을 때 이전의 경험을 이용할 수 있다.

Words

extreme 형 극단적인   attempt 동 시도하다   obstacle 명 장애물   skilled 형 능숙한, 숙련된   deal with ~을 다루다   struggle 동 애쓰다
assignment 명 숙제, 과제   deadline 명 마감 기한   [선택지] cope with ~에 대처하다   parenting 명 육아, 임신

Grammar Focus | 1. 수 일치

1 주어와 동사의 수 일치

수 일치란, 주어가 단수명사면 단수동사를, 주어가 복수명사면 복수동사를 쓰는 것이에요. 주어를 꾸며주는 수식어구나 수식어절은 제외하고 주어에 맞게 동사를 수 일치시켜야 해요.

1) <u>The average grocery store</u> **carries** over 10,000 different items. <모의>
　　　　주어(단수명사)　　　　　단수동사

2) <u>Classrooms</u> [with too much decoration] **are** a source of distraction for young children. <모의>
　　주어(복수명사)　　　수식어구(전치사구)　　　복수동사

> **✛ 어법 출제 POINT**
>
> 주어 뒤에 긴 수식어구나 수식어절이 있는 문장에서 주어와 수 일치하는 동사가 쓰였는지를 묻는 문제가 나와요.
>
> The average life of a street tree surrounded by concrete and asphalt | is / are | seven to fifteen years.
> <모의>

2 단수 취급하는 주어

동명사(구), to부정사(구), 명사절 형태의 주어는 단수 취급하므로 단수동사가 와야 해요.

3) <u>Getting in the habit of asking questions</u> **transforms** you into an active listener. <모의>
　　　　주어(동명사구)　　　　　단수동사

4) <u>To take a walk every day</u> **is** a great way to keep you healthy and energetic.
　　주어(to부정사구)　　　단수동사

5) <u>How the ancient Egyptians built the Great Pyramids</u> **remains** a mystery to us.
　　　　주어(명사절)　　　　　　　단수동사

⌖ 기출로 Check-Up

밑줄 친 부분이 틀렸다면 바르게 고치세요. 바르면 ○로 표시하세요.

1 A genuine smile <u>impact</u> the muscles and wrinkles around the eyes. <모의응용>

2 Some animals hunting in the dark ocean <u>have</u> excellent vision. <모의응용>

3 Knowing that a problem exists <u>do</u> nothing to solve it. <모의응용>

— **유형 소개** 글쓴이의 의견을 가장 잘 나타낸 요지·주장을 고르는 유형이에요. 수능에 각각 1문항씩 출제돼요.

— **지시문** 다음 글의 요지로 가장 적절한 것은?

　　　　다음 글에서 필자가 주장하는 바로 가장 적절한 것은?

— **출제 경향** 주로 글쓴이가 무엇을 중요하거나 바람직하다고 여기는지를 밝히는 글이 나와요.

풀이 방법

❶ 중심 소재에 대한 글쓴이의 의견을 파악합니다.

중심 소재에 대한 글쓴이의 의견은 주제문에 드러나 있어요. 처음 한두 문장에서 중심 소재를 먼저 파악하고, 주제문을 찾으며 글을 읽습니다. 명령문이나 아래의 표현들을 사용해 글쓴이의 의견을 강조하는 문장이 주로 주제문인 경우가 많아요.

important 중요한	necessary 필요한　essential 필수적인	significant 중요한　need 필요하다
make sure that ~하도록 하다	must/have to/should ~해야 한다	so 그래서　therefore/thus 그러므로

❷ 글쓴이의 의견이 가장 잘 드러난 선택지를 고릅니다.

주제문에 드러난 글쓴이의 의견을 가장 잘 나타낸 선택지를 정답으로 골라요. 글에 쓰인 표현을 사용했더라도 글쓴이의 의견과 관련이 없으면 요지나 주장이 될 수 없으므로 정답으로 고르지 않도록 주의합니다.

주제문	Eat the healthiest food on your plate first. 당신의 접시에 있는 가장 건강한 음식을 먼저 먹어라.
정답 선택지	건강에 좋은 음식으로 식사를 시작하라.
오답 선택지	음식을 조리하는 방식을 바꾸어라.

→ 주제문에 드러난 글쓴이의 의견을 '건강에 좋은 음식으로 식사를 시작하라'로 잘 나타낸 것이 정답이네요. 오답 선택지는 주제문에 쓰인 '음식(food)'을 사용했지만 음식을 조리하는 방식은 글쓴이의 의견과 관련이 없으므로 정답이 될 수 없어요.

기출 적용

다음 글의 요지로 가장 적절한 것은? <모의응용>

지문듣기

Parents may often claim that they spend a lot of time with their **children**. Actually, what they mean is not with but near their **children**. That is, they may be in the same room as their child but watching TV, reading, or conversing with guests. **What is needed is active engagement with children.** This implies reading together, playing sports and games together, solving puzzles together, cooking and eating together, shopping together, and washing dishes together. In other words, it is not enough to simply be in a child's company while simultaneously leaving the child alone. **It is necessary to also be an active participant and partner in activities with the child.**

① 부모는 적극적으로 자녀와 활동을 함께 해야 한다.
② 부모의 공감적 이해가 자녀의 고민 해결에 도움이 된다.
③ 아동의 창의성 발달을 위해 다양한 놀이 활동이 요구된다.
④ 부모의 양육 방식은 유년기 아동의 성격 형성에 중요하다.
⑤ 자녀는 부모의 도움 없이 독립적으로 활동할 기회가 필요하다.

❶ **중심 소재에 대한 글쓴이의 의견 파악하기**

parents와 children을 통해 부모와 자녀에 관한 글이라는 것을 파악해요. needed가 포함된 문장에서 자녀와의 적극적인 참여가 필요하다는 의견을 제시하고 있어요. necessary가 쓰인 마지막 문장에서도 부모가 자녀와의 활동에서 적극적인 참여자이자 동반자가 되어야 한다는 글쓴이의 의견을 다시 한번 확인합니다.

❷ **글쓴이의 의견이 가장 잘 드러난 선택지 고르기**

글쓴이의 의견을 가장 잘 나타낸 '① 부모는 적극적으로 자녀와 활동을 함께 해야 한다'를 정답으로 고릅니다.

Words

converse ⑧ 대화를 나누다   **active** ⑧ 적극적인   **engagement** ⑨ 참여, 관여   **imply** ⑧ 의미하다, 시사하다   **company** ⑨ 함께 있음, 동반
simultaneously ⑨ 동시에   **leave** ⑧ ~한 상태로 두다   **participant** ⑨ 참가자

지문듣기

1 다음 글에서 필자가 주장하는 바로 가장 적절한 것은?

　　It's no secret that all of us think about things we could have done differently in the past. What if I hadn't taken art lessons just to follow my friends? What if I had chosen music instead? These "what ifs" typically appear when we are not very happy with our current situation. Sure, our lives would be different if we had chosen some other options, but the bigger question is, does it matter? What has happened has happened. We cannot change the past, so there's no reason to focus on it too much. By doing so, we only make ourselves feel worse. What's more, perhaps who we are today — stronger, tougher, wiser — is a result of seemingly "wrong" choices. Learn from your mistakes and use them to prepare for tomorrow.

① 스스로를 믿고 원대한 꿈을 가져라.
② 좋은 기회가 왔을 때 놓치지 말아라.
③ 과거로부터 배워서 미래에 대비하라.
④ 선조들의 지혜를 적극적으로 이용하라.
⑤ 자신에게 현재 주어진 상황에 감사하라.

➕ 독해력 PLUS

Q1 윗글의 주제문을 찾아 쓰고 해석하세요.

주제문: _____

해　석: _____

Q2 윗글에서 글쓴이의 의견을 뒷받침하는 내용으로 제시된 것을 고르세요.
① 과거에 일어난 일은 바꿀 수 없다.
② 우리는 꿈을 이루기 위해 수많은 선택을 한다.

Words

typically 🔤 보통, 일반적으로　current 🔤 현재의, 지금의　option 🔤 선택지　happen 🔤 일어나다, 발생하다　seemingly 🔤 겉보기에는
prepare for ~에 대비하다

2 다음 글의 요지로 가장 적절한 것은?

Cooperation is the best way to reach a common goal. For example, I struggled when I first joined my school's basketball team. The opposing team stopped me every time I tried to score by myself. My coach said that I should look for my teammates when I was in a bad position. During the next game, I passed the ball to a teammate when I got stuck and he scored. When he was in the same situation later, he gave the ball to me and I scored. We won that game because we thought of what was best for the team and found ways to help each other. As the saying goes, many hands make light work.

① 지나친 의존은 협동의 상황에 부정적 영향을 끼친다.
② 협동은 공동의 목표를 이루는 데에 도움이 된다.
③ 경험이 많은 사람의 조언을 경청하는 것이 좋다.
④ 과도한 스포츠 활동은 경쟁심을 부추길 수 있다.
⑤ 성과를 내려면 구체적인 목표 설정이 중요하다.

➕ 독해력 PLUS

Q₁ 윗글의 주제문을 찾아 쓰고 해석하세요.

주제문: _____

해 석: _____

Q₂ 윗글에서 글쓴이의 의견을 뒷받침하는 내용으로 제시된 것을 고르세요.
① 연습하는 시간을 늘려서 부족한 농구 실력을 보충했다.
② 농구 시합에서 팀 동료와 도움을 주고받으며 좋은 결과를 냈다.

Words

cooperation 명 협동, 협력 common 형 공동의, 흔한 struggle 동 애먹다, 열심히 하다 opposing team 상대 팀 score 동 득점하다 look for ~을 찾다
position 명 위치 get stuck 꼼짝 못하게 되다 many hands make light work 백지장도 맞들면 낫다

지문듣기

3 다음 글에서 필자가 주장하는 바로 가장 적절한 것은?

It's easy to think that our happiness is all about us. But research has proved otherwise. Psychologists at Iowa State University had one group of college students look at strangers and think, "I want that person to be happy." They were asked to really mean this thought. Another group was instructed to look at people and focus on their physical appearance and clothing. After the experiments, the participants answered questions about their feelings. The first group showed higher levels of happiness than the other group. So, if you really care about your own well-being, you should wish the best for others.

① 외모로 사람을 평가해서는 안 된다.
② 부탁할 때는 진심을 담아서 말해야 한다.
③ 행복의 정도를 함부로 단정짓지 말아야 한다.
④ 정신 건강을 위해 혼자만의 시간을 가져야 한다.
⑤ 행복하려면 다른 사람이 잘 되기를 바라야 한다.

➕ 독해력 PLUS

Q1 윗글의 주제문을 찾아 쓰고 해석하세요.

주제문: _____

해 석: _____

Q2 주제문에서 글쓴이의 의견을 강조하는 표현을 찾아 쓰세요.

_____

Words

psychologist 명 심리학자   college student 대학생   stranger 명 낯선 사람   mean 동 마음에 품다, 의미하다   instruct 동 지시하다   physical 형 신체의
appearance 명 외모, 겉모습

Grammar Focus | 2. 수량/부분 표현

1 항상 단수동사를 쓰는 주어

| one of + 명사 | much of + 명사 | the number of + 명사 | every, each가 포함된 주어 |

1) **One of** our daughters **attends** university in Australia.
　　　주어　　　　　　　단수동사

2) **Each** movie in the series **tells** a story about the same character.
　　　주어　　　　　　　　단수동사

2 항상 복수동사를 쓰는 주어

| many of + 명사 | a number of + 명사 |

3) **A number of** trees **have** fallen because of the hurricane.
　　　주어　　　　　복수동사

3 of 뒤 명사에 동사를 수 일치시키는 주어

주어가 다음과 같은 형태인 경우, of 뒤가 단수명사면 단수동사가, 복수명사면 복수동사가 와야 한다.

| all of + 명사 | most of + 명사 | any of + 명사 | half of + 명사 | some of + 명사 |

4) Today, **most of** the world's population **has** plenty of food available to survive. <모의응용>
　　　　　　　　단수명사　　　　단수동사

5) **Some of** the online groups **spend** their time spreading rumors on the Internet. <모의응용>
　　　　　복수명사　　　복수동사

⊹ 어법 출제 POINT

주어에 수량/부분 표현이 쓰인 문장에서 단수동사와 복수동사를 구별하는 문제가 나와요.

A number of "youth friendly" mental health websites | has / have | been developed. <모의응용>

🎯 기출로 Check-Up

밑줄 친 부분이 틀렸다면 바르게 고치세요. 바르면 ○로 표시하세요.

1 Most of the plastic particles in the ocean is very small. <모의응용>

2 Every pleasant experience produce feel-good chemicals in your brain. <모의응용>

3 The number of male athletes who took part in the 2010 Vancouver Games was more than 1,500.
<모의>

Chapter 2

추론하는 유형

유형 3 | 빈칸 추론하기

→ **유형 소개** 글의 핵심 내용과 빈칸 앞뒤로 이어지는 내용을 고려하여 빈칸에 들어갈 가장 적절한 말을 고르는 유형이에요. 수능에 4문항 출제돼요.

→ **지시문** 다음 빈칸에 들어갈 말로 가장 적절한 것을 고르시오.

→ **출제 경향** 주로 주제문 1~2개와 그것을 뒷받침하는 부연 설명 혹은 구체적인 예시로 이루어진 글이 나와요.

풀이 방법

❶ 빈칸이 있는 문장을 먼저 해석해보고 어떤 내용이 들어가야 할지 확인합니다.

빈칸이 있는 문장을 해석해보면 다음과 같이 '무엇'에 해당하는 내용을 넣어야 한다는 것을 알 수 있어요. 빈칸이 있는 문장은 주로 글의 핵심 내용을 담고 있으므로, 글에서 가장 강조하는 내용에 주목하여 읽으면 빈칸을 채우는 데 도움이 되는 정보를 빠르게 찾을 수 있어요.

- 학습 효과를 높이기 위해, 학생들은 '무엇'해야 한다는 것을 알아야 한다.
- 오늘날 과학 기술의 빠른 발전을 가능하게 하는 힘은 '무엇'에 있다.

❷ 글의 핵심 내용을 바탕으로 빈칸에 들어갈 말을 추론합니다.

주제문을 통해 글의 핵심 내용을 파악하고, 그 내용이 빈칸에 어떤 말로 들어가는 것이 적절할지 추론합니다. 이때 주제문에 쓰인 표현이 빈칸에 똑같이 쓰이지는 않으므로 비슷한 의미의 표현으로 빈칸을 완성합니다.

주제문	A healthy relationship between friends depends on both people freely sharing their feelings and opinions. 친구들 간의 건강한 관계는 두 사람이 자유롭게 그들의 감정과 의견을 공유하는 것에 달려 있다.
빈칸 문장	A critical element of a friendship is _____ between both people in the relationship. 우정의 중요한 요소는 그 관계에 있는 두 사람 간의 '무엇'이다.

→ 주제문을 통해 파악할 수 있는 핵심 내용은 '친구들 간의 자유로운 감정과 의견 공유가 중요하다'예요. 따라서 빈칸에는 open communication (열린 의사소통)과 같은 말이 들어갈 거라고 추론할 수 있어요.

지문듣기

다음 빈칸에 들어갈 말로 가장 적절한 것을 고르시오. <모의응용>

Face-to-face interaction is a uniquely powerful way to share many kinds of knowledge. It is one of the best ways to stimulate new thinking and ideas, too. Most of us would have had difficulty learning how to tie a shoelace only from pictures, or how to do calculation from a book. Psychologist Mihàly Csikszentmihàlyi found, while studying high achievers, that a large number of Nobel Prize winners were the students of previous winners. They had access to the same literature as everyone else, but _____ made a crucial difference to their creativity. This means that conversation is crucial for high-level professional skills and the most important way of sharing everyday information within organizations.

* literature: (연구) 문헌

① natural talent
② regular practice
③ personal contact
④ complex knowledge
⑤ powerful motivation

❶ 빈칸이 있는 문장을 읽고 글에서 어떤 내용을 찾아야 할지 확인하기

'무엇'이 그들의 창의력에 결정적인 차이를 만들었는지 파악해야 함을 확인해요.

❷ 글의 핵심 내용을 바탕으로 빈칸에 들어갈 말 추론하기

첫 문장에서 대면 상호 작용이 지식을 공유하는 강력한 방법이라는 글쓴이의 생각을 파악해요. 마지막 문장에서 대화가 고급 전문 기술과 정보 공유를 위해 중요함을 다시 한번 강조하고 있으므로 이것이 핵심 내용임을 파악합니다.
따라서, 빈칸에는 대면 상호 작용, 대화와 의미가 비슷한 말이 들어가야 핵심 내용을 담을 수 있으므로 '③ 개인적인 접촉'을 정답으로 고릅니다.

Words

face-to-face ⑱ 대면하는, 마주보는   interaction ⑲ 상호 작용   uniquely ⑭ 특별히   stimulate ⑧ 자극하다   shoelace ⑲ 신발끈
achiever ⑲ 성취도를 보이는 사람   have access to ~에 접근할 수 있다   crucial ⑱ 중대한, 결정적인   [선택지] talent ⑲ 재능   contact ⑲ 접촉, 연락

지문듣기

1 다음 빈칸에 들어갈 말로 가장 적절한 것을 고르시오.

We can't learn French or solve math problems while we sleep. But in one study, researchers discovered that our brains remain active and learn things during sleep. To test this, they made sleeping people listen to a certain tone and released a terrible smell at the same time. Later, when the participants were awake, the researchers played the tone again. As soon as the participants heard the tone, they all held their breath to prepare for the bad smell. They seemed to remember the noise along with the sensory experience that came with it. Somehow, _____ even while they slept.

* sensory: 감각의

① their sense of smell improved

② their brains had gained knowledge

③ their minds limited their body's reactions

④ they remembered good memories

⑤ they were able to remain alert

➕ 독해력 PLUS

Q₁ 윗글의 실험 내용과 일치하는 것을 고르세요.
① 사람들은 자다가 지독한 냄새 때문에 깼다.
② 사람들은 깨어 있을 때 특정 소리를 듣자 숨을 참았다.

Q₂ 빈칸 문장을 제외한 부분에서 윗글의 주제문을 찾아 쓰고 해석하세요.

주제문: _____

해 석: _____

Words

discover ⑧알아내다, 발견하다 active ⑲활동적인, 활발한 tone ⑲음, 어조 release ⑧방출하다, 풀어주다 awake ⑲깨어 있는
hold one's breath 숨을 참다 [선택지] gain ⑧얻다 reaction ⑲반응 alert ⑲경계하는, 민첩한

지문듣기

2 다음 빈칸에 들어갈 말로 가장 적절한 것을 고르시오.

When people get cold or experience strong emotions, they get goosebumps on their skin. These are caused by tiny muscles in the skin pulling the hairs upright. In fact, goosebumps used to be a(n) _____ for our ancestors. They still had fur like modern great apes. And when they ran into a threat, their brains caused a hormone called adrenaline to be released. As a result, the hairs that covered their body stood straight up. This would make them look bigger to the predator and could scare it away. Therefore, goosebumps were a useful way of avoiding danger. Although we no longer have fur, our bodies still respond in the same way in stressful situations.

① brain function
② natural heater
③ ancient tradition
④ emotional signal
⑤ survival method

➕ **독해력 PLUS**

Q₁ 빈칸에 들어갈 말을 포함하여 빈칸 문장을 해석하세요.

_____

Q₂ 윗글의 주제로 적절한 것을 고르세요.
① goosebumps as an old method of defense
② relationship between fear and goosebumps

Words

goosebumps 명 소름 upright 부 수직으로 ancestor 명 조상, 선조 great ape 유인원 run into ~와 마주치다, 만나다 threat 명 위협, 위험
predator 명 포식자 scare A away A를 쫓아버리다 respond 동 반응하다 [선택지] ancient 형 아주 오래된, 고대의

지문듣기

3 다음 빈칸에 들어갈 말로 가장 적절한 것을 고르시오.

Shopping malls are full of sights, smells, and noises that are designed for ＿＿＿＿＿＿＿＿＿＿＿＿＿＿＿＿＿. When you walk into a mall, you often see many bright lights and large, decorated windows. The smell of perfume fills the air. A popular song plays loudly in the background. The more things you experience, the more likely you are to make an unplanned purchase. Your senses become overwhelmed by the mall. In this state, you forget your original schedule and stay longer than expected. You buy things that you didn't plan to get. Back home, it might surprise you to find more stuff than you thought inside your shopping bags.

① helping shoppers feel relaxed

② discovering items that are on sale

③ encouraging unexpected decisions

④ learning more about product options

⑤ highlighting details about the mall's interior

➕ 독해력 PLUS

Q₁ 빈칸 문장을 제외한 부분에서 윗글의 주제문을 찾아 쓰고 해석하세요.

주제문: ＿＿＿

해 석: ＿＿＿

Q₂ 빈칸에 들어갈 말을 포함하여 빈칸 문장을 해석하세요.

＿＿＿

Words

sight 명 구경거리, 시력 design 동 고안하다, 설계하다 decorated 형 장식된 perfume 명 향수 unplanned 형 계획되지 않은 purchase 명 구매
overwhelmed 형 압도되는 [선택지] encourage 동 부추기다 highlight 동 강조하다

Grammar Focus | 3. to부정사와 동명사

1 to부정사와 동명사

to부정사는 「to + 동사원형」의 형태로, 문장 안에서 명사·형용사·부사의 역할을 해요. 동명사는 「v-ing」의 형태로, 문장 안에서 명사 역할만 할 수 있어요.

명사 역할   1) **Providing[To provide]** convenient services to customers leads to satisfaction. <모의응용>

주어

형용사 역할   2) Because we use our smartphones too often, our ability **to concentrate** is threatened.

명사 수식

부사 역할   3) Many people drink coffee **to help** themselves stay awake. <모의응용>

~하기 위해(목적)

(TIP) to부정사는 전치사의 목적어로 올 수 없어요.

2 to부정사나 동명사를 목적어로 쓰는 동사

to부정사를 목적어로 쓰는 동사	promise	plan	choose	decide	agree	learn	expect
동명사를 목적어로 쓰는 동사	avoid	finish	stop	enjoy	consider	recommend	

(TIP) stop은 동명사만 목적어로 취하지만, '~하기 위해 (하던 일을) 멈추다'라는 의미일 때는 뒤에 부사적 용법의 to부정사가 올 수 있어요.

4) Around 10,000 years ago, humans learned **to cultivate** plants. <모의>

동사   목적어(to부정사)

5) If we continue to destroy natural habitats to build excess trails, wildlife will stop **using** these areas.

동사   목적어(동명사)   <모의>

⊹ 어법 출제 POINT

목적어 자리에 to부정사나 동명사 중 무엇이 적절한지 구별하는 문제가 나와요.

He told me to cut the grass and I decided | to do / doing | just the front yard. <모의응용>

◎ 기출로 Check-Up

밑줄 친 부분이 틀렸다면 바르게 고치세요. 바르면 ○로 표시하세요.

1 Food labels are a good way <u>find</u> information about the foods you eat. <모의>

2 We often make friends as a way of <u>expand</u> our sense of identity beyond our families. <모의>

3 At first, the washing machine made a lot of noise, and then it stopped <u>functioning</u>. <수능응용>

→ **유형 소개** 글의 문맥을 토대로 밑줄 친 부분이 의미하는 바를 추론하는 유형이에요. 수능에 1문항 출제돼요.

→ **지시문** 밑줄 친 표현/문장이 다음 글에서 의미하는 바로 가장 적절한 것은?

→ **출제 경향** 주로 일화나 사례를 통해 핵심 내용을 제시하는 글이 나와요.

풀이 방법

❶ 밑줄 친 표현의 의미를 글의 핵심 내용에 비추어 추론합니다.

밑줄 친 표현의 의미는 글의 문맥을 통해 정해지므로 핵심 내용을 바탕으로 추론할 수 있어요.

핵심 내용 아이들이 음식을 골고루 섭취하는 것은 건강한 신체 발달을 위해 중요하다.

↓

밑줄 친 표현 아이들이 편식을 한다면, 그들은 <u>연료가 부족한 자동차</u>가 될 것이다.

→ 건강하지 않은 사람

→ '연료가 부족한 자동차'는 말 그대로 기름이 떨어져서 제대로 속도를 내지 못하는 차를 의미해요. 이 표현을 글의 핵심 내용에 비추어 보면 '건강하지 않은 사람' 즉, 아이들의 신체가 건강하게 자라지 못한다는 의미임을 추론할 수 있어요.

이처럼, 밑줄 친 표현의 있는 그대로의 뜻이 아니라 문맥 속에서 갖게 되는 의미를 추론하는 것이 핵심이에요.

❷ 핵심 내용은 주제문 또는 글에서 설명하는 일화나 사례를 통해 파악합니다.

처음 한두 문장에서 중심 소재를 파악하고, 글을 읽으며 주제문 또는 일화나 사례를 통해 글쓴이가 하고자 하는 말을 파악합니다. 이 유형에서는 글에서 핵심 내용이 반복되는 경우가 많으므로, 주제 파악하기 문제라고 생각하고 글을 읽는다면 핵심 내용을 쉽게 파악할 수 있을 거예요.

밑줄 친 put the glass down이 다음 글에서 의미하는 바로 가장 적절한 것은? <모의응용>

A psychology professor raised **a glass of water** while teaching her students how to handle stress. She then asked them, "How heavy is this **glass of water** I'm holding?" Students shouted out various answers. The professor replied, "The absolute weight of this glass doesn't matter. It depends on how long I hold it. If I hold it for a minute, it's quite light. But, **if I hold it for a day straight, it will cause severe pain in my arm. In each case, the weight of the glass is the same, but the longer I hold it, the heavier it feels to me.**" She continued, "**Your stresses in life are like this glass of water.** If you still feel the weight of yesterday's stress, it's time to <u>put the glass down</u>."

① pour more water into the glass

② set a plan not to make mistakes

③ let go of the stress in your mind

④ think about the cause of your stress

⑤ learn to accept the opinions of others

❶❷ 밑줄 친 표현의 의미를 글의 핵심 내용에 비추어 추론하기

'어제의 스트레스의 무게를 여전히 느낀다면 그 잔을 내려놓아야 할 때'라는 것이 글의 핵심 내용과 어떻게 연관될지 추론하며 글을 읽습니다.

먼저, 물이 든 잔이 중심 소재임을 파악해요. 교수님이 물이 든 잔을 들며 그것을 더 오래 들고 있을수록 무거워서 팔이 아플 거라고 반복해서 말하고 있어요. 또한 스트레스가 이 물 잔과 같다고 했으므로 '그 잔을 내려놓다'라는 것은 '③ 여러분 마음의 스트레스를 놓아주다'라는 의미임을 파악합니다.

Words

psychology 명 심리학   handle 동 다루다   absolute 형 절대적인   weight 명 무게   matter 동 중요하다, 문제가 되다   depend on ~에 달려 있다

severe 형 심각한   [선택지] let go of ~을 놓다   accept 동 받아들이다

지문듣기

1 밑줄 친 the shortest distance between two people이 다음 글에서 의미하는 바로 가장 적절한 것은?

When we hear someone laugh, we usually think it's because they've heard or seen something funny. However, only 15 percent of laughs are due to humor. The majority of laughs are actually just social responses that connect us to other people. Scientists believe that humans have been using this bonding technique for centuries. Before humans created language, laughter was used to strengthen relationships. Even today we still use it for this purpose. For example, if some friends are watching a movie and one of them laughs at something, the rest of the group will probably follow. When we see or hear laughter, we want to join in it. In essence, laughter is <u>the shortest distance between two people</u>.

① a response that keeps people from understanding each other

② a natural method for bringing people closer together

③ communication that is more efficient than talking

④ an unusual reaction to seeing something funny

⑤ the way people celebrated events in the past

➕ 독해력 **PLUS**

Q1 윗글의 밑줄 친 부분을 해석하세요.

_____

Q2 윗글의 주제로 적절한 것을 고르세요.
① how to build strong friendships
② ability of laughter to form connections

Words

laugh 동 웃다 명 웃음(소리)　majority 명 대다수　response 명 반응, 대답　bond 동 유대감을 형성하다　strengthen 동 강화하다　purpose 명 목적
follow 동 따라 하다, 따르다　in essence 본질적으로　distance 명 거리　[선택지] efficient 형 효율적인　celebrate 동 기념하다

지문듣기

2 밑줄 친 <u>falling into this trap</u>이 다음 글에서 의미하는 바로 가장 적절한 것은?

When people browse the Internet, their sense of time changes. They might complete a task and guess that it took no more than 10 minutes. But in reality, it actually took double that time. That's because people often do things like randomly checking their emails or messages in the middle of their work. Or, they find a useful webpage and bookmark it for later. While they stare at a screen, they can't keep track of time accurately. To avoid <u>falling into this trap</u>, people must approach the Internet with more purpose. For example, they can better define what information they're looking for before going online. They should focus on completing a single task rather than doing things like checking emails at the same time.

① browsing only reliable sources
② making mistakes in online discussions
③ getting stressed due to technical issues
④ doing less physical activity while at work
⑤ being distracted and forgetting about time

➕ 독해력 PLUS

Q₁ 윗글의 밑줄 친 부분을 해석하세요.

_____

Q₂ 윗글에서 주제를 뒷받침하는 예시로 제시된 것을 고르세요.
① 사람들은 일에 집중하면 시간을 잘 확인하지 않는다.
② 사람들은 일하는 중간에 이메일과 메시지를 확인한다.

Words _____

browse ⑧ 인터넷을 돌아다니다   randomly ⑨ 무작위로   bookmark ⑧ 북마크하다   stare at ~을 쳐다보다   keep track of ~를 계속 파악하다
trap ⑨ 함정, 덫   define ⑧ 정하다, 밝히다   [선택지] reliable ⑱ 신뢰할 수 있는

3 밑줄 친 counted in the city's population이 다음 글에서 의미하는 바로 가장 적절한 것은?

지문듣기

    Many animals have lost their natural habitats due to human activity. But some of them have found ways to continue living. They now can be <u>counted in the city's population</u>. They have altered their behaviors to survive in their new environment. For example, city coyotes are now looking both ways before crossing the street to avoid fast-moving cars. Racoons and bears have learned that they can find food in trash cans. These animals have had no choice but to learn city survival skills. Humans have forced them to change their habitats, and they've successfully blended into city life as a result.

① forced back into their original environments
② affected by the city's harmful environment
③ given more options for new habitats
④ considered to be fully adapted to the city
⑤ protected more easily due to their closeness

➕ 독해력 PLUS

Q₁ 밑줄 친 표현이 포함된 문장 전체를 해석하세요.

_____

Q₂ 윗글의 내용을 다음과 같이 요약할 때, 빈칸에 들어갈 알맞은 말을 찾아 쓰세요. (주어진 글자로 시작)

Animals have l_____ new skills so that they can s_____ city life.

Words

natural habitat 자연 서식지 continue 图계속하다 population 图인구, 주민 coyote 图코요테 racoon 图너구리 trash can 쓰레기통
choice 图선택(권) blend into ~에 섞이다 [선택지] adapt 图적응하다 closeness 图친밀함, 가까움

Grammar Focus | 4. 분사

1 현재분사와 과거분사

분사는 v-ing(현재분사)나 p.p.(과거분사)의 형태로, 형용사처럼 명사를 수식하거나 문장 안에서 보어로 쓰여요. 현재분사는 능동·진행의 의미를 나타내고, 과거분사는 수동·완료의 의미를 나타내요.

1) On January 10, 1992, a ship **traveling** through rough seas lost 12 cargo containers.
배가 여행하다(능동)　현재분사

2) Participants must use the proposal form **provided** on the website. <모의>
제안서가 제공된다(수동)　과거분사

2 분사구문

분사구문은 「부사절 접속사 + 주어 + 동사」 형태의 부사절을 분사를 이용해 부사구로 바꾼 것이에요. 주절의 주어와 분사구문의 관계가 능동이면 현재분사가, 수동이면 과거분사가 와야 해요.

3) While she talked on the phone, Dorothy noticed a strange light outside.
부사절

→ **Talking** on the phone, Dorothy noticed a strange light outside.
분사구문(Dorothy가 이야기하는 행위의 주체)　주절의 주어

4) As she was given the opportunity to speak, she expressed her opinion in front of the others.
부사절

→ **(Being) Given** the opportunity to speak, she expressed her opinion in front of the others.
분사구문(she가 기회가 주어진 대상)　주절의 주어

(TIP) 분사구문 맨 앞이 「Being + 과거분사」의 형태인 경우 Being은 생략하고 과거분사만 남길 수 있어요.

✛ 어법 출제 POINT

분사구문에서 현재분사와 과거분사를 구별하는 문제가 나와요.

Asked / Asking to recall what they had read, people remembered the description of the character as being more positive than it was. <모의응용>

🎯 기출로 Check-Up

밑줄 친 부분이 틀렸다면 바르게 고치세요. 바르면 ○로 표시하세요.

1 I repaired the washing machine giving to us three months ago. <모의응용>

2 Injured during World War I, the soldier spent three years in various hospitals. <모의응용>

3 Television is the number one leisure activity, consumed more than half of our free time. <모의응용>

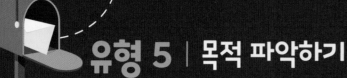

유형 5 | 목적 파악하기

──• **유형 소개** 글을 쓴 의도를 가장 잘 나타낸 것을 고르는 유형이에요. 수능에 1문항 출제돼요.

──• **지시문** 다음 글의 목적으로 가장 적절한 것은?

──• **출제 경향** 주로 요청이나 부탁을 하거나 감사 또는 사과 등을 전하려는 편지글이 나와요.

풀이 방법

❶ 글을 쓰게 된 배경을 파악합니다.

글의 중반까지는 글을 쓰게 된 배경이 주로 나와요. 글쓴이와 편지를 받는 사람이 어떤 관계인지, 글을 쓰기에 앞서 어떤 상황이 있었는지를 파악하며 읽으면 글을 쓴 의도를 파악하는 데 도움이 돼요.

❷ 글을 쓴 의도가 가장 잘 드러나는 문장을 찾습니다.

배경 설명이 끝나고 글의 중후반에 글을 쓴 의도가 직접적으로 드러나는 문장이 나와요. 주로 명령문이나 아래의 표현을 포함하고 있는 문장을 찾으면 의도를 파악할 수 있습니다.

요청이나 부탁할 때 쓰는 표현	ask 요청하다 would like to ~하고 싶다	request 요청하다 would like you to 당신이 ~하기를 원하다	please ~해주세요
공지할 때 쓰는 표현	announce 공지하다	inform 알리다	notify 알리다
양해를 구할 때 쓰는 표현	apologize 사과하다		

다음 글의 목적으로 가장 적절한 것은? <모의응용>

To the school librarian,

I am Kyle Thomas, **the president of the school's English writing club**. I have planned activities that will increase the writing skills of our club members. One of the aims of these activities is to make us aware of various types of news media and the language used in printed newspaper articles. However, **some old newspapers are not easy to access online. Therefore, I request you to allow us to use old newspapers that have been stored in the school library.** I would really appreciate it if you grant us permission.

Yours truly,
Kyle Thomas

❶ 글을 쓰게 된 배경 파악하기
받는 사람은 학교 도서관 사서, 글쓴이는 영어 글쓰기 동아리 회장이고, 글쓴이가 온라인으로는 오래된 신문을 보기 쉽지 않은 상황을 겪었음을 파악합니다.

❷ 글을 쓴 의도가 가장 잘 드러나는 문장 찾기
요청할 때 쓰는 표현 request가 포함된 문장을 통해 학교 도서관에 보관되어 온 오래된 신문을 사용하는 것을 허락해 달라고 요청하기 위해 글을 쓴 것임을 파악하고 ⑤을 정답으로 고릅니다.

① 도서관 이용 시간 연장을 건의하려고
② 신청한 도서의 대출 가능 여부를 문의하려고
③ 도서관에 보관 중인 자료 현황을 조사하려고
④ 글쓰기 동아리 신문의 도서관 비치를 부탁하려고
⑤ 도서관에 있는 오래된 신문의 사용 허락을 요청하려고

Words

librarian 명 도서관 사서   president 명 회장   increase 동 증진시키다, 올리다   aim 명 목적, 목표   access 동 접근하다   allow 동 허락하다   store 동 보관하다   appreciate 동 감사하다   grant 동 주다   permission 명 허락

지문듣기

1 다음 글의 목적으로 가장 적절한 것은?

Dear Ms. Noles,

As you know, I have always loved to play the piano with my classmates. That's why I want to start a new music club at school. I've already found several students who want to join. However, the school says every club needs a teacher to supervise it. So, I would be grateful if you could be our club's lead teacher. As a music teacher, you have given me very helpful advice about my piano playing, so I thought of you. I hope you will consider it. Thank you.

Best regards,
Thomas Wales

① 음악 발표회 참석을 부탁하려고
② 교내 음악 동아리 부원을 모집하려고
③ 음악 대학 진학에 관한 조언을 구하려고
④ 동아리를 위한 공용 피아노 구매를 건의하려고
⑤ 동아리 담당 선생님이 되어줄 것을 부탁하려고

➕ 독해력 PLUS

Q₁ 편지를 받는 사람의 직업을 나타내는 단어를 윗글에서 찾아 쓰세요. (두 단어)

_____

Q₂ 글을 쓴 의도가 가장 잘 드러나는 문장을 찾아 쓰고 해석하세요.

문장: _____

해석: _____

Words

club 명동아리, 동호회   join 동가입하다   supervise 동지도하다, 감독하다   grateful 형감사하는   lead 명지도, 솔선, 선도   advice 명조언

지문듣기

2 다음 글의 목적으로 가장 적절한 것은?

Dear community members,

  I have some exciting news to share! A new Recoop Recycling Store is opening near Pellman's Supermarket. Recoop will provide several environmentally friendly services to the community. We will only sell products that are made of recycled materials and items that are easily reusable. Please join us at our official opening event on Saturday, May 20. The celebration will start at 9 a.m. at 144 Grant Avenue. We look forward to seeing you there!

Sincerely,

Edwin Garvey

---

① 쓰레기 수거 날짜를 알리려고
② 매장의 영업 시간 변경을 안내하려고
③ 재활용 매장의 개업을 홍보하려고
④ 새로 나온 재활용 제품을 소개하려고
⑤ 자원 재활용에 관한 수업의 만족도를 조사하려고

➕ 독해력 **PLUS**

Q₁ Recoop Recycling Store에 관한 내용과 일치하는 것을 고르세요.
  ① Pellman 슈퍼마켓 근처에 있다.
  ② 지역에서 나오는 재활용품을 수거한다.

Q₂ 글을 쓴 의도가 가장 잘 드러나는 문장을 찾아 쓰고 해석하세요.

  문장: _____

  해석: _____

Words

share 동 함께 나누다, 공유하다   recycle 동 재활용하다   environmentally friendly 환경 친화적인   material 명 자재, 재료   reusable 형 재사용할 수 있는
celebration 명 기념 행사   look forward to ~하는 것을 기대하다

지문듣기

3 다음 글의 목적으로 가장 적절한 것은?

Dear Ms. Park,

 Every month, our library invites an author to join us for a special event. These events include a reading by the author and a discussion about his or her work. We would like you to be our speaker next month. We think many of our members would be interested in hearing a talk about your book of poems, *Bridge Over Oceans*. Please let us know if you can participate in the event by calling us at 555-3495.

Sincerely,

Alisha Ramirez

Director, Holly Oak Library

---

① 행사 일정의 변동을 안내하려고
② 도서관 행사의 발표자로 초청하려고
③ 도서관에 최신 도서 비치를 부탁하려고
④ 지역 도서관의 활성화 방안을 건의하려고
⑤ 작가 지망생을 위한 프로그램을 홍보하려고

➕ 독해력 PLUS

Q1 편지를 받는 사람의 직업을 나타내는 단어를 윗글에서 찾아 쓰세요.

_____

Q2 글을 쓴 의도가 가장 잘 드러나는 문장을 찾아 쓰고 해석하세요.

문장: _____

해석: _____

Words

include 동 포함하다   reading 명 낭독   discussion 명 토론   speaker 명 발표자, 연사   participate 동 참여하다   director 명 (기관의) 장, 책임자

Grammar Focus | 5. 목적격 보어

1 목적격 보어

목적격 보어는 목적어를 보충 설명해주는 말이에요. 「주어 + 동사 + 목적어 + 목적격 보어」 형태의 5형식 문장에 쓰여요.

1] The customer found the green sweater **expensive**.
　　　주어　　　　동사　　　　목적어　　　　목적격 보어

2 동사에 따른 목적격 보어의 형태

목적격 보어의 형태	동사							
명사	call	make	name					
형용사	keep	find	leave	think	consider	believe		
to부정사	want	advise	ask	expect	allow	encourage	cause	enable
동사원형	<사역동사> make	have	let					
동사원형/현재분사	<지각동사> see	watch	hear	listen to	smell	feel		

(TIP) 1. 지각동사의 목적격 보어 자리에 현재분사를 쓰면 동작이 진행 중임을 강조할 수 있어요.
　　　 2. 사역동사와 지각동사의 목적어와 목적격 보어의 관계가 수동이면 목적격 보어 자리에 과거분사를 써요.

2] Having friends with other interests **keeps** life **enjoyable**. <모의응용>
　　　　　　　　　　　　　　　　　　　　동사　　　목적격 보어(형용사)

3] Group activities in the classroom **allow** students **to interact** with their classmates.
　　　　　　　　　　　　　　　　　　　　동사　　　　　　목적격 보어(to부정사)

4] Doris **watched** the famous violinist **play[playing]** at the show.
　　　　지각동사　　　　　　　　　　　목적격 보어(동사원형[현재분사])

✛ 어법 출제 POINT

동사에 따른 적절한 형태의 목적격 보어가 왔는지 묻는 문제가 나와요.

Impressionist paintings do not ask us | work / to work | hard to understand the image. <모의응용>

🎯 기출로 Check-Up

밑줄 친 부분이 틀렸다면 바르게 고치세요. 바르면 ○로 표시하세요.

1 We tend to find things <u>appealing</u> if everything about them is not obvious. <모의응용>

2 Smartwatches have probably encouraged people <u>exercise</u> more regularly. <모의응용>

3 Instruments like telescopes and microscopes let us <u>to see</u> far better than we could without them.
<모의응용>

유형 6 | 심경·분위기 파악하기

— **유형 소개** 등장인물의 심경 또는 글의 분위기를 가장 잘 나타낸 것을 고르는 유형이에요. 수능에 1문항 출제돼요.

— **지시문** 다음 글에 드러난 '등장인물'의 심경으로 가장 적절한 것은?
다음 글에 드러난 '등장인물'의 심경 변화로 가장 적절한 것은?
다음 글의 상황에 나타난 분위기로 가장 적절한 것은?

— **출제 경향** 주로 소설의 일부분 같은 이야기 글이 나와요. 인물이 처한 상황을 설명하는 한두 문장이 나온 다음, 그 상황에서 인물이 하는 행동과 느끼는 감정을 묘사하는 내용이 이어져요.

풀이 방법

❶ 등장인물이 처한 상황을 먼저 파악합니다.

등장인물의 심경이나 글의 분위기는 주어진 상황에 영향을 크게 받아요. 따라서 처음 한두 문장을 읽고 등장인물이 어떤 상황에 있는지 파악합니다.

❷ 등장인물의 행동과 감정을 묘사하는 표현을 찾습니다.

행동과 감정을 묘사하는 표현은 심경·분위기를 파악할 수 있는 중요한 단서예요. 심경 변화를 묻는 문제일 경우, 글의 중반부에 심경이 변화하게 되는 계기가 나오므로 그 뒤에 나오는 표현들까지 파악합니다.

행동과 감정을 묘사하는 표현의 예

> She shouted with joy. 그녀는 기뻐서 소리쳤다.
> Her heart felt like it hurt. 그녀의 마음이 아픈 것 같았다.
> Salva's knees were shaking as he walked to the microphone.
> 마이크로 걸어갈 때 Salva의 다리는 후들거리고 있었다.

❸ 상황과 등장인물의 행동 및 감정을 묘사하는 표현들을 종합하여 심경·분위기를 파악합니다.

심경·분위기 문제의 선택지에 나오는 표현들은 어느 정도 정해져 있어요. 따라서 아래 표현들의 의미를 알아 두면 글에서 파악한 상황과 등장인물의 행동 및 감정을 토대로 답을 더 쉽게 고를 수 있어요.

긍정적인 심경·분위기를 나타내는 표현

excited 신이 난	delighted 아주 기뻐하는	pleased 기쁜	satisfied 만족스러워하는	thankful 감사하는
confident 자신감 있는	proud 자랑스러워하는	relaxed 느긋한	touched 감동한	

부정적인 심경·분위기를 나타내는 표현

disappointed 실망한	angry 화난	jealous 질투하는	nervous 불안해하는	bored 지루해하는
worried 걱정스러워하는	frightened 겁먹은	embarrassed 당황스러운	indifferent 무관심한	

다음 글에 드러난 Matthew의 심경 변화로 가장 적절한 것은? <모의>

One Saturday morning, Matthew's mother told Matthew that she was going to take him to the park. A big smile came across his face. As he loved to play outside, he got dressed quickly so they could go. When they got to the park, Matthew ran all the way over to the swing set. That was his favorite thing to do at the park. But the swings were all being used. His mother explained that he could use the slide until a swing became available, but it was broken. Suddenly, his mother got a phone call and she told Matthew they had to leave. His heart sank.

① embarrassed → indifferent
② excited → disappointed
③ cheerful → ashamed
④ nervous → touched
⑤ scared → relaxed

❶ 등장인물이 처한 상황 파악하기
Matthew의 엄마가 Matthew를 공원에 데려가겠다고 한 상황임을 파악합니다.

❷ 행동과 감정을 묘사하는 표현 찾기
전반부에서 환하게 웃었다, 나가려고 옷을 빨리 갈아입었다, 그네로 달려갔다는 표현을 찾을 수 있어요.
중반부 이후에서 그네도 미끄럼틀도 이용할 수 없는 데다가 엄마가 갑자기 가야 한다고 해서 가슴이 내려앉았다는 것을 파악해요.

❸ 상황과 행동 및 감정을 묘사하는 표현을 종합하여 심경 파악하기
Matthew가 신이 났다가 실망한 것을 알 수 있으므로 '② 신이 난 → 실망한'을 정답으로 고릅니다.

Words

all the way 온 힘을 다해, 내내   swing 똉 그네 통 흔들리다   slide 똉 미끄럼틀 통 미끄러지다   available 휑 이용할 수 있는   broken 휑 부서진
sink 통 내려앉다   [선택지] cheerful 휑 쾌활한   ashamed 휑 창피한

지문듣기

1 다음 글의 상황에 나타난 분위기로 가장 적절한 것은?

After taking a long walk, Sarah and her mom sat down to watch the sunset from the beach. The sky was orange and pink, and the water was a beautiful dark blue. Sarah closed her eyes and listened to the sound of the waves hitting the shore. She didn't have any worries at that moment. "Shall we go back to the hotel for dinner now?" Sarah's mom asked after a while. "Not yet. Let's stay here a little longer," Sarah replied. She breathed in deeply and moved her toes in the soft sand. She never wanted this moment to end.

① mysterious
② dramatic
③ relaxing
④ urgent
⑤ humorous

➕ 독해력 PLUS

Q₁ 윗글에서 Sarah가 처한 상황으로 알맞은 것을 고르세요.
① 엄마와 함께 해변에서 저녁노을을 보고 있다.
② 엄마와 호텔에서 저녁 식사를 하고 있다.

Q₂ 윗글에서 Sarah가 한 행동이 <u>아닌</u> 것을 고르세요.
① 눈을 감고 파도 소리를 들었다.
② 모래사장에서 뛰어 놀았다.

Words

sunset 명 저녁노을, 해질녘   beach 명 해변, 바닷가   wave 명 파도   shore 명 해안, 해변   breathe 통 숨쉬다   [선택지] mysterious 형 신비로운   urgent 형 긴박한

지문듣기

유형 6

해커스 첫수능 영어 유형독해

2 다음 글에 드러난 Oliver의 심경으로 가장 적절한 것은?

Oliver stared at the rows of people waiting in line for art museum tickets. There seemed to be more than a hundred people ahead of him. Oliver checked his watch. He had already been here for over an hour. Since there was nothing to do, he had even started counting tiles on the floor. He couldn't take it much longer. "Excuse me," he said to the person in front of him. "What's taking so long?" The woman explained that the museum's ticket machine was down, so they had to wait for it to be fixed. "Oh no," Oliver said. He began counting tiles on the floor again.

① excited
② nervous
③ terrified
④ cheerful
⑤ bored

➕ 독해력 **PLUS**

Q₁ 윗글에서 Oliver가 처한 상황으로 알맞은 것을 고르세요.
① 미술관을 방문하는 사람들을 안내하고 있다.
② 미술관 표를 사기 위해 기다리고 있다.

Q₂ 윗글의 상황에서 Oliver가 반복적으로 한 행동으로 알맞은 것을 고르세요.
① 바닥의 타일을 셌다.
② 휴대전화를 껐다 켰다.

Words

stare 통 쳐다보다, 응시하다   row 명 줄   count 통 세다   floor 명 바닥   take it 참다, 견디다   down 형 고장 난   [선택지] terrified 형 겁에 질린

지문듣기

3 다음 글에 드러난 Jane의 심경 변화로 가장 적절한 것은?

Jane was helping her father feed the animals. "They look so thirsty, but we don't have enough water," she said in a concerned tone. It hadn't rained in months, and everything on the farm was dry. She sighed deeply thinking about this year's harvest. At that moment, she felt something cold and wet hit her face. She looked up at the sky and saw dark grey clouds. Her eyes widened. "It's raining, Dad!" she yelled. Her dad smiled at her and nodded. This unexpected rain would wet the soil and give the plants enough water. A peaceful look came to her face as she walked to the house soaking wet.

① surprised → disappointed   ② worried → relieved

③ regretful → satisfied   ④ angry → confident

⑤ proud → embarrassed

➕ 독해력 PLUS

Q1 Jane의 심경이 변하는 계기를 나타내는 문장을 찾아 쓰고 해석하세요.

문장: _____

해석: _____

Q2 Jane의 심경을 파악할 수 있는 단어를 윗글에서 찾아 쓰세요. (주어진 첫 글자로 시작하는 단어)

c_____, s_____, p_____

Words

feed ⑧ 먹이를 주다   concerned ⑲ 걱정하는, 염려하는   sigh ⑧ 한숨 쉬다   harvest ⑲ 수확   hit ⑧ 부딪치다   widen ⑧ 커지다, 넓어지다   yell ⑧ 소리치다
nod ⑧ (고개를) 끄덕이다   unexpected ⑲ 예상치 못한, 뜻밖의   soaking wet 흠뻑 젖은   [선택지] embarrassed ⑲ 당혹스러운, 난처한

Grammar Focus | 6. 수동태 ①

1 능동태와 수동태

주어가 동작을 하는 행위자면 동사를 능동태로 쓰고, 주어가 동작을 당하는 대상이면 동사를 수동태로 써요. 수동태는 「be 동사 + p.p.(과거분사)」의 형태이고, 능동태 문장의 목적어가 수동태 문장의 주어가 돼요.

1] A famous architect **designed** the new library.
    주어(설계하는 행위자)   능동태   목적어

→ The new library **was designed** by a famous architect.
    주어(설계되는 대상)   수동태

✛ 어법 출제 POINT

주어가 동작을 하는 행위자인지 아니면 동작을 당하는 대상인지에 따라 능동태와 수동태를 구별하는 문제가 나와요.

Not everything | taught / is taught | at school. <모의>

2 수동태로 쓸 수 없는 동사

목적어를 가지지 않는 동사	stay	look	appear	disappear	happen	occur
소유나 상태를 나타내는 동사	have	fit	resemble			

2] Nora (~~was disappeared~~, **disappeared**) out of the front door. <모의응용>

3 수동태의 다양한 형태

진행시제 수동태	be동사 + being + p.p.	3] The bridge **is being built** across the river.
완료시제 수동태	have/had been + p.p.	4] The computer **had been fixed** when she came.
조동사가 있는 수동태	조동사 + be + p.p.	5] Application forms **must be submitted** via email.

🎯 기출로 Check-Up

밑줄 친 부분이 틀렸다면 바르게 고치세요. 바르면 ○로 표시하세요.

1 She said that the machine's failure <u>caused</u> by a manufacturing defect. <모의응용>

2 Trade <u>is occurred</u> when one party wants what the other party offers. <모의응용>

3 Registration should <u>be done</u> at least two days before the program begins. <모의>

유형 7 │ 요약문 완성하기

──── **유형 소개** 글의 내용을 요약한 문장의 빈칸 2개에 들어갈 단어를 고르는 유형이에요. 수능에 1문항 출제돼요.

──── **지시문** 다음 글의 내용을 한 문장으로 요약하고자 한다. 빈칸 (A), (B)에 들어갈 말로 가장 적절한 것은?

──── **출제 경향** 주로 사회·과학 분야의 연구 결과나 특정 개념 또는 현상에 대해 설명하는 글이 나와요.

풀이 방법

❶ 요약문을 먼저 읽고 무엇에 관한 글일지 예상해봅니다.

요약문은 글의 핵심 내용을 한 문장으로 정리한 것이에요. 따라서 요약문을 먼저 읽고 무엇에 관한 글일지 예상해보면 글에서 단서를 찾는 데 도움이 돼요.

❷ 글에서 반복적으로 설명하는 정보를 통해 글의 핵심 내용을 파악합니다.

글에서 반복적으로 나오는 내용이나 표현이 있으면 표시하며 읽습니다. 주로 연구 결과나 특정 개념 또는 현상을 말만 바꾸어 반복해서 설명하므로 이것을 표시해두면 글의 핵심 내용을 쉽게 파악할 수 있어요.

TIP 이 유형은 글의 마지막 문장이 전체 내용을 정리하는 주제문 역할을 하는 경우가 많으므로, 마지막 문장을 꼭 읽으세요.

❸ 핵심 내용을 같은 의미의 다른 말로 가장 잘 나타낸 단어를 고릅니다.

글에 쓰인 단어가 요약문에 그대로 쓰이지는 않으므로, 글에서 찾은 단서와 비슷한 의미로 쓰인 단어를 정답으로 골라 요약문을 완성합니다.

다음 글의 내용을 한 문장으로 요약하고자 한다. 빈칸 (A), (B)에 들어갈 말로 가장 적절한 것은? <모의응용>

지문듣기

In one study, researchers asked pairs of strangers to sit down in a room and chat. In half of the rooms, a cell phone was placed on a nearby table; in the other half, no phone was present. After the conversations had ended, the researchers asked the participants what they thought of each other. They learned that **when a cell phone was present in the room, the participants reported a lower-quality of relationship** than when one wasn't present. The **pairs who talked in the rooms with cell phones thought their partners showed less empathy.** Think of all the times you've sat down to have lunch with a friend and set your phone on the table. You might have felt good about yourself because **you didn't pick it up to check your messages.** However, your **unchecked messages were still hurting your connection** with the person sitting across from you.

* empathy: 공감

↓

The **presence of a cell phone** _____(A)_____ the connection **between people** involved in conversations, **even when the phone is being** _____(B)_____.

　　　　(A)　　　　　　　(B)
① weakens　　……　answered
② weakens　　……　ignored
③ renews　　……　answered
④ maintains　　……　ignored
⑤ maintains　　……　updated

❶ 요약문을 먼저 읽고 글의 내용 예상하기

휴대폰이 '어떻게(B)' 되고 있을 때조차 휴대폰의 존재가 사람들의 관계를 '어떻게 하는지(A)'에 관한 글일 것이라고 예상합니다.

❷ 글에서 반복적으로 설명하는 정보를 통해 핵심 내용 파악하기

휴대폰이 방에 있을 때 참가자들의 관계의 질이 더 낮았다, 휴대폰이 있는 방에서 대화를 한 사람들은 상대가 공감을 덜 보였다고 생각했다는 내용이 반복되고 있음을 파악해요. (A)의 단서가 되겠군요.

후반부에서 휴대폰을 집어 들지 않았더라도 확인하지 않은 메시지가 여전히 관계를 상하게 하고 있다는 내용이 반복되고 있음을 파악해요. (B)의 단서가 되겠군요.

❸ 핵심 내용을 같은 의미의 다른 말로 나타낸 단어 고르기

(A)에는 관계를 상하게 하고 있다와 같은 의미 '약화시키다', (B)에는 집어 들지 않은, 확인하지 않은과 같은 의미인 '무시되는'을 정답으로 고릅니다.

Words

stranger 몡 모르는 사람　nearby 혱 근처의　present 혱 있는　conversation 몡 대화　participant 몡 참가자　quality 몡 질　relationship 몡 관계
connection 몡 관계, 연결　presence 몡 있음, 존재　[선택지] weaken 동 약화시키다　renew 동 새롭게 하다, 다시 시작하다

지문듣기

1 다음 글의 내용을 한 문장으로 요약하고자 한다. 빈칸 (A), (B)에 들어갈 말로 가장 적절한 것은?

White noise is generated when all of the different tones people can hear are combined together. We hear it as an unspecific noise that does not resemble a sound made by natural objects. Research has shown that it is useful in helping people pay attention to tasks they need to complete. If someone is studying in a quiet place like the library, it's easy for them to become distracted by sounds. The person can lose their concentration if a group sitting nearby begins a conversation or if someone begins tapping a pencil on a desk. However, if they're listening to white noise, these sounds won't be noticeable. This is because it has the ability to mask other noises. They will just add to the other sounds of the white noise. White noise can therefore prevent interruptions and help people stay alert.

* mask: 안 들리게 하다

↓

White noise helps people ___(A)___ on their work because it ___(B)___ other sounds.

	(A)	(B)		(A)	(B)
①	rely	increases	②	rely	absorbs
③	focus	blocks	④	focus	starts
⑤	plan	spreads			

➕ 독해력 PLUS

Q₁ 윗글의 중심 소재를 찾아 두 단어의 영어로 쓰세요.

_____

Q₂ 요약문의 (A), (B)에 들어가는 단어와 비슷한 의미로 쓰인 표현을 윗글에서 찾아 쓰세요. (주어진 글자로 시작)

(A) = p_____ , s_____

(B) = m_____

Words

generate 동 발생시키다 unspecific 형 불특정의 noise 명 소리, 소음 resemble 동 비슷하다, 닮다 natural object 자연물 distracted 형 산만해진
concentration 명 집중 tap 동 두드리다 noticeable 형 두드러지는, 뚜렷한 interruption 명 방해, 중단 [선택지] absorb 동 흡수하다

2 다음 글의 내용을 한 문장으로 요약하고자 한다. 빈칸 (A), (B)에 들어갈 말로 가장 적절한 것은?

지문듣기

유형 7

해커스 첫수능 영어 유형독해

> Scientists conducted a study to see if they could improve the function of old brains. For the experiment, they tested two groups of people that represented different age categories. One group included participants who were 20 to 29 years old and the other consisted of people aged 60 to 76. In the experiment, two photos were shown quickly, one after the other. The participants were then asked to remember and point out the differences between these images. Scientists delivered a series of electric charges to the brains of individuals during some of the exercises. Without these charges, the older people did not perform as well as the younger group in general. But when they were given electric stimulation, their brain activity was boosted. They remembered more of the differences between images and completed the tasks just as well as the younger individuals.
>
> * electric charge: 전하 ** stimulation: 자극

↓

> According to the study, when older individuals received electric charges during ____(A)____ tasks, their brain function ____(B)____.

	(A)		(B)			(A)		(B)
①	social	······	altered		②	simple	······	transformed
③	simple	······	slowed		④	memory	······	improved
⑤	memory	······	decreased					

➕ 독해력 PLUS

Q₁ 윗글의 중심 소재로 알맞은 것을 고르세요.
  ① the function of old brains
  ② different age categories

Q₂ 윗글의 내용과 일치하는 것을 고르세요.
  ① 전기 자극이 없을 때, 노화된 뇌는 젊은 뇌보다 잘 기억했다.
  ② 전기 자극이 있을 때, 노화된 뇌는 젊은 뇌만큼 잘 기억했다.

Words

conduct ⑧ 수행하다 represent ⑧ 대표하다 consist of ~로 이루어지다 point out 가리키다, 지적하다 deliver ⑧ 전하다, 주다 boost ⑧ 높이다, 북돋우다
[선택지] alter ⑧ 변경하다 transform ⑧ 바뀌다, 변화시키다

3 다음 글의 내용을 한 문장으로 요약하고자 한다. 빈칸 (A), (B)에 들어갈 말로 가장 적절한 것은?

Before the creation of a time standard, towns and cities across the United States all had different official times. The time was determined by the sun, so noon was always when the sun was in the middle of the sky. Therefore, neighboring cities operated on times that were only different by a few minutes. These small differences were a huge problem for railroads since the time would change so often with travel. By 1883, the railroad companies had to consider 56 standards of time when they made their timetables. To fix this complex system, the railroads created the four time zones that the continental United States still uses today. The system worked so well that other countries were inspired by it and organized their time in similar ways.

* continental: 북미 대륙의

⬇

_____(A)_____ scheduling systems caused American railroad companies to _____(B)_____ the standard time zones.

	(A)	(B)		(A)	(B)
①	Complicated	examine	②	Complicated	establish
③	Distributed	ignore	④	Organized	confirm
⑤	Organized	predict			

➕ 독해력 PLUS

Q1 윗글의 중심 소재로 알맞은 것을 고르세요.
　① time standard　　② neighboring cities　　③ travel

Q2 요약문의 (A), (B)에 들어가는 단어와 비슷한 의미로 쓰인 단어를 윗글에서 찾아 쓰세요. (주어진 글자로 시작)
　(A) = c _____
　(B) = c _____

Words

time standard 표준시　determine 동 결정하다　neighboring 형 이웃의　railroad 명 철도 회사　organize 동 체계화하다
[선택지] complicated 형 복잡한　examine 동 조사하다　establish 동 확립하다, 마련하다　distribute 동 분배하다

Grammar Focus | 7. 수동태 ②

1 4형식 문장의 수동태

4형식 문장은 두 개의 목적어를 가지므로, 각 목적어를 주어로 하는 두 가지 형태의 수동태 문장을 만들 수 있어요. 이때 간접목적어가 주어인 수동태 문장은 직접목적어가 수동태 뒤에 남아요. 직접목적어가 주어인 수동태 문장은 간접목적어 앞에 전치사 to/for/of 중 하나를 써요.

1] Jessica **gave** me a book. → I **was given** a book by Jessica. <간접목적어가 주어>
   간접목적어 직접목적어 → A book **was given to** me by Jessica. <직접목적어가 주어>

2 5형식 문장의 수동태

❶ 목적격 보어가 명사, 형용사, to부정사, 분사인 5형식 문장을 수동태 문장으로 만들 때는 목적격 보어를 「be동사 + p.p.」 뒤에 그대로 써요.

2] In 1806, people **elected** Richard Porson principal librarian at the London Institution.
                          목적어   목적격 보어(명사)

   → In 1806, Richard Porson **was elected** principal librarian at the London Institution. <모의응용>

❷ 목적격 보어가 동사원형인 5형식 문장을 수동태 문장으로 만들 때는 동사원형을 to부정사로 바꿔요.

3] The teacher **made** the students write an essay about their dreams.
                       목적어   목적격 보어(동사원형)

   → The students **were made** to write an essay about their dreams by the teacher.

✛ 어법 출제 POINT

4형식과 5형식 문장에서 능동태와 수동태를 구별하는 문제가 나와요. 동사 자리 뒤에 명사나 to부정사가 있더라도 수동태가 올 수 있음에 유의해요.

To study how sight affected their sense of taste, participants | gave / were given | white wine, which researchers had colored red. <모의응용>

🎯 기출로 Check-Up

밑줄 친 부분이 틀렸다면 바르게 고치세요. 바르면 ○로 표시하세요.

1 A free Bluetooth headset will <u>give</u> to every buyer of the TV. <모의응용>

2 The manager <u>told</u> to produce a fixed number of shoes. <모의>

3 Lithops <u>are called</u> "living stones" because of their unique rocklike appearance. <모의>

* lithops: 리돕스(식물의 일종)

Chapter 3

흐름을 파악하는 유형

유형 8 │ **흐름과 무관한 문장 찾기**
Grammar Focus 8. 명사절 접속사

유형 9 │ **글의 순서 배열하기**
Grammar Focus 9. 관계대명사

유형 10 │ **주어진 문장의 위치 찾기**
Grammar Focus 10. 관계부사

— **유형 소개** 글의 주제와 관련이 없어서 흐름에서 벗어나는 문장을 찾는 유형이에요. 수능에 1문항 출제돼요.

— **지시문** 다음 글에서 전체 흐름과 관계 없는 문장은?

— **출제 경향** 처음 한두 문장에서 중심 소재와 주제를 먼저 제시한 뒤, 선택지 문장들에서 그에 관한 부연 설명이 이어지는 글이 주로 나와요.

풀이 방법

❶ 처음 한두 문장에서 중심 소재와 주제를 파악합니다.

글 전체의 흐름을 파악하기 위해서는 중심 소재와 주제를 정확히 이해하는 것이 중요해요. 따라서 선택지 문장이 나오기 전 처음 한두 문장을 읽고 무엇에 관한 글인지 파악합니다.

❷ 글의 중심 소재를 포함하여 헷갈리게 하지만, 주제와 관련 없는 문장을 찾습니다.

흐름과 무관한 문장이란 글의 주제와 관련 없는 내용을 다루는 문장이에요. 선택지 중 혼자서 다른 주제에 대해 이야기하는 문장을 찾습니다. 글의 중심 소재를 포함하고 있더라도 주제와 다른 내용을 다루어 헷갈리게 하므로, 문장 전체의 내용이 주제와 관련 있는지 확인합니다.

과일은 건강에 좋다. ① **과일**에는 비타민과 같은 영양소가 풍부하다. ② <u>최근, 이상 기후로 인해 **과일** 가격이 상승하고 있다.</u>

③ 특히, 아침에는 사과처럼 식이 섬유가 풍부한 **과일**을 먹으면 좋다.

→ 이 글의 주제는 '과일은 건강에 좋다'예요. ①~③ 모두 중심 소재 '과일'을 포함하고 있지만, 밑줄 친 문장 ②만 과일 가격이 오르는 것에 대해 이야기하고 있으므로 주제와 관련이 없어요.

기출 적용

지문듣기

다음 글에서 전체 흐름과 관계 없는 문장은? <모의응용>

    Today's music business has allowed musicians to take matters into their own hands. ① Musicians no longer have to wait for a gatekeeper (someone who holds power and prevents you from being let in) at a label or TV show to say they are worthy of the spotlight. ② In today's music business, you don't need to ask for permission to build a fanbase and you don't need to pay a company to do it. ③ There are rising concerns over the marketing of child musicians using TV auditions. ④ Every day, musicians are getting their music out to thousands of listeners without any outside help. ⑤ They simply deliver it to the fans directly, without asking for permission or outside help to connect with thousands of listeners.

❶ 처음 한두 문장에서 중심 소재와 주제 파악하기

오늘날의 음악 사업은 뮤지션들이 그들의 일을 직접 하게 했다는 것이 글의 주제임을 파악합니다.

❷ 주제와 관련 없는 문장 찾기

①, ②은 뮤지션들이 더 이상 문지기를 기다릴 필요가 없다, 허락을 구하지 않아도 된다고 했으므로 주제와 관련된 내용임을 파악해요.

그런데 ③은 musicians를 포함하지만, 어린이 뮤지션들을 마케팅하는 것에 대한 우려에 대해 이야기하므로 주제와 관련 없는 문장임을 파악하고 정답으로 고릅니다.

④, ⑤도 외부의 도움 없이, 허락을 구하거나 외부의 도움 없이라는 표현을 통해 주제와 관련된 내용을 말하고 있음을 확인합니다.

Words

music business 음악 사업   take matters into one's own hands 일을 직접 하다   gatekeeper 명 문지기   label 명 음반사   worthy of ~을 받을 만한
spotlight 명 주목, 집중 조명   permission 명 허락   fanbase 명 팬층   concern 명 우려   directly 부 직접, 곧장

TEST

지문듣기

1 다음 글에서 전체 흐름과 관계 <u>없는</u> 문장은?

People born from 1981 to 1996 are known as Generation Y (Gen Y). Compared to other age groups, Gen Y members are taking longer to reach adulthood. ① They are more likely to live with their parents longer and postpone getting married. ② Therefore, they are often called the Peter Pan Generation. ③ A family generation lasts about 30 years because this is the period it takes for people to grow up and have kids. ④ It may seem like the people of Gen Y just don't want to mature because they like being young. ⑤ However, they are actually facing harsh realities such as higher living costs and lower employment rates.

➕ 독해력 PLUS

Q₁ 윗글의 첫 문장을 해석하세요.

_____

Q₂ 윗글의 중심 소재를 찾아 두 단어의 영어로 쓰세요.

_____

Words

generation 명 세대   age group 연령대   reach 동 도달하다   adulthood 명 성인기, 어른다움   be likely to ~할 가능성이 있다   postpone 동 미루다
mature 동 성숙해지다, 어른이 되다   harsh 형 가혹한   living cost 생계비   employment rate 취업률

지문듣기

2 다음 글에서 전체 흐름과 관계 <u>없는</u> 문장은?

We can find small and colorful pieces of glass on beaches all over the world. They are called sea glass. These attractive items are often used to make jewelry, but sea glass is actually made out of trash. ① They begin as pieces of broken glass from things like bottles and plates. ② These pieces are then thrown into the ocean and stay there for a long time. ③ Slowly, the movement of salty waves changes the texture and appearance of the glass. ④ A lot of the glass we use today is made by mixing up sand, recycled glass, and chemicals. ⑤ After 20 to 40 years, the sharp edges of the glass pieces become smooth, and they get the special cloudy look of sea glass.

➕ 독해력 **PLUS**

Q₁ 윗글의 중심 소재를 찾아 두 단어의 영어로 쓰세요.

_____

Q₂ 윗글의 주제로 알맞은 것을 고르세요.

① how sea glass is created over time
② buildup of trash on beaches around the world

Words

attractive 휑 매력적인   make out of ~로 만들다   plate 휑 접시, 그릇   throw 통 던지다   texture 휑 질감   appearance 휑 모양   mix up 혼합하다, 뒤섞다
chemical 휑 화학 물질   edge 휑 모서리   smooth 휑 부드러운   cloudy 휑 흐릿한, 탁한   look 휑 외관, 모양

지문듣기

3 다음 글에서 전체 흐름과 관계 <u>없는</u> 문장은?

Colony Collapse Disorder (CCD) is what happens when most of the worker bees in a hive leave and never come back. Scientists still don't know the exact cause of CCD, but they take this problem seriously. ① The disappearance of bee colonies is directly related to our survival. ② Think about all of the different plants that humans need to grow for food. ③ Bees often communicate with each other by using movements to describe the location of nearby food sources. ④ Those important plants continue to grow every year because of bees. ⑤ We could face a serious food crisis in just a few years if there are not enough healthy bee colonies.

* hive: 벌집

> ➕ 독해력 **PLUS**
>
> **Q₁** 윗글의 첫 번째 문장의 해석을 완성하세요.
>
> 벌집군집붕괴현상은 _____ 때 일어나는 것이다.
>
> **Q₂** 문장 ④의 Those important plants가 지칭하는 것을 고르세요.
>   ① 벌 군집의 먹이 공급원
>   ② 인간이 길러야 하는 다양한 식물들

Words

Colony Collapse Disorder (CCD) 벌집군집붕괴현상   worker bee 일벌   cause 몡 원인, 이유   seriously 흿 심각하게   disappearance 몡 사라짐   colony 몡 군집, 집단   source 몡 공급원, 출처   food crisis 식량 위기

Grammar Focus | 8. 명사절 접속사

1. 명사절

명사절은 문장의 주어·목적어·보어 자리에서 하나의 명사처럼 쓰이는 절이에요.

1] **How** we live our lives depends on our decisions.
        주어

2. 명사절 접속사의 종류

❶ 접속사 that은 주어·목적어·보어 역할을 하는 명사절(~라는 것, ~라고)과 fact, possibility, idea와 같은 명사를 설명하는 동격의 명사절(~라는)을 이끌어요.

2] The best thing about traveling is **that** you get to experience different cultures.

3] We can't avoid the fact **that** there are only twenty-four hours in a day.
                         └─── the fact = that절 ───┘

❷ 접속사 whether/if는 '~인지 (아닌지)'의 의미로 명사절을 이끌어요.

4] Colin Cherry tried to determine **whether** we can listen to two people talk at the same time. <모의응용>

❸ 의문사 when/where/why/how는 '언제/어디에서/왜/어떻게 ~하는지'의 의미로 명사절을 이끌 수 있는데, 이때의 명사절은 「의문사 + 주어 + 동사」의 간접의문문과 어순이 같아요.

5] I love to think about **how** my dream would become a reality. <모의응용>

⊹ 어법 출제 POINT

명사절 접속사가 쓰일 자리에 문맥에 맞는 명사절 접속사가 쓰였는지 묻는 문제가 나와요.

After seeing the hotel room, he came up to the front desk and inquired ⌈ if / that ⌉ he could leave his valuables in the safe. <모의응용>

◎ 기출로 Check-Up

밑줄 친 부분이 틀렸다면 바르게 고치세요. 바르면 ○로 표시하세요.

1 I have found that most people like to hire people just like themselves. <모의>

2 It is not easy to consider the possibility which animals have moral behavior. <모의응용>

3 The survey asked that people should be allowed to fly drones in public parks. <모의응용>

유형 9 | 글의 순서 배열하기

——— **유형 소개** 글의 흐름을 고려하여 주어진 글 다음에 올 세 문단의 순서를 배열하는 유형이에요. 수능에 2문항 출제돼요.

——— **지시문** 주어진 글 다음에 이어질 글의 순서로 가장 적절한 것을 고르시오.

——— **출제 경향** 주로 중심 소재나 주제에 대한 세부 설명이 논리적으로 이어지는 글 또는 시간 흐름에 따라 일어나는 일을 서술하는 글이 나와요.

풀이 방법

❶ 주어진 글을 먼저 읽고 바로 다음에 이어질 내용을 찾습니다.

주어진 글을 읽고 바로 다음에 올 내용이 무엇일지 먼저 찾습니다. 다음에 이어질 문단은 주어진 글에 쓰인 단어나 표현이 반복되어 바로 연결되는 경우가 많으므로 이를 염두에 두면 쉽게 찾을 수 있어요. 첫 번째 문단을 찾은 다음, 나머지 문단들도 흐름에 맞게 내용이 이어지도록 배열합니다.

❷ 각 문단에서 연결 고리 역할을 하는 표현을 통해 순서를 파악합니다.

대명사, 연결어 그리고 글에서 반복되는 표현이 연결 고리 역할을 해요. 각 문단의 첫 문장에 이러한 연결 고리가 있으면, 앞뒤 내용을 연결하는 단서로 활용할 수 있어요.

- 문단에 it, this, that, those, they와 같은 대명사가 있으면, 그것이 가리키는 것을 찾으며 문단의 순서를 파악해요.
- 문단에 연결어가 있는 경우, 연결어의 의미를 통해 문단의 순서를 파악해요.

비슷한 내용을 연결하는 표현	and 그리고 also 또한 in addition 게다가 in fact 사실 similarly 비슷하게
설명과 예시를 연결하는 표현	for example/for instance 예를 들어
내용의 전환을 드러내는 표현	but/however 그러나, 하지만 on the other hand 반면에 in contrast to ~에 반해서 nevertheless/still 그럼에도 불구하고
원인과 결과를 연결하는 표현	so 그래서 therefore/thus 그러므로 as a result 결과적으로 the reason (is that) 그 이유(는 ~이다) one reason (is that) 한 가지 이유(는 ~이다)
시간의 흐름을 드러내는 표현	before ~ 전에 after ~ 후에 then 그리고 나서

기출 적용

주어진 글 다음에 이어질 글의 순서로 가장 적절한 것을 고르시오. <모의응용>

지문듣기

> With nearly a billion hungry people in the world, there is obviously **no single cause**.

(A) **The reason** people are hungry in **those countries** is that the products produced there are sold on the world market. As a result, the local citizens cannot afford to pay for them. In the modern age you do not starve because you have no food, you starve because you have no money.

(B) **However**, far and away **the biggest cause** is poverty. Seventy-nine percent of the world's hungry live in nations that are net exporters of food. How can this be?

(C) The real problem behind **this** is that food is too expensive and many people are too poor to buy it. The solution to this problem is to reduce the cost of food.

* net exporter: 순 수출국

① (A) – (C) – (B)
② (B) – (A) – (C)
③ (B) – (C) – (A)
④ (C) – (A) – (B)
⑤ (C) – (B) – (A)

❶❷ 주어진 글을 읽고, 연결 고리 역할을 하는 표현에 주목하여 글의 순서 배열하기

굶주린 사람들이 많은 원인이 하나만 있는 것이 아니라는 주어진 글의 내용을 파악합니다.

(B)의 However와 반복되는 표현 cause를 통해, (B)가 주어진 글 바로 다음에 와서 내용을 전환시키고 있음을 파악해요.

(B)의 How can this be?에 대한 답이 (A)의 The reason으로 이어지고 있음을 파악해요. 또한 nations ~ of food는 (A)의 those countries로 이어지고 있음을 확인합니다.

(C)의 this는 (A)의 you starve ~ no money를 가리키고 있음을 확인합니다.

따라서 (B)-(A)-(C)의 순서로 배열합니다.

Words

cause 몡 원인, 이유   produce 동 생산하다   local 몡 현지의, 지역의   afford 동 형편이 되다   starve 동 굶주리다   far and away 단연코   poverty 몡 빈곤
solution 몡 해결책

1 주어진 글 다음에 이어질 글의 순서로 가장 적절한 것을 고르시오.

지문듣기

Solar power is an incredibly useful technology because the sun is a source of free, renewable energy. Still, solar panels have often been criticized for their high cost.

(A) As a result, researchers are optimistic that solar paint will be a popular replacement for solar panels. While very few people can set up solar panels on their own, painting is simple.

(B) Therefore, this simplicity will provide a cost-effective and convenient alternative to installing solar panels. It will enable more people to use solar energy.

(C) Fortunately, this issue is being addressed by the development of new solar cells that are far cheaper than the panels currently used. These new cells are produced as liquids so that they can be painted on walls and roofs.

* solar cell: 태양광 전지

① (A) – (C) – (B)   ② (B) – (A) – (C)

③ (B) – (C) – (A)   ④ (C) – (A) – (B)

⑤ (C) – (B) – (A)

➕ 독해력 PLUS

Q1 윗글의 중심 소재로 알맞은 것을 고르세요.
① renewable energy   ② solar paint   ③ liquids

Q2 각 문단의 첫 문장에서 앞뒤 내용을 연결하는 표현을 찾아 쓰세요.
(A) _____
(B) _____ (두 개)
(C) _____

Words

solar power 태양력 발전 source ⑲ 원천 renewable ⑲ 재생 가능한 optimistic ⑲ 긍정적인, 낙관하는 replacement ⑲ 대체재
solar panel 태양 전지판 simplicity ⑲ 간단함 cost-effective ⑲ 비용 효율이 높은 alternative ⑲ 대안 install ⑧ 설치하다 address ⑧ 다루다

2 주어진 글 다음에 이어질 글의 순서로 가장 적절한 것을 고르시오.

> You may think that you need to avoid mistakes to succeed. But failure is actually a key to success.

(A) As a result, you will begin looking for a new way to reach your goal. For instance, if your grades do not improve when you study alone, you might consider joining a study group.

(B) This is because failure is a form of feedback. It indicates that the way you are trying to achieve your goal is not effective. So you should stop using your current method.

(C) This example shows how failures are necessary steps on the long path to success. Each time you fail, make the necessary changes until you eventually achieve your goal.

① (A) – (C) – (B)　　　　　② (B) – (A) – (C)

③ (B) – (C) – (A)　　　　　④ (C) – (A) – (B)

⑤ (C) – (B) – (A)

➕ 독해력 PLUS

Q₁ 윗글의 주제로 알맞은 것을 고르세요.

① why failure is important for achieving goals

② the benefits of studying together in a group

Q₂ 각 문단의 첫 문장에서 앞뒤 내용을 연결하는 표현을 찾아 쓰세요.

(A) _____

(B) _____

(C) _____

Words

failure 명 실패　key 명 비결　reach 동 도달하다　grade 명 성적, 등급　feedback 명 피드백, 반응, 의견　indicate 동 나타내다, 보여 주다
effective 형 효과적인　method 명 방식, 방법　path 명 길　achieve 동 달성하다

지문듣기

3 주어진 글 다음에 이어질 글의 순서로 가장 적절한 것을 고르시오.

> It is believed that the only skill a translator needs is to know the exact meaning of a given word. However, this is not enough.

(A) To accurately translate expressions such as this one, translators must fully understand the usage of both languages. This allows them to understand the true meaning of the original text and to express it in another language correctly.

(B) The reason is that word-for-word translations are sometimes inaccurate. An expression may have an intended meaning that is not the same as its literal meaning.

(C) For example, the English expression *find one's feet* literally means "to determine the location of your feet." This does not match the intended meaning, which is "to adjust to a new environment."

* literal: 글자 그대로의

① (A) – (C) – (B) ② (B) – (A) – (C)
③ (B) – (C) – (A) ④ (C) – (A) – (B)
⑤ (C) – (B) – (A)

➕ 독해력 **PLUS**

Q₁ 각 문단의 첫 문장에서 앞뒤 내용을 연결하는 표현을 찾아 쓰세요.

(A) _____

(B) _____

(C) _____

Q₂ (C) 앞에 올 수 있는 내용으로 적절한 것을 고르세요.
① 단어의 사전적 의미를 아는 것은 유용하다.
② 문자 그대로의 뜻과 의도한 뜻이 다른 표현이 있을 수 있다.

Words

skill 명 역량, 기술   translator 명 번역가   accurately 부 정확하게   usage 명 용법, 활용   original text 원문, 원본   express 동 표현하다
word-for-word 글자 그대로의   inaccurate 형 부정확한   intended 형 의도된   determine 동 알아내다   match 동 ~와 일치하다

Grammar Focus | 9. 관계대명사

1 관계대명사

관계대명사는 who/which/whom/whose/that과 같은 것들이 있으며, 관계대명사가 이끄는 관계대명사절은 선행사를 뒤에서 꾸며주는 형용사 역할을 해요. 관계대명사절 안에서 관계대명사는 선행사를 대신해 주어/목적어 역할을 하거나 소유격으로 쓰이므로, 관계대명사 뒤에는 불완전한 절이 와요.

1] You should not hang out with friends **who[that]** bring you down. <모의응용>
주격 관계대명사절

2] I was about to visit the museum **which[that]** Eliot recommended before.
목적격 관계대명사절

3] Doctors can revive many patients **whose** hearts have stopped beating. <모의응용>
소유격 관계대명사절

2 관계대명사 that vs. 관계대명사 what vs. 명사절 접속사 that

❶ 관계대명사 that은 앞에 선행사가 오고, 뒤로는 불완전한 절을 이끌어요.

4] You must learn to take those chances **that** other people will not take. <모의응용>
that 뒤에 목적어가 없는 불완전한 절

❷ 관계대명사 what 역시 불완전한 절을 이끌지만, 선행사를 포함하고 있어서 앞에 선행사가 없어요.

5] In grocery stores, people tend to buy **what** they see first.
what 뒤에 목적어가 없는 불완전한 절

❸ 명사절 접속사 that은 완전한 절을 이끌어요.

6] Most observers didn't even notice **that** the students changed their answers. <모의응용>
that 뒤에 완전한 절

> ✦ 어법 출제 POINT
>
> 관계대명사 that과 관계대명사 what, 명사절 접속사 that과 관계대명사 what을 구별하는 문제가 나와요.
>
> There is a very common human tendency | that / what | is rooted in how our species developed.
> <모의응용>

🎯 기출로 Check-Up

밑줄 친 부분이 틀렸다면 바르게 고치세요. 바르면 ○로 표시하세요.

1 Managing our own emotions and actions is <u>that</u> allows us to feel peaceful. <모의응용>

2 Most publishers will not want to waste time with writers <u>whose</u> material contains too many mistakes. <모의>

3 The advantage of non-verbal communication is <u>what</u> it offers you the opportunity to express emotions properly. <모의응용>

유형 10 | 주어진 문장의 위치 찾기

→ **유형 소개** 주어진 문장이 글의 어느 곳에 들어가는 것이 적절한지 판단하는 유형이에요. 수능에 2문항 출제돼요.

→ **지시문** 글의 흐름으로 보아, 주어진 문장이 들어가기에 가장 적절한 곳을 고르시오.

→ **출제 경향** 이 유형에 출제되는 글은 중간에 앞뒤 흐름이 끊어진 곳이 있고, 주어진 문장이 끊어진 흐름을 잇는 다리 역할을 해요.

풀이 방법

❶ 주어진 문장을 먼저 읽고 앞에 나올 내용을 예상합니다.

주어진 문장에 it, that, these와 같은 대명사가 있으면 그것이 가리키는 대상이 주어진 문장 앞에 나올 것임을 예상합니다.

주어진 문장   Because of **these obstacles**, most research missions in space are accomplished through the use of spacecraft without crews aboard.

         이러한 장애물들 때문에, 우주에서의 대부분의 연구 임무는 승무원이 탑승하지 않은 우주선을 사용해서 이루어진다.

→ 주어진 문장 앞에 우주선에 승무원이 탑승하지 않는 이유인 these obstacles가 가리키는 것이 나와야 한다고 예상할 수 있어요.

주어진 문장에 however, for example과 같은 연결 표현이 있으면 연결 표현의 의미를 바탕으로 주어진 문장 앞에 올 내용을 예상합니다.

주어진 문장   **However**, using caffeine to improve alertness doesn't replace getting a good night's sleep.

         하지만, 각성을 향상시키기 위해 카페인을 사용하는 것은 숙면을 취하는 것을 대체하지 못한다.

→ However는 내용이 전환될 때 쓰이는 연결 표현이므로, 주어진 문장 앞에는 각성을 위해 카페인을 사용하는 것의 효과나 이점에 대한 내용이 나와야 한다고 예상할 수 있어요.

※ 연결 표현은 p.62의 표를 통해 다시 한번 학습하세요.

❷ 예상한 내용을 바탕으로 글을 읽고, 주어진 문장과 내용이 연결되는 곳을 찾습니다.

주어진 문장 앞에 나와야 한다고 예상한 내용이 나오면서, 그 뒤로 앞뒤 문장의 연결이 끊어진 곳을 찾으며 글을 읽어요. 앞뒤 문장의 연결이 끊어진 곳에 주어진 문장을 넣어 흐름이 자연스러워지는지 확인합니다.

글의 흐름으로 보아, 주어진 문장이 들어가기에 가장 적절한 곳을 고르시오. <모의응용>

> For example, if you rub your hands together quickly, they will get warmer.

Friction is a force between two surfaces that are trying to slide across each other. For example, when you try to push a book along the floor, friction makes this difficult. Friction always works in the direction opposite to the direction in which the object is moving, or trying to move. So, friction always slows a moving object down. (①) The amount of friction depends on the surface materials. (②) The rougher the surface is, the more friction is produced. (③) Friction also produces heat. (④) Friction can be a useful force because it prevents our shoes slipping on the floor when we walk. (⑤) When you walk, friction occurs between the bottom of your shoes and the ground, preventing sliding.

❶ 주어진 문장을 읽고 앞에 나올 내용 예상하기

연결 표현 For example은 설명과 예시를 이어주는 말이므로, 두 손을 빠르게 비비면 더 따뜻해진다는 것을 예시로 들 수 있는 설명이 앞에 나와야 함을 예상합니다.

❷ 주어진 문장과 내용이 연결되는 곳 찾기

④ 앞 문장의 마찰은 또한 열을 발생시킨다는 설명이 주어진 문장의 예시와 이어질 수 있음을 파악해요. ④ 앞 문장과 ④ 뒤 문장은 서로 다른 이야기를 하고 있으므로 ④을 주어진 문장이 들어가기에 적절한 곳으로 고릅니다.

Words

rub 동 비비다 friction 명 마찰력 surface 명 표면 slide 동 미끄러지다 opposite 형 반대의 amount 명 양 depend on ~에 달려 있다
material 명 재질, 재료 rough 형 거친 slip 동 미끄러지다 bottom 명 바닥, 맨 아래 (부분)

지문듣기

1 글의 흐름으로 보아, 주어진 문장이 들어가기에 가장 적절한 곳을 고르시오.

> Therefore, the Thanksgiving turkey is more than just food for the family.

People love to eat turkey on Thanksgiving. But what they might love more is how it brings people together. (①) Some families travel across the country to see each other and share this meal. (②) While people cook side by side and sit around the dinner table, they also talk and laugh with each other. (③) For some, Thanksgiving is one of the few times of year they can get together. (④) It goes beyond feeding them since it also connects them. (⑤) The holiday gives friends and families comfort and reminds them that they are part of something bigger than themselves.

➕ 독해력 PLUS

Q₁ 주어진 문장을 해석하세요.

_____

Q₂ 주어진 문장 앞에 올 수 있는 내용으로 적절한 것을 고르세요.
① 가정에서 추수감사절 칠면조를 요리하는 다양한 방법
② 추수감사절 칠면조가 음식 이상의 의미를 가질 수 있는 이유

Words

Thanksgiving 몡 추수감사절   turkey 몡 칠면조   across 쩐 ~을 가로질러, 건너서   side by side 나란히   go beyond ~을 넘어서다
feed 통 먹이다, 먹을 것이 되다   comfort 몡 위안, 편안

지문듣기

2 글의 흐름으로 보아, 주어진 문장이 들어가기에 가장 적절한 곳을 고르시오.

> However, the reality is that all children act out at some point.

Parents are always under a lot of pressure to control their children in public places. One reason for this is that many believe that poorly behaved children make their parents look bad. (①) For instance, when children cry and yell, other people might judge how the kids were raised. (②) They might assume the child is acting out because his or her parents are not strict enough. (③) The way parents raise their children doesn't really matter. (④) Parents should accept that kids are never going to behave perfectly in public all the time. (⑤) They just have to focus on how to respond to bad behavior to teach their children valuable lessons.

* act out: 말썽을 피우다

독해력 PLUS

Q₁ 주어진 문장을 해석하세요.

_____

Q₂ ② 뒤 문장의 They가 가리키는 것을 윗글에서 찾아 쓰세요.

_____

Words

pressure 몡 부담, 압박   judge 통 판단하다   raise 통 양육하다, 키우다   assume 통 추측하다, 생각하다   strict 혱 엄한, 엄격한   respond to ~에 대응하다
valuable 혱 가치 있는

3 글의 흐름으로 보아, 주어진 문장이 들어가기에 가장 적절한 곳을 고르시오.

> A number of studies have shown that higher levels of these substances make it easier to focus on tasks.

Some experts suggest it is valuable to have a hobby. Doing something enjoyable can result in a positive attitude, so we become happier when we spend time doing our hobbies. (①) In addition, hobbies can improve our ability to concentrate. (②) When a person engages in an interesting activity, the brain produces more neurotransmitters. (③) Having a hobby can also lead to a significant increase in a person's overall confidence. (④) Specifically, our self-esteem improves when we do well at a hobby that is challenging. (⑤) This provides a greater sense of self-worth, which benefits everyone in school or the workplace.

* neurotransmitter: 신경 전달 물질

➕ 독해력 PLUS

Q₁ 주어진 문장을 해석하세요.

_____

Q₂ 주어진 문장의 these substances가 가리키는 것을 윗글에서 찾아 쓰세요.

_____

Words

substance 뗑 물질   valuable 톙 유익한, 귀중한   enjoyable 톙 즐거운   engage in ~에 참여하다   self-esteem 뗑 자존감, 자부심
sense of self-worth 자긍심, 자부심   benefit 동 ~에 도움이 되다

Grammar Focus | 10. 관계부사

1 관계부사의 역할

관계부사는 관계대명사와 마찬가지로 형용사절을 이끌어 앞에 온 선행사를 수식하는 역할을 해요. 관계부사는 관계부사절 내에서 부사(구)의 역할을 하므로, 관계대명사와 달리 완전한 절을 이끌어요.

1] The birth of a child is often the reason **why** people begin to take pictures. <모의>
관계부사절(선행사 수식, 뒤에 완전한 절)

2 관계부사의 종류

관계부사는 선행사의 종류에 따라 where/when/why/how를 쓰며, 「전치사 + 관계대명사」로 바꿔 쓸 수 있어요.

	선행사	관계부사	전치사 + 관계대명사
장소	the place, the house, the city 등	where	at/on/in/to + which
시간	the time, the day, the year 등	when	at/on/in/during + which
이유	the reason	why	for + which
방법	the way	how	in + which

(TIP) how는 선행사 the way와 함께 쓸 수 없고 둘 중 하나만 써야 해요.

2] Don still remembers the day **when[on which]** he visited the ocean for the first time.
관계부사절(시간)

3] Ms. Lim will share **the way[how]** she cares for garden plants.
관계부사절(방법)

🔆 어법 출제 POINT

관계대명사와 관계부사, 관계대명사와 「전치사 + 관계대명사」를 구별하는 문제가 나와요. 불완전한 절 앞에는 관계대명사가 오고, 완전한 절 앞에는 관계부사 또는 「전치사 + 관계대명사」가 와요.

Select clothing appropriate for the environmental conditions [which / in which] you will be doing exercise. <모의응용>

🎯 기출로 Check-Up

밑줄 친 부분이 틀렸다면 바르게 고치세요. 바르면 ○로 표시하세요.

1 Wild animals need space <u>which</u> they can hide from human activity. <모의응용>

2 There are times <u>during which</u> you just don't want to be bothered. <모의응용>

3 Our ability to build strong communities is influenced by <u>the way how</u> we communicate. <모의>

Chapter 4

필요한 정보를 찾는 유형

유형 11 | 세부 정보 파악하기

─── **유형 소개** 글의 내용과 일치하거나 일치하지 않는 것을 고르는 유형이에요. 수능에 3문항 출제돼요.

─── **지시문** '인물'에 관한 다음 글의 내용과 일치하지 않는 것은?
　　　　　　'행사'에 관한 다음 안내문의 내용과 일치하는[일치하지 않는] 것은?

─── **출제 경향** 실존 인물의 일대기가 1문항, 행사나 프로그램에 대한 정보를 전달하는 안내문이 2문항 나와요.

풀이 방법

❶ 선택지 ①부터 차례로 글에서 해당 내용을 찾아 일치 여부를 판단합니다.

글 전체를 다 읽기보다는 선택지에 나온 정보만 확인하는 것이 효율적이에요. 선택지 ①부터 차례로 글의 내용과 비교하며 일치하는지 판단합니다. 이때, 눈에 잘 띄는 숫자나 고유명사를 찾으며 읽으면 빠르게 정답을 찾을 수 있어요.

- 선택지에 숫자(나이, 연도, 날짜, 비용 등)가 포함된 경우:
  → 글에서 해당 숫자가 나오는 곳을 찾습니다. 일대기에는 주로 나이와 연도가 나와요. 안내문의 경우 Age(나이), Where(어디서), When(언제)/Date(날짜), Price(가격) 등의 항목을 보면 해당 내용을 찾을 수 있어요.

- 선택지에 고유명사(나라 이름, 도시 이름 등)가 포함된 경우:
  → 글에서 해당 고유명사가 나오는 곳을 찾아 내용을 파악합니다.

❷ 선택지는 글에 언급된 순서대로 제시되므로, 이 점을 활용합니다.

글에서 선택지 ①의 단서가 되는 문장이나 표현을 찾았다면, ②부터는 그 아래로 쭉 내려오며 순서대로 비교하면 돼요.

Sigrid Undset에 관한 다음 글의 내용과 일치하지 <u>않는</u> 것은? <모의응용>

지문듣기

유형 11

해커스 첫수능 영어 유형독해

Sigrid Undset was born on May 20, 1882, in Kalundborg, Denmark. She was the ①eldest of three daughters. She moved to Norway at the age of two. Her ②early life was strongly influenced by her father's historical knowledge. ③At the age of sixteen, she got a job at an engineering company to support her family. She read a lot and wrote thirty six books. None of her books leaves the reader unconcerned. She ④received the Nobel Prize for Literature in 1928. One of her novels has been translated into more than eighty languages. ⑤She escaped Norway during the German occupation, but she returned after the end of World War II.

① 세 자매 중 첫째 딸로 태어났다.
② 어린 시절의 삶은 아버지의 역사적 지식에 큰 영향을 받았다.
③ 16세에 가족을 부양하기 위해 취업하였다.
④ 1928년에 노벨 문학상을 수상하였다.
⑤ 독일 점령 기간 중 노르웨이를 탈출한 후, 다시 돌아오지 않았다.

❶❷ 선택지 ①부터 차례로 글에서 해당 내용 찾아 일치 여부 판단하기

① 세 딸 중 맏이였다고 했으므로 일치함을 파악해요.

② 어린 시절, 아버지의 역사적 지식에 크게 영향을 받았다고 했으므로 일치함을 파악해요.

③ 16세가 언급된 문장의 가족을 부양하기 위해 취업했다는 내용을 통해 일치함을 파악해요.

④ 1928이 언급된 문장의 노벨 문학상을 수상했다는 내용을 통해 일치함을 파악해요.

⑤ Norway와 German이 언급된 문장에서 2차 세계대전이 끝난 후 돌아왔다고 했으므로 일치하지 않는다는 것을 파악하고 정답으로 선택해요.

Words

eldest 휑 맏이의, 가장 나이 많은   influence 동 영향을 주다   historical 휑 역사적인, 역사의   engineering 명 공학 기술   support 동 부양하다
unconcerned 휑 관심을 갖지 않는   translate 동 번역하다   escape 동 탈출하다   occupation 명 점령

지문듣기

1 Vegetarian Food Fair에 관한 다음 안내문의 내용과 일치하지 <u>않는</u> 것은?

Vegetarian Food Fair

    To promote vegetarian diets, the Vancouver Vegetarian Society will be holding its first-ever Vegetarian Food Fair!

When & Where
- Saturday, October 13, 9 a.m. – 2 p.m.
- Hastings Park

Entry
- Free (No booking required)

Special Lecture by Chef Lisa Kim: "What Is a Vegetable Diet?"
- 1 p.m. – 2 p.m.
- Learn five recipes using mushrooms and beans.

To register as a food seller, contact us at foodfair@vvsociety.com at least 10 days in advance.

---

① 올해 처음 개최되는 행사이다.

② 행사는 토요일에 진행된다.

③ 예약 없이 입장할 수 있다.

④ 강연은 오후 1시에 시작한다.

⑤ 판매자는 5일 전까지 등록해야 한다.

➕ 독해력 PLUS

Q₁ 선택지 ③의 근거가 되는 표현을 윗글에서 찾아 쓰고 해석하세요.

표현: _____

해석: _____

Q₂ 선택지 ⑤의 근거가 되는 문장을 윗글에서 찾아 쓰고 해석하세요.

문장: _____

해석: _____

Words

vegetarian 형채식의 명채식주의자　fair 명박람회　promote 동홍보하다　society 명협회, 사회　hold 동개최하다　entry 명입장
lecture 명강연, 강의　in advance 전에, 미리

지문듣기

2 Frederick Douglass에 관한 다음 글의 내용과 일치하지 <u>않는</u> 것은?

Frederick Douglass was an African American author and politician who worked to end slavery in the United States. He was born as a slave in 1818. Douglas developed an interest in education after learning the alphabet at age 12. In 1838, he escaped from slavery and then changed his name from Frederick Bailey to Frederick Douglass. Douglass fought against slavery and supported the right of women to vote. He was an excellent speaker and traveled around the world to give speeches. He also wrote several books about his life. By the time he died in Washington, D.C. in 1895, he had become one of the most influential Americans of the 19th century.

① 아프리카계 미국인 작가이자 정치가였다.
② 12세에 알파벳을 배웠다.
③ 노예 신분에서 벗어나기 전에 이름을 바꿨다.
④ 전 세계를 돌며 연설했다.
⑤ Washington, D.C.에서 사망했다.

➕ **독해력 PLUS**

Q1 선택지 ③의 근거가 되는 문장을 윗글에서 찾아 쓰고 해석하세요.

문장: _____

해석: _____

Q2 선택지 ④의 근거가 되는 문장을 윗글에서 찾아 쓰고 해석하세요.

문장: _____

해석: _____

Words

author 몡 작가   politician 몡 정치가   slavery 몡 노예제, 노예 신분   fight against ~에 맞서 싸우다   right 몡 권리, 권한   speaker 몡 연설가
influential 혱 영향력 있는

지문듣기

3 Milford Glass Museum에 관한 다음 안내문의 내용과 일치하는 것은?

Milford Glass Museum
Come to Milford Glass Museum and see our beautiful glass artwork!

Opening Hours

Monday – Friday	9:00 a.m. – 4:00 p.m.
Saturday	11:00 a.m. – 4:00 p.m.

Tickets: $5 for adults, $2 for students & children
(Free for children aged 5 and under)

Programs
- Mondays & Tuesdays – Painting glass cups
- Wednesdays & Thursdays – Decorating flower vases

Note
- Food and drinks are prohibited in the museum.
- Visitors are allowed to take photographs.

---

① 토요일은 오전 10시부터 운영한다.

② 학생은 무료로 입장이 가능하다.

③ 화요일에는 컵 채색 프로그램이 진행된다.

④ 음료는 반입이 허용된다.

⑤ 사진 촬영은 금지되어 있다.

➕ 독해력 **PLUS**

Q1 선택지 ④의 근거가 되는 문장을 윗글에서 찾아 쓰고 해석하세요.

문장: _____

해석: _____

Q2 각 선택지의 내용을 확인할 수 있는 항목에 동그라미 하세요.

① Opening Hours / Tickets / Programs / Note   ② Opening Hours / Tickets / Programs / Note
③ Opening Hours / Tickets / Programs / Note   ④ Opening Hours / Tickets / Programs / Note
⑤ Opening Hours / Tickets / Programs / Note

Words

artwork 몡 공예품, 미술품   opening hours 관람 시간   paint 동 채색하다   decorate 동 꾸미다   flower vase 꽃병   prohibit 동 금지하다

Grammar Focus | 11. it의 다양한 쓰임

1 대명사 it

단수명사나 셀 수 없는 명사를 가리키는 대명사로 it을 써요. 이때 it은 앞서 언급한 명사와 동일한 바로 그 대상을 가리켜요.

1) If I throw a stick up in the air, **it** always falls down. <모의>
　　　　　　　 =
　　　　　　단수명사

2) Change is uncomfortable, but **it** is the key to doing things differently. <모의응용>
　 =
　셀 수 없는 명사

✛ 어법 출제 POINT

단수대명사 it/its와 복수대명사 they/their/them을 구별하는 문제가 나와요.

Without advertising, customers will not buy a product even if it may work for │ it / them │. <모의응용>

2 가주어/가목적어 it

주어나 목적어가 to부정사구 또는 that절처럼 길 경우, 문장의 뒤로 보내고 원래 자리에는 가주어/가목적어 it을 쓸 수 있어요. 이러한 it을 앞에 언급된 명사 대신 쓴 대명사로 착각하지 않도록 주의합니다.

3) Some students find to study anywhere except in their private bedrooms hard.
　　　　　　　　　　목적어(to부정사구)

→ Some students find **it** hard to study anywhere except in their private bedrooms. <모의응용>
　　　　　　　　 가목적어　　　　　　　진짜 목적어

4) That you often fail to turn in your homework on time is a problem.
　　　　　주어(that절)

→ **It** is a problem that you often fail to turn in your homework on time.
　가주어　　　　　　진짜 주어

🎯 기출로 Check-Up

밑줄 친 부분이 틀렸다면 바르게 고치세요. 바르면 ○로 표시하세요.

1 Poetry has a lot to offer, if you give <u>it</u> the opportunity to do so. <모의>

2 Some countries find <u>that</u> difficult to provide their own people with safe drinking water. <모의응용>

3 <u>That</u> is not surprising that constant exposure to noise affects children's achievement. <모의응용>

— **유형 소개** 도표의 내용과 일치하지 않는 문장을 고르는 유형이에요. 수능에 1문항 출제돼요.

— **지시문** 다음 도표[표]의 내용과 일치하지 <u>않는</u> 것은?

— **출제 경향** 주로 사회·문화 분야의 통계 자료를 활용한 도표 혹은 표가 나와요.

풀이 방법

❶ 도표의 제목과 항목을 확인합니다.

도표의 제목과 도표에 표기된 항목, 수치를 훑어보고 무엇에 관한 도표인지 간략히 확인합니다.

❷ 선택지를 하나씩 읽고 도표에서 해당 항목과 수치를 찾아 일치하는지 판단합니다.

일치하지 않는 선택지는 수치를 비교하는 표현, 증감을 나타내는 표현 등이 잘못 쓰여 있을 때가 많아요. 이 표현들에 주목하여 각 선택지가 도표의 내용과 일치하는지 판단합니다.

수치를 비교하는 표현	**higher than** ~보다 높은 — **lower than** ~보다 낮은 **more than** ~보다 많은 — **less than** ~보다 적은 **over** ~이상, ~이 넘는 **the same as A** A와 같은 **the gap between A and B** A와 B의 차이
최고·최저를 나타내는 표현	**the highest** 가장 높은 — **the lowest** 가장 낮은 **the largest** 가장 큰 — **the smallest** 가장 작은 **the most** 가장 ~한 — **the least** 가장 덜 ~한
증가·감소를 나타내는 표현	**increase** 증가하다 — **decrease** 감소하다 **rise** 증가하다 — **fall** 감소하다
배수를 나타내는 표현	배수사 + **as** + 형용사/부사 + **as** ~보다 몇 배 더 …한/하게 배수사 + 형용사/부사의 비교급 + **than** ~보다 몇 배 더 …한/하게 **TIP** 배수사: twice[two times] 두 배 three times 세 배
분수를 나타내는 표현	**half** 절반, 2분의 1 **one third[a third]** 3분의 1 **a quarter** 4분의 1

기출 적용

지문듣기

다음 도표의 내용과 일치하지 <u>않는</u> 것은? <모의응용>

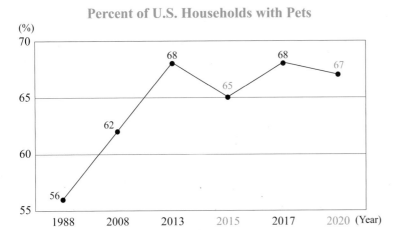

Percent of U.S. Households with Pets

The graph above shows the percent of households with pets in the United States (U.S.) from 1988 to 2020. ① In 1988, more than half of U.S. households owned pets, and more than 6 out of 10 U.S. households owned pets from 2008 to 2020. ② In the period between 1988 and 2008, pet ownership increased among U.S. households by 6 percentage points. ③ From 2008 to 2013, pet ownership rose an additional 6 percentage points. ④ The percent of U.S. households with pets in 2013 was the same as that in 2017, which was 68 percent. ⑤ In 2015, the rate of U.S. households with pets was 3 percentage points lower than in 2020.

① 도표의 제목과 항목 확인하기

반려동물을 보유한 미국 가정의 비율에 관한 도표이고, 연도별 보유 비율의 변화를 나타내고 있음을 확인합니다.

② 선택지를 하나씩 읽고 도표에서 해당 항목과 수치를 찾아 일치 여부 판단하기

① 1988년에 절반보다 많은 56%, 2008-2020년에는 10가구 중 6가구 이상이 반려동물을 보유했으므로 일치함을 파악해요.

② 1988년과 2008년 사이에 6퍼센트포인트만큼 증가했으므로 일치함을 파악해요.

③ 2008년에서 2013년까지 6퍼센트포인트 더 상승했으므로 일치함을 확인해요.

④ 2013년과 2017년의 비율이 68%로 같으므로 일치함을 파악해요.

⑤ 2015년 비율은 65%, 2020년 비율은 67%이므로, 3퍼센트포인트가 아니라 2퍼센트포인트 낮은 것임을 파악해요. 따라서 도표의 내용과 일치하지 않으므로 정답으로 고릅니다.

Words

household 명 가정, 가족   pet 명 반려동물   own 통 보유하다   A out of B B 중의 A, B분의 A   period 명 기간   ownership 명 보유, 소유(권)
percentage point 퍼센트포인트(두 백분율 간의 산술적 차이)   rise 통 오르다, 증가하다   additional 형 추가의   rate 명 비율

지문듣기

1 다음 도표의 내용과 일치하지 <u>않는</u> 것은?

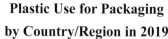

**Plastic Use for Packaging
by Country/Region in 2019**

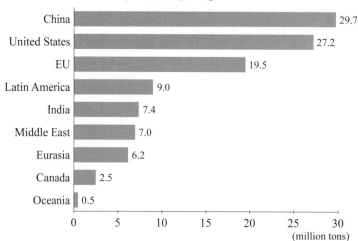

China	29.7
United States	27.2
EU	19.5
Latin America	9.0
India	7.4
Middle East	7.0
Eurasia	6.2
Canada	2.5
Oceania	0.5

(million tons)

The graph above shows the amount of plastic used for packaging by country or region in 2019. ① China ranked the highest in the amount of plastic used for packaging, followed by the United States. ② The gap between the amount of plastic used for packaging in the United States and the Middle East was more than 20 million tons. ③ The amount of plastic used for packaging in the EU was over twice as much as that in Latin America. ④ The combined amount of plastic used for packaging in Eurasia and Canada was less than the amount of India's plastic use for packaging. ⑤ The amount of plastic used for packaging in Oceania was the lowest among the given countries or regions.

➕ 독해력 **PLUS**

Q₁ 도표의 내용을 토대로 다음에 해당하는 수치를 쓰세요.

(1) the gap between the amount of plastic used for packaging in the United States and the Middle East
→ _____ million tons

(2) the combined amount of plastic used for packaging in Eurasia and Canada → _____ million tons

Q₂ 정답 선택지에서 <u>틀린</u> 비교 표현을 바르게 고치세요.

_____ → _____

Words

use 명사용 동사용하다   packaging 명포장, 포장재   region 명지역   follow 동뒤를 잇다, 뒤따르다   gap 명차이   combine 동합치다, 결합하다

2 다음 도표의 내용과 일치하지 <u>않는</u> 것은?

지문듣기

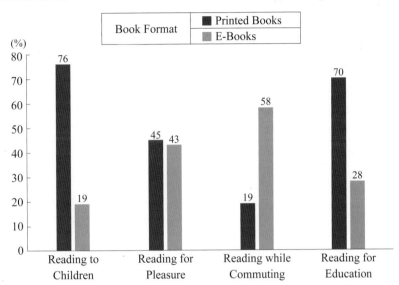

The graph above shows the format of book that Americans preferred for different purposes in 2021. ① Americans preferred printed books for every purpose except reading while commuting. ② Printed books were most popular for the purpose of reading to children, followed by reading for education. ③ In the case of reading for pleasure, there was a 2 percentage point difference between printed books and e-books. ④ More than two-thirds of Americans preferred e-books when reading while commuting. ⑤ 70 percent of Americans preferred reading printed books for education, which was more than twice that of people who preferred reading e-books for the same purpose.

> 🔘 **독해력 PLUS**
>
> **Q₁** 도표의 내용을 토대로 다음에 해당하는 수치를 쓰세요.
>
> (1) the percentage of Americans who preferred printed books when reading for pleasure → _____ %
> (2) the percentage of Americans who preferred e-books when reading for education → _____ %
>
> **Q₂** 정답 선택지에서 <u>틀린</u> 비교 표현을 바르게 고치세요.
>
> _____ → _____

Words

prefer 동 선호하다, 더 좋아하다 format 명 형태 printed book 종이책 e-book 명 전자책 pleasure 명 즐거움 commute 동 통근하다
except 전 ~을 제외한 difference 명 차이

3 다음 표의 내용과 일치하지 <u>않는</u> 것은?

지문듣기

Number and Percentage of Endangered Species

Country	Endangered Mammal Species		Endangered Bird Species	
	Number	Percentage	Number	Percentage
Switzerland	13	36.5%	21	34.6%
Germany	10	36.4%	24	33.5%
Australia	41	28.3%	55	16.9%
Mexico	50	26.5%	96	21.5%
Greece	10	25.2%	24	14.0%

$$* \text{ Percentage} = \frac{\text{Number of endangered species in the country}}{\text{Total number of species in the country}}$$

The table above shows the number and the percentage of endangered mammal and bird species by country. ① Among the five countries, Switzerland shows the highest percentage of endangered mammal species. ② The number of endangered mammal species in Germany is the same as that in Greece. ③ The percentage of endangered bird species in Australia is higher than that in Germany. ④ Meanwhile, Mexico shows the highest number of endangered mammal and bird species, followed by Australia in both categories. ⑤ The number of endangered bird species in Greece is less than one third that of Mexico.

독해력 PLUS

Q₁ 표의 내용을 토대로 다음에 해당하는 수치를 쓰세요.

(1) the number of endangered mammal species in Greece → _____

(2) one third of the number of endangered bird species in Mexico → _____

Q₂ 정답 선택지에서 <u>틀린</u> 비교 표현을 바르게 고치세요.

_____ → _____

Words

endangered 형 멸종 위기의 species 명 종 mammal 명 포유류 follow 동 뒤를 잇다, 뒤따르다

Grammar Focus | 12. 대명사

1 재귀대명사

재귀대명사는 「-self/selves」 형태로, '~ 자신, ~ 자체'를 의미해요. 동사의 목적어 혹은 전치사의 목적어가 주어와 같은 대상일 때 목적어로 재귀대명사를 써요. 또는 명사나 대명사를 강조하기 위해 강조하는 말 바로 뒤나 문장 맨 뒤에 쓸 수 있는데, 강조 용법으로 쓰인 재귀대명사는 생략할 수 있어요.

1] You may place too much pressure on **yourself** to achieve something or do well socially. <모의응용>
= ———————— 주어와 같은 대상

2] She (**herself**) wrote this book. = She wrote this book (**herself**).
강조 용법   강조 용법

> **◆ 어법 출제 POINT**
>
> 재귀대명사와 목적격 대명사를 구별하는 문제가 나와요.
>
> It feels as though time flows, in the sense that the present is constantly updating | it / itself |. <모의응용>

2 that/those

명사(구)의 반복을 피하기 위해 that/those를 쓸 수 있어요. 단수명사를 대신하면 that을 쓰고, 복수명사를 대신하면 those를 써요.

3] Last summer, the cost of chicken was less than **that** of pork at most supermarkets.
= the cost

(TIP) those는 「전치사 + 명사(구)」나 분사구, 관계절 등의 수식을 받아 '~한 사람들'이라는 뜻의 대명사로도 쓰여요. 이때는 those가 앞에 있는 명사를 대신하는 것이 아니라는 점을 주의하세요.

Those who have healthy diets tend to live longer than **those** who eat fast food regularly.

◎ 기출로 Check-Up

밑줄 친 부분이 틀렸다면 바르게 고치세요. 바르면 ○로 표시하세요.

1 People present them to the world through the clothes they wear. <모의응용>

2 Our brains today may be more efficient than that of our ancestors. <모의응용>

3 Those who are proud of the dishes they make are more likely to enjoy eating. <모의응용>

Chapter 5

어휘·어법의 적절성을 파악하는 유형

유형 13 | **어휘 적절성 파악하기**
Grammar Focus 13. 형용사와 부사

유형 14 | **어법상 틀린 것 찾기**
Grammar Focus 14. 비교구문

유형 13 | 어휘 적절성 파악하기

— **유형 소개** 문맥을 고려하여 쓰임이 적절하지 않은 어휘를 고르는 유형이에요. 수능에 1문항 출제돼요.

— **지시문** 다음 글의 밑줄 친 부분 중, 문맥상 낱말의 쓰임이 적절하지 <u>않은</u> 것은?

— **출제 경향** 중심 소재나 주제를 먼저 제시한 뒤, 구체적인 예시와 부연 설명을 통해 주제를 뒷받침하는 글이 나와요.

풀이 방법

❶ 처음 한두 문장에서 중심 소재 또는 주제를 파악합니다.

처음 한두 문장에 반드시 중심 소재가 나오므로 무엇에 관한 글인지 파악합니다. 주제문은 처음 한두 문장에서 바로 나오지 않는 경우도 있으므로 이 경우에는 중심 소재만 파악하고 글을 계속 읽습니다.

❷ 밑줄 친 어휘가 포함된 문장의 앞뒤 내용과 주제를 바탕으로 적절하게 쓰였는지 판단합니다.

밑줄 친 어휘가 나오면, 그것을 포함한 문장의 의미가 자연스러운지 그리고 그 문장의 앞뒤 내용과 잘 이어지는지 판단합니다. 주변 내용만으로 판단하기 어려울 때는 글의 주제에서 벗어나지는 않는지 확인합니다.

❸ 문맥과 반대되는 의미의 어휘가 사용된 선택지를 고릅니다.

문맥상 적절하지 않은 어휘는 원래 들어가야 할 의미와 반대되는 어휘일 때가 많습니다. 자신이 고른 선택지를 반의어로 대체했을 때 의미가 자연스럽게 이어지는지 확인하면 더욱 확실하게 정답을 고를 수 있어요. 그래서 평소에 반의어 관계의 어휘들을 알아 두면 도움이 돼요.

반의어 관계의 어휘

less 덜 ↔ more 더	crucial 중요한 ↔ secondary 부차적인
raise 올리다 ↔ lower 낮추다	oppose 반대하다 ↔ support 지지하다
easier 더 쉬운 ↔ harder 더 어려운	deny 부정하다 ↔ remember 기억하다
positive 긍정적인 ↔ negative 부정적인	block 막다, 차단하다 ↔ reinforce 강화하다
decrease 감소하다 ↔ increase 증가하다	simple 단순한 ↔ complicated 복잡한
include 포함시키다 ↔ exclude 제외시키다	appear 나타나다 ↔ disappear 사라지다
allow 허락하다 ↔ forbid 허락하지 않다	neglect 무시하다 ↔ recognize 인정하다
harmful 해로운 ↔ harmless 무해한	common 흔한 ↔ unique 독특한

기출 적용

다음 글의 밑줄 친 부분 중, 문맥상 낱말의 쓰임이 적절하지 <u>않은</u> 것은? <모의응용>

지문듣기

Rejection is an everyday part of our lives, yet most people can't handle it well. For many, it's so painful that they'd rather not ask for something at all than ask and ① <u>risk</u> rejection. Yet, as the old saying goes, if you don't ask, the answer is always no. Avoiding rejection ② <u>negatively</u> affects many aspects of your life. All of that happens only because you're not ③ <u>tough</u> enough to handle it. **For this reason, consider rejection therapy. Come up with a** ④ <u>request</u> **or an activity that usually results in a rejection. Working in sales is one such example. By deliberately getting yourself** ⑤<u>welcomed</u>**, you'll grow a thicker skin.** This will allow you to take on much more in life, thus making you more successful at dealing with unfavorable circumstances.

* deliberately: 의도적으로

❶ 중심 소재 또는 주제 파악하기

반복되는 단어 rejection을 통해 거절에 관한 글임을 파악해요.
거절 요법을 고려해보라고 하면서 거절로 끝나게 되는 요청이나 활동을 생각해 내라고 했으니 거절의 필요성에 대해 말하고 있음을 파악합니다.

❷❸ 앞뒤 내용과 주제를 바탕으로 문맥과 반대되는 의미의 어휘 찾기

①~④은 문장의 내용이 자연스럽고 앞뒤 내용과도 잘 이어짐을 확인해요.
⑤은 '환영받는'이라는 의미인데, 의도적으로 스스로를 환영받게 함으로써 더 둔감해질 것이라는 의미는 자연스럽지 않아요. 반대되는 의미인 rejected(거절당하는)와 같은 어휘가 들어가면, 거절을 초래하는 요청이나 활동을 생각해 내라는 앞 내용과 자연스럽게 이어짐을 확인합니다. 따라서 쓰임이 적절하지 않은 것으로 ⑤을 고릅니다.

Words

rejection 명 거절 handle 동 감당하다, 다루다 risk 동 위험을 감수하다 aspect 명 측면 therapy 명 요법 come up with ~을 생각해 내다, 떠올리다
request 명 요청, 요구 thick skin 둔감함, 낯두꺼움 take on ~을 안고 가다, 떠맡다 unfavorable 형 호의적이지 않은 circumstance 명 상황

1 다음 글의 밑줄 친 부분 중, 문맥상 낱말의 쓰임이 적절하지 <u>않은</u> 것은?

지문듣기

We all make goals, but sometimes we don't take action and fail to reach them. For example, we might say we'll go to the gym every day but end up staying home. Or we may ① <u>promise</u> to study Japanese but never attend a class. When we make goals like these, we ② <u>anticipate</u> future benefits. However, we need to actually make an effort for a certain amount of time to ③ <u>accomplish</u> them. If we always sit on the couch rather than go for a run, we'll probably never get a healthy body in the future. But we often don't get off the couch because we are ④ <u>less</u> likely to choose something that gives us pleasure now than something that will benefit us in the future. We must remember that the ⑤ <u>longer</u> we hesitate, the longer it takes for our dreams to become a reality.

➕ 독해력 PLUS

Q1 윗글의 주제로 알맞은 것을 고르세요.
① why setting a goal leads to success
② the necessity of effort to achieve a goal

Q2 윗글에서 목표를 달성하지 못하게 되는 이유로 제시하고 있는 것을 고르세요.
① 당장 눈앞의 즐거움을 선택할 가능성이 더 높다.
② 주변의 방해 요소에 산만해져서 집중하지 못한다.

Words

take action 행동에 옮기다   attend 동 가다, 참석하다   anticipate 동 기대하다, 예상하다   benefit 명 이로움, 혜택 동 ~에게 이롭다
make an effort 노력하다, 애쓰다   accomplish 동 이루다, 달성하다   pleasure 명 즐거움   hesitate 동 머뭇거리다, 주저하다

2 다음 글의 밑줄 친 부분 중, 문맥상 낱말의 쓰임이 적절하지 <u>않은</u> 것은?

There are some people who become terrified without their phones. When they realize they are not able to use their smartphone, they become very ① <u>stressed</u> or begin to panic. The fear can even cause them to have ② <u>trouble</u> breathing and experience chest pains. People with this fear often refuse to leave their phones. They may also ③ <u>rarely</u> check for new notifications. Sometimes, these people even ④ <u>skip</u> meals, spending hours on their phone. Scientists say the cause of this anxiety is a fear of not being able to be reached by others. If a person experiences this for a long time, it can ⑤ <u>damage</u> their mental health in the future. As technology becomes more important to us, scientists worry that this will become more widespread.

* notification: 알림   ** reach: ~와 연락하다, 닿다

➕ **독해력 PLUS**

Q₁ 윗글의 주제로 알맞은 것을 고르세요.
   ① methods to overcome digital loneliness
   ② people who cannot live without their phones

Q₂ 윗글에서 설명하고 있는 사람들이 할 법한 행동으로 적절한 것은?
   ① 휴대전화를 끊임없이 확인한다.
   ② 휴대전화를 잘 떨어뜨린다.

Words

terrified 휑 두려워하는   panic 동 공황 상태에 빠지다   fear 명 두려움, 공포   refuse 동 거부하다   skip 동 거르다, 건너뛰다   widespread 휑 널리 퍼진

지문듣기

3 다음 글의 밑줄 친 부분 중, 문맥상 낱말의 쓰임이 적절하지 <u>않은</u> 것은?

A night owl can act like an early bird, but it's not always easy. Let's say you are used to getting up at 11 a.m., but you decide to start your days much ① <u>earlier</u>. However, when you get up at 6 a.m., you find it hard to focus. This is because people have different points in the day when they are naturally more ② <u>active</u>. A person's genes can affect what times they are sleepier and more awake. So there are people who are ③ <u>born</u> to be night owls. They might prefer working in the evening since it is when they have the ④ <u>least</u> energy. If people want to achieve more during their days, it might be better to ⑤ <u>follow</u> their natural cycles.

독해력 PLUS

Q1 윗글에서 글쓴이는 하루 동안 더 많은 것을 이루기 위해 무엇을 하는 것이 낫다고 제안하나요? 글쓴이의 의견이 담긴 문장을 찾아 쓰고 해석하세요.

문장: _____

해석: _____

Q2 각 설명에 해당하는 말을 윗글에서 찾아 두 단어의 영어로 쓰세요.

(1) 저녁에 에너지가 많은 사람: _____

(2) 오전 6시에 일어나는 사람: _____

Words

night owl 올빼미 같은 사람 early bird 일찍 일어나는 사람 naturally 뷔 선천적으로, 본래 active 혱 활동적인 awake 혱 깨어 있는
natural 혱 타고난, 선천적인 cycle 몡 주기

Grammar Focus | 13. 형용사와 부사

1 형용사와 부사의 역할

형용사는 명사를 수식하거나 주어나 목적어를 보충 설명해 주는 주격 보어, 목적격 보어로 쓰여요. 부사는 동사, 형용사, 다른 부사 또는 문장 전체를 수식해요.

1) **Successful** people tend to have a good bedtime routine. <모의응용>
   형용사(명사 수식)

2) He became **famous** for his performance in a movie.
   형용사(주격 보어)

3) The loud noise kept me **awake** during the night.
   형용사(목적격 보어)

4) **Frankly**, [the kitchen is **too** dirty to clean **quickly**].
   부사(문장 전체 수식) 부사(형용사 수식) 부사(동사 수식)

> **✛ 어법 출제 POINT**
>
> 형용사 자리와 부사 자리를 구별하는 문제가 나와요.
>
> We adjust our body temperature to avoid sweating and remain comfortable / comfortably . <모의응용>

2 유의해야 할 형용사와 부사

다음 단어들은 형용사와 부사의 형태가 같고, -ly가 붙은 부사는 의미가 달라져요.

형용사	부사	-ly가 붙은 부사
deep 깊은	deep 깊이, 깊게	deeply 몹시, 깊이
close 가까운	close 가까이	closely 자세히, 긴밀하게
near 가까운	near 가까이	nearly 거의
high 높은	high 높게	highly 매우, 고도로

5) When he saw a tiger in the forest, he went **close** to the tiger.
   부사(가까이)

6) Health and the spread of disease are **closely** linked to how our cities operate. <모의응용>
   부사(긴밀하게)

🎯 기출로 Check-Up

밑줄 친 부분이 틀렸다면 바르게 고치세요. 바르면 ○로 표시하세요.

1 Technological advances have made us <u>dependently</u> on natural resources. <모의응용>

2 Modern insect communities are <u>high</u> diverse in tropical forests. <모의>

3 Fifteen of the math problems were solved <u>correctly</u>. <모의응용>

유형 14 | 어법상 틀린 것 찾기

→ **유형 소개** 밑줄 친 선택지 중 어법상 틀린 것을 고르는 유형이에요. 수능에 1문항 출제돼요.

→ **지시문** 다음 글의 밑줄 친 부분 중, 어법상 틀린 것은?

→ **출제 경향** 어법 문제에 자주 출제되는 포인트는 거의 바뀌지 않고 동일하게 유지되고 있어요. 주로 '수 일치', '현재분사 vs. 과거분사', '형용사 자리 vs. 부사 자리', '관계대명사 vs. 관계부사', 'that vs. what' 등의 어법 포인트가 출제돼요.

풀이 방법

❶ 선택지의 생김새를 보고 어떤 어법 포인트에 대해 묻는지 파악합니다.

글 전체를 다 읽기보다는 선택지가 포함된 문장들만 확인하는 것이 효율적이에요. 문장을 읽기에 앞서 선택지의 생김새를 보고, 선택지가 어떤 어법 포인트에 대해 묻는지 파악해요.

❷ 문장의 구조를 보았을 때, 선택지 자리에 어법상 적절한 표현이 쓰였는지 판단합니다.

선택지 자리에 온 표현이 문장 안에서 어법상 적절한 형태로 쓰였는지 판단합니다. 이때 선택지가 동사의 수 일치를 묻는다면 주어를 찾아 수를 확인해야 하듯, 어법 포인트에 따라 문장 안에서 무엇을 확인해야 하는지 정확히 아는 것이 중요해요. 수동태나 분사가 선택지로 나오는 경우, 문장의 의미까지 고려해야 하는 것에 주의하세요.

자주 출제되는 어법 포인트

동사·준동사 밑줄	• 밑줄 친 자리에 동사와 준동사 중 바른 것이 왔는가? • 동사의 수/시제/태 등이 바른가? • 동명사/to부정사/분사 중 적절한 준동사가 왔는가?
명사·대명사 밑줄	• 단수형과 복수형 중 적절한 것으로 쓰였는가? • 대명사는 그것이 가리키는 명사에 맞는 것이 왔는가?
형용사·부사·비교구문 밑줄	• 형용사나 부사 중 바른 것이 왔는가? • 원급/비교급/최상급 비교구문의 형태가 바른가?
전치사·접속사·관계사 밑줄	• 전치사와 부사절 접속사 중 바른 것이 왔는가? • 명사절 접속사와 관계사 중 바른 것이 왔는가?

※ 각 유형의 마지막 페이지에 있는 Grammar Focus를 통해 어법 포인트들을 더 상세하게 학습하세요.

기출 적용

다음 글의 밑줄 친 부분 중, 어법상 틀린 것은? <모의응용>

지문듣기

There is usually a correct way of holding and playing musical instruments. However, the most important instruction to begin with is ① that they are not toys and that they must be looked after. ② Allow children time to explore ways of handling the instruments for themselves before showing them. **Finding different ways to produce sounds** ③ are an important stage of musical exploration. Correct playing comes from the desire ④ to find the most appropriate sound quality. It also involves finding the most comfortable playing position so that one can play with control over time. As instruments and music become more complex, learning appropriate playing techniques becomes ⑤ increasingly relevant.

❶❷ 선택지의 생김새를 보고 묻고 있는 어법 포인트 확인 후 어법상 적절한지 판단하기

① **that**: 접속사 또는 관계대명사
→ 뒤에 완전한 절이 있으므로 접속사
→ 접속사 **that**은 보어 자리에 온 명사절을 이끌 수 있으므로 어법상 적절함을 확인해요.

② **Allow**: 동사
→ 앞에 주어가 없고 뒤에 다른 동사가 없으므로 명령문
→ 명령문은 동사원형으로 시작하므로 어법상 적절함을 확인해요.

③ **are**: 동사
→ 주어가 Finding으로 시작하는 동명사구
→ 동명사구 주어는 단수 취급하므로 are가 아니라 is로 써야 하므로 정답으로 고릅니다.

④ **to find**: to부정사
→ 앞의 명사 **the desire**를 수식하고 있으므로 어법상 적절함을 확인해요.

⑤ **increasingly**: 부사
→ 뒤에 있는 형용사 **relevant**를 수식하고 있으므로 어법상 적절함을 확인해요.

유형 14

해커스 첫수능 영어 유형독해

Words

musical instrument 악기   instruction 뗑 가르침, 지도   explore 뗑 탐구하다   produce 뗑 만들어 내다   appropriate 뗑 알맞은   quality 뗑 질, 품질
comfortable 뗑 편안한   position 뗑 자세   complex 뗑 복잡한   relevant 뗑 유의미한, 관련된

지문듣기

1 다음 글의 밑줄 친 부분 중, 어법상 틀린 것은?

Procrastination is delaying a task even though it should be done soon. It's a habit ① <u>that</u> is common to all human beings. There are a variety of psychological reasons behind this behavior. One of the causes ② <u>is</u> that people feel overwhelmed by choices. If a person has too many options, they might avoid making any decisions. By ③ <u>delaying</u> these decisions, they can postpone any steps they need to take. For some people, putting off important tasks ④ <u>leading</u> to serious problems at work and school. However, it is also important to note that there are individuals who are ⑤ <u>motivated</u> by an approaching deadline. For them, waiting until the last minute is the best way to do things.

* procrastination: 미루는 버릇

➕ 독해력 PLUS

Q₁ 어법상 틀린 표현이 포함된 문장의 주어를 찾아 쓰세요. (4 단어)

_____

Q₂ 어법상 틀린 표현이 포함된 문장을 바르게 고쳐서 해석하세요.

_____

Words

psychological 혱 심리적인   overwhelmed 혱 압도되는   choice 몡 선택의 기회   option 몡 선택권, 선택의 자유   postpone 동 미루다   put off ~을 미루다
motivate 동 동기를 부여하다   approach 동 다가오다, 접근하다   deadline 몡 마감일   last minute 마지막 순간

지문듣기

2 다음 글의 밑줄 친 부분 중, 어법상 틀린 것은?

Even if your cat isn't in the same room as you, it still probably knows ① <u>where</u> you are. Cats can figure out people's location if they hear them ② <u>make</u> a noise. In an experiment, a recording of a voice calling cats' names was played once near the cats and then from farther away. At the sudden movement of the sound, the cats appeared ③ <u>shocking</u>. They stared at where the first sound had come from and ④ <u>searched</u> around the room. Since the cats had already figured out where the person was, they expected the noises to continue coming from the first location. This experiment seems to prove ⑤ <u>that</u> cats form images of the outside world in their minds.

➕ **독해력 PLUS**

Q₁ 윗글의 다음 문장을 해석하세요.

In an experiment, a recording of a voice calling cats' names was played once near the cats and then from farther away.

_____

Q₂ 어법상 틀린 표현이 포함된 문장을 바르게 고쳐서 해석하세요.

_____

Words

figure out ~을 알아내다, 파악하다   location 명 위치   experiment 명 실험   recording 명 녹음된 것, 녹음   farther 부 더 멀리   sudden 형 갑작스러운   movement 명 움직임, 이동   appear 동 ~처럼 보이다   form 동 형성하다

지문듣기

3 다음 글의 밑줄 친 부분 중, 어법상 <u>틀린</u> 것은?

Giving babies uncommon names is becoming more common around the world. In fact, there ① <u>has been</u> a steady decline in the use of traditional names since the 1950s. The rise of unique names shows ② <u>what</u> parents want their children to stand out rather than fit in. Being different ③ <u>is</u> now considered more important. This is a reflection of ④ <u>how</u> people's ideas about success have changed. In the past, parents believed fitting in would lead to success in the future. But now, the general opinion is that distinctiveness ⑤ <u>does</u> this instead.

* distinctiveness: 차별성

➕ 독해력 **PLUS**

Q₁ 어법상 <u>틀린</u> 표현을 바르게 고치세요.

_____ → _____

Q₂ 어법상 <u>틀린</u> 표현이 포함된 문장을 바르게 고쳐서 해석하세요.

_____

Words

uncommon ⑲ 흔하지 않은　steady ⑲ 꾸준한　traditional ⑲ 전통적인　rise ⑲ 증가, 상승　unique ⑲ 독특한　stand out 돋보이다, 눈에 띄다
fit in 어울리다, 맞다　reflection ⑲ 반영　general ⑲ 보편적인, 일반적인

Grammar Focus | 14. 비교구문

1 원급 비교구문

「as + 형용사/부사의 원급 + as」는 '…만큼 ~한/하게'라는 의미로, 비교하는 두 대상의 정도가 비슷하거나 같음을 나타내요.

1) This television is **as expensive as** that laptop computer.
   ~만큼 비싼

2) Computers are able to recognize chess pieces **as easily as** a child can. <모의응용>
   ~만큼 쉽게

2 비교급 비교구문

「형용사/부사의 비교급 + than」은 '…보다 더 ~한/하게'라는 의미로, 비교하는 두 대상 간의 정도의 차이를 나타내요. 비교급 앞에 부사 much/even/far/a lot을 써서 '훨씬'이라는 의미로 비교급을 강조할 수 있어요.

3) Domestic animals are generally **smaller than** wild animals. <모의응용>
   ~보다 더 작은

4) The snow was falling **much harder than** expected. <모의응용>
   훨씬   ~보다 더 심하게

> **⟡ 어법 출제 POINT**
>
> 비교급을 강조하는 적절한 부사가 왔는지 묻는 문제가 나와요.
>
> People build tools and machines that make our lives very / much easier and better. <모의응용>

3 최상급 비교구문

「the + 형용사/부사의 최상급 + (of/in + 기간/집단 등)」은 '(~에서) 가장 ~한/하게'라는 의미로, 셋 이상의 비교 대상 중 하나의 정도가 가장 높음을 나타내요.

5) For all of human history, we have been **the most creative** beings on Earth. <모의>
   가장 창의적인

⌖ 기출로 Check-Up

밑줄 친 부분이 틀렸다면 바르게 고치세요. 바르면 ○로 표시하세요.

1 The car was going a lot faster than I wanted it to. <모의응용>

2 Some indoor insects have few opportunities to feed than outdoor insects. <모의응용>

3 As the plane rose and fell several times, the man grabbed his seat as harder as he could. <모의응용>

해커스북 중·고등

www.HackersBook.com

Chapter 6

긴 글을 읽고 이해하는 유형

유형 15 | 장문 독해 1

— **유형 소개** 긴 글을 읽고 두 문제(제목 파악하기, 어휘 적절성 파악하기)를 푸는 유형이에요.

— **지시문** 윗글의 제목으로 가장 적절한 것은?

윗줄 친 (a)~(e) 중에서 문맥상 낱말의 쓰임이 적절하지 <u>않은</u> 것은?

— **출제 경향** 구체적인 사례나 비유적인 예시를 설명하고, 그것으로부터 핵심 내용을 이끌어 내는 글이 나와요.

풀이 방법

① **글의 중심 소재와 핵심 내용을 파악합니다.**

장문 독해에 나오는 글은 처음 한두 문장에서 중심 소재를 바로 찾기 어려운 경우가 많아요. 사례를 먼저 제시하고 그것으로부터 중심 소재와 핵심 내용을 본격적으로 설명하기 때문이에요. 따라서, 글을 읽어 나가며 반복되는 내용을 통해 소재와 핵심 내용을 파악합니다.

② **밑줄 친 어휘가 나오면 앞뒤 내용과 잘 이어지는지 파악합니다.**

밑줄 친 어휘를 포함한 문장 전체의 의미가 자연스러운지 그리고 그 문장 앞뒤 내용과 잘 이어지는지 확인합니다. 문맥과 반대되는 의미의 어휘를 사용한 선택지가 정답일 때가 많아요.

※ 반의어 관계의 어휘는 p.90의 표를 통해 다시 한번 학습하세요.

③ **핵심 내용이 가장 잘 드러난 제목 선택지를 정답으로 고릅니다.**

긴 글 전체의 핵심 내용을 같은 뜻의 다른 말로 잘 바꾸어 나타낸 선택지를 정답으로 고릅니다. 글에 쓰인 표현을 포함하지만 핵심 내용과 관련이 없는 선택지를 정답으로 고르지 않도록 주의해요.

지문듣기

[1~2] 다음 글을 읽고, 물음에 답하시오. <모의응용>

As kids, we worked hard at learning to ride a bike; when we fell off, we got back on again, until we could ride easily. But when we try something new in our adult lives we'll usually make just one attempt before judging whether it's (a) worked. If we fail the first time, or if it feels awkward, we'll tell ourselves it wasn't a success rather than giving it (b) another shot.

That's a shame, because **repetition** is central to the process of rewiring our **brains**. Consider that your **brain** has a network of neurons. They will (c) connect with each other whenever you remember to do something new. Those connections aren't very (d) reliable at first, which may make your first efforts a little hit-and-miss. You might remember one of the steps involved, and not the others. But scientists have a saying: "neurons that fire together, wire together." **In other words, repetition of an action (e) blocks the connections between the neurons involved in that action. That means the more times you try to do something, the more easily it will come to you when you need it.**

❶❷ 핵심 내용을 파악하며 읽고 밑줄 친 어휘가 앞뒤 내용과 잘 이어지는지 파악하기

첫 번째 문단의 사례를 통해 새로운 것을 시도하고 실패했을 때 아이와 어른의 반응이 다르다는 것을 파악합니다.

두 번째 문단에서 반복과 뇌에 대해 이야기하려고 함을 파악하고 마지막 두 문장을 통해 어떤 행동을 반복하면 그것을 잘하게 된다는 것이 핵심 내용임을 파악합니다.

행동의 반복이 뉴런들의 연결을 (e) 차단한다는 문장은 함께 활성화되는 뉴런은 함께 연결된다는 앞 문장과 반복했던 행동은 필요할 때 더 쉽게 다가온다는 뒷 문장과 잘 이어지지 않는다는 것을 파악해요. 따라서 쓰임이 적절하지 않은 어휘로 ⑤을 고릅니다.

❸ 핵심 내용이 가장 잘 드러난 제목 선택지 고르기

핵심 내용을 같은 뜻의 다른 말로 잘 바꾸어 표현한 '① 반복하라 그러면 당신은 성공할 것이다'를 정답으로 고릅니다.

1 윗글의 제목으로 가장 적절한 것은?

① Repeat and You Will Succeed
② Be More Curious, Be Smarter
③ Play Is What Makes Us Human
④ Stop and Think Before You Act
⑤ Growth Is All About Keeping Balance

2 밑줄 친 (a)~(e) 중에서 문맥상 낱말의 쓰임이 적절하지 않은 것은?

① (a)   ② (b)   ③ (c)   ④ (d)   ⑤ (e)

Words

attempt 몡시도 judge 통판단하다 awkward 혱어색한 shame 몡애석한 일, 수치 repetition 몡반복 process 몡과정 rewire 통재연결하다
reliable 혱신뢰할 만한 hit-and-miss 혱마구잡이의, 되는대로 하는 involve 통연관시키다 [선택지] growth 몡성장

지문듣기

[1~2] 다음 글을 읽고, 물음에 답하시오.

More than 7,000 languages are spoken in the world today. Thus, many of us wouldn't be able to understand one another without a common language. English is (a) <u>normally</u> used in this case, and even people who don't speak English as a mother tongue consider English a common language. As a result, they spend a lot of (b) <u>additional</u> time studying English as a second language. But Polish linguist Ludwik Lejzer Zamenhof disagreed with speakers of one language having an advantage over other people. He wanted language learning to be a (c) <u>fair</u> process instead. That's why he set out to create a language called Esperanto in the late nineteenth century.

For Zamenhof, Esperanto was a way to unify people. It would also enable them to communicate with each other more (d) <u>easily</u>, regardless of their home country or language. To encourage people to learn it, he made the vocabulary, spelling, and grammar of Esperanto as (e) <u>complicated</u> as possible. For example, all Esperanto verbs have only one pattern, so people don't have to memorize different types of verb patterns. Although Esperanto didn't spread like Zamenhof had hoped, about 2 million people currently speak Esperanto.

1 윗글의 제목으로 가장 적절한 것은?

① What Is the Best Way to Learn a New Language?

② Communication with Foreigners Is Not Difficult

③ Esperanto: A Language Created for Everyone

④ Improve Your Face-To-Face Communication!

⑤ What Has Made English Our Common Language?

2 밑줄 친 (a)~(e) 중에서 문맥상 낱말의 쓰임이 적절하지 <u>않은</u> 것은?

① (a)　　　② (b)　　　③ (c)　　　④ (d)　　　⑤ (e)

➕ 독해력 **PLUS**

Q₁ 윗글의 중심 소재로 알맞은 것을 고르세요.

① language rules　　　② Esperanto　　　③ grammar

Q₂ 윗글에서 Zamenhof가 에스페란토어를 만든 이유로 제시하고 있는 것을 고르세요.

① 언어 학습을 공평한 과정으로 만들고자 했다.

② 모국어로서 이점을 가지는 언어를 만들고자 했다.

Words

mother tongue 모국어　second language 제2언어　linguist 명 언어학자　advantage 명 이점, 유리한 점　set out 나서다, 착수하다　unify 동 통합하다

spelling 명 철자법　verb 명 동사　currently 부 현재

Early humans lived by the sun; they woke up when the sun rose and went to sleep when it set. But as society advanced, some people wanted to wake up (a) <u>earlier</u>. Individuals began coming up with different ways to get up before the sun. Around 427 B.C., Plato designed a water clock, which would make sounds at (b) <u>certain</u> times so that he could get to his early appointments. And in China, candle clocks were invented for the same purpose. Candle clocks were filled with nails, so as the candle burned, the nails would fall to the ground and make noise. These inventions were the very first versions of the alarm clock.

As history progressed, companies started to vary the times for workers to start each day. So it became common for workers to wake up at (c) <u>different</u> times from each other. This change of lifestyle (d) <u>decreased</u> demand for a clock whose alarm could be set for different times. In the late 19th century, people's needs were finally met. Personal alarm clocks hit the market and (e) <u>enabled</u> people to stick to their own schedules. The solution to an ancient problem had been found, and people could finally get control of their time.

* nail: 못

3 윗글의 제목으로 가장 적절한 것은?

① The Evolution of the Alarm Clock

② Ancient Inventions We Still Use Today!

③ How to Keep Track of Your Appointments

④ Discover Some of Plato's Greatest Works

⑤ Change Your Habit and Get Up Early

4 밑줄 친 (a)~(e) 중에서 문맥상 낱말의 쓰임이 적절하지 <u>않은</u> 것은?

① (a)　　　② (b)　　　③ (c)　　　④ (d)　　　⑤ (e)

➕ 독해력 **PLUS**

Q₁ 윗글의 중심 소재를 찾아 영어로 쓰세요.

_____

Q₂ 윗글의 첫 문단에서 발명품의 예시로 제시된 것 두 가지를 찾아 영어로 쓰세요.

_____, _____

Words

advance ⑧진보하다　individual ⑨사람, 개인　design ⑧고안하다, 설계하다　appointment ⑨약속　invent ⑧발명하다　progress ⑧진보하다
meet ⑧충족시키다　hit the market 시장에 출시되다　stick to ~을 고수하다　[선택지] evolution ⑨진화

[5~6] 다음 글을 읽고, 물음에 답하시오.

지문듣기

One of the most common questions asked is "What's your favorite color?" Even scientists are interested in the answer to this. Yet, most surveys and studies come to the same conclusion. People around the world really love the color blue. The reason for blue's (a) underlined popularity has nothing to do with DNA, but is instead connected to what individuals associate with the color. Many people see blue and think of clean air and water. There are (b) many blue objects that are considered offensive. The same idea (c) applies to other colors such as green. A person's opinion of green relies on how they feel about things like grass and traffic lights. Likewise, unpopular colors are linked to unpleasant objects. Dark yellow is often listed as one of the least loved colors. Scientists say this could be (d) tied to its association with waste. So how people think about each color isn't only about the color itself. It's about how we (e) view the world. Many of us just seem to associate blue with things we love.

5 윗글의 제목으로 가장 적절한 것은?

① Culture's Influence on Human Vision
② Parents Determine Their Children's Tastes
③ What Do Your Favorite Things Say About You?
④ Why Are Everyone's Color Preferences Similar?
⑤ How Different Colors Cause Different Emotions

6 밑줄 친 (a)~(e) 중에서 문맥상 낱말의 쓰임이 적절하지 <u>않은</u> 것은?

① (a)　　② (b)
③ (c)　　④ (d)
⑤ (e)

+ 독해력 PLUS

Q1 윗글의 중심 소재로 알맞은 것을 고르세요.
① DNA　　② color　　③ clean air

Q2 윗글에서 사람들이 파란색을 좋아하는 이유로 제시하고 있는 것을 고르세요.
① 파란색을 좋아하는 DNA를 타고났다.
② 파란색은 깨끗한 공기와 물을 연상시킨다.

Words

have nothing to do with ~와 전혀 관계가 없다　associate 통 연관 짓다　offensive 형 불쾌한, 싫은　rely on ~에 의존하다　unpopular 형 인기가 없는
unpleasant 형 불쾌한, 불편한　tied to ~와 관련 있는　[선택지] determine 통 결정하다　preference 명 선호(도)

Grammar Focus | 15. 부사절 접속사와 전치사

1 부사절 접속사와 전치사의 역할

부사절 접속사는 시간, 이유, 조건, 양보 등을 나타내는 부사절을 이끌고, 전치사는 명사(구) 앞에 와서 시간, 장소, 방법 등을 나타내요.

1) **Even though** babies have poor eyesight, they somehow prefer to look **at** faces. <모의응용>
　　부사절 접속사　　　　「주어 + 동사」의 절　　　　　　　　　　　　　　　　전치사　명사

2 유사한 의미를 가진 부사절 접속사와 전치사

부사절 접속사	because ~하기 때문에	while ~하는 동안	although[though] 비록 ~일지라도
전치사	because of ~ 때문에	during ~ 동안	despite[in spite of] ~에도 불구하고

2) **Although** she was awake, Reilly pretended to be in a deep sleep. <모의응용>
　　부사절 접속사(비록 ~일지라도)

3) **Despite** all your efforts to hide emotions, they will come out somehow. <모의응용>
　　전치사(~에도 불구하고)

3 부사절 접속사와 전치사 둘 다로 쓰이는 단어

다음의 단어들은 뒤에 단어/구나 절이 모두 올 수 있으므로, 문장 구조를 잘 살펴보고 판단해야 해요.

	부사절 접속사일 때 의미	전치사일 때 의미
as	~하듯이, ~함에 따라, ~하기 때문에	~로서, ~처럼, ~만큼
since	~한 이래로, ~하기 때문에	~ 이래로
until	~하기까지	~까지
like	~하는 것처럼, ~하듯이	~과 같은, ~처럼

◆ 어법 출제 POINT

뒤에 절이 왔는지 명사(구)가 왔는지에 따라 부사절 접속사와 전치사를 구별하는 문제가 나와요.

We study philosophy | because / because of | the mental skills it helps us develop. <모의>

◎ 기출로 Check-Up

밑줄 친 부분이 틀렸다면 바르게 고치세요. 바르면 ○로 표시하세요.

1 Many people stay in their comfort zones <u>because</u> a fear of the unknown. <모의응용>

2 It's up to you to keep yourself engaged and productive <u>during</u> your work life. <모의응용>

3 A boy decided to learn judo <u>despite</u> he had lost his left arm in a car accident. <모의응용>

— **유형 소개** 문단 4개로 이루어진 긴 글을 읽고 세 문제(순서 배열하기, 지칭 추론하기, 세부 정보 파악하기)를 푸는 유형이에요.

— **지시문** 주어진 글 (A)에 이어질 내용을 순서에 맞게 배열한 것으로 가장 적절한 것은?

　　　밑줄 친 (a)~(e) 중에서 가리키는 대상이 나머지 넷과 다른 것은?

　　　윗글[윗글의 '인물']에 관한 내용으로 적절하지 않은 것은?

— **출제 경향** 주로 교훈적인 일화나 우화가 나와요.

풀이 방법

① 인물의 말과 행동이 자연스럽게 이어지도록 (A) 뒤에 이어질 세 문단의 순서를 배열합니다.

② 밑줄 친 부분이 나오면 가리키는 대상을 그 앞에서 바로 찾습니다.

③ 세부 정보 문제는 선택지의 정보가 언급되어 있는 곳을 찾아서 일치하는지 확인합니다.

선택지는 글에 언급되는 순서대로 제시되므로 이 점을 이용하면 정답을 찾는 데 도움이 돼요.

기출 적용

정답 및 해설 p.41

[1~3] 다음 글을 읽고, 물음에 답하시오. <모의응용>

지문듣기

(A)

Once, a farmer lost his precious watch while working in his barn. It may have appeared to be an ordinary watch, but it brought a lot of happy childhood memories to him. It was one of the most important things to (a) him. After searching for it for a long time, the old farmer became exhausted.

(B)

The number of **children looking for the watch** slowly decreased and only a few tired children were left. The farmer called off the search. Just when the farmer was closing the barn door, a little boy came up to him and asked the farmer to give him another chance. The farmer did not want to lose out on any chance of finding the watch so let (b) him in the barn.

① (A) 뒤에 이어질 세 문단의 순서 올 바르게 배열하기

(B)의 시계를 찾는 아이들과 (C)의 소년 이 누구인지는 (A)에 나오지 않았음을 파악해요.

(D)의 지친 농부는 (A)의 마지막 문장의 지쳐버린 나이 든 농부를 가리키겠군요. (D)의 However와 문단의 내용을 통해 (A)의 상황과 이어지고 있음을 파악해요.

(D) 마지막의 시계를 찾다가 포기한 아이들이 (B)의 The number ~ decreased로 이어지고, (B)의 또 한 번의 기회를 달라고 찾아온 어린 소년이 (C) 첫 문장의 the boy로 이어지고 있음을 파악해서 문단을 (D)-(B)-(C) 순서로 배열합니다.

(C)

After a little while **the boy** came out with the farmer's watch in his hand. (c) He was happily surprised and asked how he had succeeded to find the watch. He replied "I just tried listening for the sound of the watch. In silence, it was much easier to hear it." (d) He was delighted to get his watch back and rewarded the boy.

(D)

However, the tired farmer did not want to give up on the search for his watch and asked a group of children playing outside to help him. (e) He promised an attractive reward for the person who could find it. After hearing about the reward, **the children hurried inside the barn**. They went through the entire pile of hay looking for the watch. After a long time searching for it, **some of the children got tired and gave up**.

❷ 밑줄 친 부분이 가리키는 대상을 그 앞에서 바로 찾기

(a)는 농부를 가리키는데 (b)는 어린 소년을 가리켜요. 둘 중 하나가 답이라고 짐작하고 나머지를 확인해요.

(c), (d), (e)도 농부를 가리키는 것을 확인하고, 가리키는 대상이 다른 것으로 (b)를 고릅니다.

❸ 세부 정보 문제의 각 선택지 정보가 언급되어 있는 곳을 찾아서 일치 여부 판단하기

①, ②, ③, ⑤은 글의 내용과 일치하는 것을 확인해요.

(D)의 the children ~ the barn을 통해, 아이들은 헛간을 뛰쳐나온 것이 아니라 헛간 안으로 서둘러 들어갔다고 했으므로 적절하지 않은 것으로 ④을 고릅니다.

1 주어진 글 (A)에 이어질 내용을 순서에 맞게 배열한 것으로 가장 적절한 것은?

① (B) – (D) – (C) ② (C) – (B) – (D)

③ (C) – (D) – (B) ④ (D) – (B) – (C)

⑤ (D) – (C) – (B)

2 밑줄 친 (a)~(e) 중에서 가리키는 대상이 나머지 넷과 다른 것은?

① (a) ② (b) ③ (c) ④ (d) ⑤ (e)

3 윗글에 관한 내용으로 적절하지 않은 것은?

① 농부의 시계는 어린 시절의 행복한 기억을 불러일으켰다.

② 한 어린 소년이 농부에게 또 한 번의 기회를 달라고 요청했다.

③ 소년이 한 손에 농부의 시계를 들고 나왔다.

④ 아이들은 시계를 찾기 위해 헛간을 뛰쳐나왔다.

⑤ 아이들 중 일부는 지쳐서 시계 찾기를 포기했다.

Words

precious 형 귀중한 barn 명 헛간 ordinary 형 평범한 exhausted 형 지쳐버린 call off ~을 멈추다, 중지하다 lose out on ~을 놓치다
silence 명 고요함, 정적 reward 동 보상하다 명 보상 attractive 형 매력적인 entire 형 전체의 pile 명 더미 hay 명 건초

지문듣기

[1~3] 다음 글을 읽고, 물음에 답하시오.

(A)

There was once a young man who wanted to be a great fisherman. But he could never catch many fish from the nearby lakes. An old fisherman from his village always caught enough fish to live on. One day, the young fisherman decided to ask the old fisherman for help. "Can you take me fishing with you?" he asked. The old fisherman hesitated but replied, "Meet me tomorrow morning and I'll take (a) you there."

(B)

The two men spent the rest of day at the lake and returned home with many fish. The young fisherman had never been so successful. "(b) I will go there again," he thought. Of course, he followed the old fisherman's advice for the first few days. But every time he went to the lake, he could always catch more fish than (c) he needed. He thought, "Maybe, he was wrong. With this many fish, it's not possible for them to disappear."

(C)

But after a few weeks, the young fisherman began catching less fish. He sat at the lake for hours without any luck. One evening, he finally came back to the village empty-handed. The old fisherman came up to him. "The fish are all gone now," he said. The young fisherman realized what he had done in that moment. Instead of thinking about the future, (d) he had only thought of the present.

(D)

The next day, the old fisherman saw the young fisherman coming and said, "Follow (e) me." They walked for hours on a path through forests. When the young man's legs grew tired, they finally came upon a large lake. "There are many fish in this lake," said the old fisherman. "But if you take more fish than you need, they might all disappear." "I understand," replied the young fisherman.

1 주어진 글 (A)에 이어질 내용을 순서에 맞게 배열한 것으로 가장 적절한 것은?

① (B) – (D) – (C)　　　　　　　② (C) – (B) – (D)

③ (C) – (D) – (B)　　　　　　　④ (D) – (B) – (C)

⑤ (D) – (C) – (B)

2 밑줄 친 (a)~(e) 중에서 가리키는 대상이 나머지 넷과 <u>다른</u> 것은?

① (a)　　　② (b)　　　③ (c)　　　④ (d)　　　⑤ (e)

3 윗글에 관한 내용으로 적절하지 <u>않은</u> 것은?

① 젊은 어부는 늙은 어부를 찾아가 도움을 청했다.

② 두 어부는 호수에서 많은 물고기를 잡고 돌아왔다.

③ 젊은 어부는 늙은 어부의 충고를 처음부터 따르지 않았다.

④ 젊은 어부는 결국 빈손으로 마을에 돌아왔다.

⑤ 두 어부는 숲을 지나 몇 시간을 걸었다.

➕ 독해력 PLUS

Q₁ 2번 문제의 정답 선택지가 가리키는 대상을 찾아 쓰세요.

_____

Q₂ 3번 문제 정답의 근거가 되는 문장을 찾아 쓰고 해석하세요.

문장: _____

해석: _____

Words

fisherman 뗑어부 catch 똉잡다 hesitate 똉머뭇거리다, 망설이다 advice 뗑충고, 조언 disappear 똉사라지다 empty-handed 뼹빈손인

present 뗑현재 path 뗑길, 오솔길

지문듣기

[4~6] 다음 글을 읽고, 물음에 답하시오.

(A)

One morning in school, Lily sat down in her science class. She was taking her books out of her bag as usual. Then, her teacher suddenly handed her a test paper. She had forgotten about her test! Lily hadn't studied for it at all, so she didn't know anything. She was about to start writing random answers down. At that moment, she noticed the student sitting next to (a) her. It was her classmate Annabel.

(B)

"So, I'm going to ask both of you a question about the test topic to find out who cheated." Lily began to panic. The teacher asked Annabel a question first, and she answered it easily. The teacher then turned to Lily and asked (b) her a different question. Lily couldn't copy her classmate this time and didn't know the answer. She was so ashamed and thought that she would never cheat again.

(C)

The next day, the teacher came up to Lily and Annabel as class was ending. "I need to talk to both of you, so don't leave," he said. Lily tried to appear calm, but she felt (c) her heart beat faster. After the rest of the students left, the teacher came to stand in front of them. "One of you cheated on your test," he said. "Your answers were exactly the same."

(D)

Annabel always studied hard and got good grades. "(d) She'll have all the right answers," Lily thought. She made sure the teacher wasn't looking, and then stared at Annabel's paper. She read Annabel's answers and wrote the same ones on her test paper. She copied all of them. When the teacher told everyone to turn in their papers, Lily smiled quietly. "Maybe (e) I'll get the best score I've ever gotten," she thought.

4 주어진 글 (A)에 이어질 내용을 순서에 맞게 배열한 것으로 가장 적절한 것은?

① (B) – (D) – (C)　　　　　　② (C) – (B) – (D)

③ (C) – (D) – (B)　　　　　　④ (D) – (B) – (C)

⑤ (D) – (C) – (B)

5 밑줄 친 (a)~(e) 중에서 가리키는 대상이 나머지 넷과 다른 것은?

① (a)　　② (b)　　③ (c)　　④ (d)　　⑤ (e)

6 윗글에 관한 내용으로 적절하지 않은 것은?

① Lily는 시험 공부를 하나도 하지 않았다.

② 선생님은 Annabel에게 먼저 질문했다.

③ Lily는 선생님의 질문에 바로 대답했다.

④ 선생님은 Lily와 Annabel에게 남으라고 했다.

⑤ Lily는 자신이 높은 성적을 받을 것이라고 생각했다.

➕ **독해력 PLUS**

Q₁ 5번 문제의 정답 선택지가 가리키는 대상을 찾아 쓰세요.

_____

Q₂ 6번 문제 정답의 근거가 되는 문장을 찾아 쓰고 해석하세요.

문장: _____

해석: _____

Words

hand ⑧건네주다　random ⑲되는 대로의, 무작위의　cheat ⑧부정행위를 하다, 속이다　turn to ~을 향하다　ashamed ⑲부끄러운, 창피한
appear ⑧~처럼 보이다　beat ⑧(심장이) 뛰다　turn in ~을 제출하다

(A)

One weekend morning, a little boy smelled something delicious coming from the kitchen. His father had baked fresh cookies and put them in the cookie jar. "Oh, those are my favorites! (a) I could eat the whole jar by myself." he thought. He asked his father if it was okay to have some. His father smiled and said, "Of course, go ahead."

(B)

The boy didn't want to let go of any of the cookies. He tried again and again but no matter what, he couldn't get the whole handful out. Being close to tears, he asked his father for help. His father looked over to see what was wrong. "What's the matter?" (b) he asked. The boy sobbed. "My hand is stuck! The opening of the jar is too small!"

(C)

So he picked up the jar and reached inside to grab some. At first, (c) he decided to take only two or three. But the smell was too delicious. Besides, his father had made more cookies already, so he could have as many as he liked. He grabbed as many cookies as he could hold. When he tried to pull his hand out, though, (d) he discovered that it was stuck.

(D)

"Well, look at how many cookies you have in your hand," his father said. "Do you really need that many? Why don't (e) you let go of some?" Slowly, the boy dropped about half of them. "Wow!" said the boy in surprise. His hand slid out of the jar easily. The two smiled as they ate the cookies together.

7 주어진 글 (A)에 이어질 내용을 순서에 맞게 배열한 것으로 가장 적절한 것은?

① (B) – (D) – (C)   ② (C) – (B) – (D)

③ (C) – (D) – (B)   ④ (D) – (B) – (C)

⑤ (D) – (C) – (B)

8 밑줄 친 (a)~(e) 중에서 가리키는 대상이 나머지 넷과 다른 것은?

① (a)   ② (b)   ③ (c)   ④ (d)   ⑤ (e)

9 윗글의 소년에 관한 내용으로 적절하지 <u>않은</u> 것은?

① 쿠키를 먹어도 되는지 아버지에게 물었다.

② 울먹거리면서 아버지에게 도움을 청했다.

③ 병의 입구가 너무 작아서 손이 끼었다고 말했다.

④ 처음에는 쿠키를 두세 개만 먹을 생각이었다.

⑤ 손에서 쿠키를 전부 떨어뜨렸다.

➕ 독해력 PLUS

Q1 8번 문제의 정답 선택지가 가리키는 대상을 찾아 쓰세요.

_____

Q2 9번 문제 정답의 근거가 되는 문장을 찾아 쓰고 해석하세요.

문장: _____

해석: _____

Words

jar 명 병, 항아리   whole 형 전부의, 전체의   let go of ~을 놓다   handful 명 한 움큼, 한 줌   sob 동 흐느끼다   stuck 형 움직이지 않는, 갇힌
opening 명 입구, 구멍   grab 동 움켜쥐다   discover 동 발견하다   drop 동 (손에서) 떨어뜨리다   slide 동 미끄러지다

Grammar Focus | 16. 병렬 구조

1 등위접속사로 연결된 병렬 구조

등위접속사 and/but/or를 사용하여 둘 이상의 것을 나열할 때는 and/but/or 앞뒤로 서로 동일한 형태와 기능을 가진 대등한 것이 와야 해요.

1) He ran as fast as he could **and** launched himself into the air. <모의>
　　　동사

2) Becky said that the book she borrowed was interesting **but** difficult.
　　　　　　　　　형용사

3) Around 10,000 years ago, humans learned to cultivate plants **and** (to) tame animals. <모의>
　　　　　　　　　to부정사

TIP to부정사가 나열될 때, 뒤에 오는 to부정사는 to를 생략하고 동사원형으로 올 수 있어요.

2 상관접속사로 연결된 병렬 구조

다음과 같은 상관접속사로 연결된 A와 B에도 동일한 형태와 기능을 가진 대등한 것이 와야 해요.

both A and B A와 B 둘 다	not only A but (also) B (=B as well as A) A뿐만 아니라 B도
either A or B A나 B 둘 중 하나	not A but B A가 아니라 B

4) She was recognized with many awards **both** in the US **and** in Mexico. <모의>
　　　　　　　　　전치사구

5) My family will **either** go to a restaurant **or** order pizza tonight.
　　　　　　　동사구

✛ 어법 출제 POINT

등위접속사 또는 상관접속사로 연결된 것들의 형태나 기능이 대등한지를 묻는 문제가 나와요.

The material they publish must not only have commercial value, but be / being written well. <모의응용>

🎯 기출로 Check-Up

밑줄 친 부분이 틀렸다면 바르게 고치세요. 바르면 ○로 표시하세요.

1 Antibiotics either kill bacteria or stopping them from growing. <모의>

2 Get to really know yourself and learn what your weaknesses are. <모의>

3 Meditation allows people to increase their sense of well-being and having a better life. <모의응용>

미니모의고사

미니모의고사 1
미니모의고사 2

미니모의고사 1

정답 및 해설 p.44

1 다음 글의 주제로 가장 적절한 것은?

I have friends that I've known for a long time, and most of them are close friends. However, there are still a few people that I don't know very well, despite the long time we've known together. I was thinking about the reason for this and realized friendships are not only shaped by time. In fact, the types of conversations we have with our friends are important too. If I talk with friends only about light subjects like hobbies and favorite movies, I can hardly get closer to them. But if we share our dreams and problems with one another, it's more likely to lead to a close relationship. Deeper discussions are needed to build deeper relationships.

① ways of meeting new people
② difficulties of having many friends
③ relationships as a means of support
④ importance of childhood relationships
⑤ how conversations create close friendships

2 다음 글의 제목으로 가장 적절한 것은?

People tend to dislike doing what others tell them to do, even if they already wanted to do those things. This is where reverse psychology comes in. It's a way of getting someone to do something by telling them to do the opposite. For instance, a mother might use this on a child who doesn't want to go to bed. If she tells him to stay up all night, then it will make the child want to go to sleep. In the end, the mother makes her son go to bed by saying the opposite of what she actually wanted. This technique can be used in various situations such as marketing to produce certain results.

① How Children Get What They Want
② Ask for the Opposite and Take Control
③ Why Do Children Like to Stay Up Late?
④ Reverse Psychology: A Difficult Technique
⑤ Marketing Techniques for Various Situations

3 다음 글의 요지로 가장 적절한 것은?

It is common knowledge that air pollution is bad for our lungs. New evidence has provided another reason to avoid polluted air. It can also slow down children's mental development. A molecule found in car emissions affects the part of the brain that controls concentration. As a result, children who are exposed to air pollution can have problems with reasoning and judgment. Experts recommend that parents of young children move away from areas that are heavily polluted. If they are unable to do so, they should keep their children from spending too much time outside.

* molecule: 분자

① 자연 환경이 아이들의 두뇌 활동을 촉진한다.
② 대기 오염은 어린이의 정신적 발달에 해롭다.
③ 운동 신경 발달을 위해 실외 활동이 권장된다.
④ 자동차 배기가스가 대기 오염의 주요 원인이다.
⑤ 호흡기 건강은 일찍부터 꾸준히 관리되어야 한다.

4 다음 글에서 필자가 주장하는 바로 가장 적절한 것은?

Spending a lot of time with negative people can threaten our emotions and mental state. We listen to their worries and deal with their bad attitude. Over time, this begins to affect our behavior and well-being. That's why it is important to surround ourselves with positive influences, people who motivate and encourage us. Optimistic individuals can reduce any sadness we may be feeling. They can help us get through difficulties in life more confidently. We can also pick up positive habits from them and improve the quality of our life overall.

* optimistic: 낙관적인

① 주변에 긍정적인 사람들을 두어야 한다.
② 사람들에게 감정적으로 반응하지 말아야 한다.
③ 비판을 건설적으로 수용하는 태도를 가져야 한다.
④ 모든 사람에게서 배울 점을 찾으려 노력해야 한다.
⑤ 자신의 행동이 주변에 미칠 영향을 고려해야 한다.

5 다음 빈칸에 들어갈 말로 가장 적절한 것을 고르시오.

Listening is a significant part of good communication. But listening isn't always about letting the other person speak and staying quiet. An effective listener tries to figure out the thoughts and ideas of the person talking. This can be accomplished by _____. Make sure you are accurately interpreting their comments by asking questions like, "You are saying that ···?" If your summary of their ideas is correct, then the conversation can go on. If it's not, the other person can correct you. Either way, the speaker will be grateful that you tried to understand the point and fully participated in the conversation.

① directing the conversation to a new topic
② telling the person to think more creatively
③ predicting what the person will tell you next
④ describing a similar experience from the past
⑤ repeating the main points the speaker makes

6 다음 빈칸에 들어갈 말로 가장 적절한 것을 고르시오.

Every spring, mountains of clothes are cleared out of people's closets as they do spring cleaning. Not wanting to throw out fine clothes, people often donate them to charities that send secondhand clothes to poor people in Africa. However, several African nations are working to stop deliveries of used clothes. The problem is that the donated clothes negatively affect the economies of these countries. As these free clothes from overseas flood the market, people have no reason to buy local textile products. This is why the governments are _____ such imports, which harm the textile industry and worsen economic problems.

* throw out: 버리다

① encouraging
② prohibiting
③ inspecting
④ preparing
⑤ delaying

7 밑줄 친 sunk your own ship이 다음 글에서 의미하는 바로 가장 적절한 것은?

It's easy to always say "yes." For example, you've probably been in a situation where you've agreed to help a friend. Even though you know you don't have time, you promise to help anyway. You are afraid of disappointing your friend. However, by saying "yes," you've basically sunk your own ship. You are making their goals more important than yours. And if you are always doing favors for your friends, it can negatively affect your own interests. This is frustrating and also hard to talk about. In the end, you may feel a friend is taking advantage of you, and they don't even know you are upset. Thus, you need to learn how to say "no."

① refused to accept your faults

② allowed someone to deceive you

③ started an argument for no reason

④ acted in a way that only benefits you

⑤ put someone else's needs before your own

8 다음 글의 목적으로 가장 적절한 것은?

Dear Ms. Frederick,

I am writing on behalf of our school's cheerleading club. As you know, our club has always met for practice at the city park on Saturdays. The park is always crowded, and sometimes we aren't even able to practice because of the weather. It is hard for us to stick to a regular schedule. Therefore, we hope that you will let us use the school's gym instead. It would really help our club to be able to practice more. Please consider giving us permission.

Sincerely,
Alicia Thomas

① 치어리딩 대회 참가 신청서에 대해 문의하려고

② 체육관 공사로 인한 소음 피해에 대해 알리려고

③ 치어리딩 연습을 위한 시설 이용 허가를 요청하려고

④ 학생들의 야외 활동 활성화 방안을 제안하려고

⑤ 체육관 운동 기구의 추가 구입을 건의하려고

9 다음 글에 드러난 Katie의 심경으로 가장 적절한 것은?

"Do you think she'll like it?" Katie asked her mom on the way to Hannah's party. "Of course, she will," her mom replied. Katie was about to give a homemade cake to her friend Hannah for her birthday. She couldn't wait to show it to her. Katie looked down at the cake. It was perfect! It was covered in light purple icing and colorful sprinkles. At the party, Katie rushed to find Hannah and revealed her cake with a laugh. "Happy birthday!" she shouted. Hannah gave Katie a big hug with happy tears in her eyes. Katie would always remember the smile on her friend's face.

① calm and peaceful

② tired and exhausted

③ nervous and worried

④ delighted and excited

⑤ upset and disappointed

10 다음 글의 내용을 한 문장으로 요약하고자 한다. 빈 칸 (A), (B)에 들어갈 말로 가장 적절한 것은?

In one study, researchers wanted to see if online shopping actually has an effect on our purchases. So they asked American adults to compare the things they bought on the Internet to what they bought at stores. The participants told that they bought more sweets such as candy and cookies when shopping in a real store. Since the sweets were directly in front of them, the participants couldn't help buying those sweets. However, the participants bought fewer sweets when they shopped online. In fact, they were less likely to buy them because they did not encounter real food on the screen. By shopping online, customers could keep themselves from buying sweets as they had no chance of seeing the real goods.

↓

People are less ____(A)____ to buy sweets while shopping online because they don't ____(B)____ the displays that stores usually set up.

	(A)		(B)
①	distracted	······	make
②	persuaded	······	ruin
③	persuaded	······	see
④	relieved	······	buy
⑤	relieved	······	ignore

11 다음 글에서 전체 흐름과 관계 <u>없는</u> 문장은?

Many parents refuse to get their children pets because of the costs and how much care they require. However, pets do offer some benefits, especially for children. ① Kids can learn about responsibility if they care for an animal. ② Furthermore, if a child forms a strong bond with a pet, it will teach them early on about relationships and trust. ③ Parents can build trust by giving their children the freedom to make their own choices. ④ This will help them develop socially as they get older and can prove to be advantageous to them in the future. ⑤ Children will also enjoy the process of learning these life lessons through close companionship with a pet.

* companionship: 우정

12 주어진 글 다음에 이어질 글의 순서로 가장 적절한 것을 고르시오.

In the middle of the 19th century, many people began moving from the eastern United States to the West. As a result, people needed a mail service that could quickly deliver messages to and from the West.

(A) The Pony Express used only horses and riders to deliver mail over distances of up to 1,800 miles. To start the trip, one rider would travel the first 100 miles of the trip.

(B) At some point, the rider passed mail to the next rider and horse, so that they could continue the journey. This way, they succeeded in connecting the East and the West.

(C) This demand led to the establishment of the Pony Express in 1860. The service promised customers the delivery of mail within 10 days across eight states.

① (A) – (C) – (B)   ② (B) – (A) – (C)

③ (B) – (C) – (A)   ④ (C) – (A) – (B)

⑤ (C) – (B) – (A)

13 주어진 글 다음에 이어질 글의 순서로 가장 적절한 것을 고르시오.

> Nearly two-thirds of injuries tennis players experience are related to the overuse of the muscles in the arm and shoulder. This condition is commonly referred to as tennis elbow.

(A) In addition, they say it is important to use proper techniques while playing and to find equipment that reduces stress on the muscles.

(B) While the name suggests overuse of the elbow, tennis elbow is actually the result of the stress put on the muscles that control the wrist. This is because constantly moving the wrist to hit the ball causes strain on the lower arm muscles, which results in muscle damage.

(C) However, this damage can be avoided. Trainers suggest performing exercises to strengthen these arm muscles and doing warm-ups before playing tennis to prevent injuries.

* strain: 압박, 압력

① (A) – (C) – (B)　　② (B) – (A) – (C)
③ (B) – (C) – (A)　　④ (C) – (A) – (B)
⑤ (C) – (B) – (A)

14 글의 흐름으로 보아, 주어진 문장이 들어가기에 가장 적절한 곳을 고르시오.

> The conductor also inspires the orchestra to play with feeling and depth.

Conductors are frequently called "silent musicians" because they play a very important role in an orchestra. (①) Although musicians can play classical music on their own, a conductor is necessary for a large group of musicians to play in harmony. (②) The reason is that a conductor acts as the leader of an orchestra, ensuring that a piece is performed correctly. (③) In this way, he or she can lead the musicians to express the emotion behind the music, causing a symphony to come alive. (④) In the end, it is the responsibility of a conductor to understand all aspects of the piece of music being played. (⑤) For these reasons, every orchestra needs a capable conductor.

* piece: 작품

15 Bristol National Park Art Contest에 관한 다음 안 내문의 내용과 일치하지 <u>않는</u> 것은?

Bristol National Park Art Contest

This contest provides an opportunity for kids to connect with nature in a fun way! We are waiting for children to submit creative paintings of plants and animals from the park.

Participants
– Children aged 7-13

Submission
– Entry deadline: April 5
– Where to submit: Bristol National Park Office (in person only)

Details
– Children are not allowed to receive assistance from adults.
– One entry per person!

※ Winners will be announced on April 29 on our website.
※ For more information on the contest, visit www.bnp.com.

---

① 식물과 동물을 그린 그림을 제출한다.

② 제출 기한은 4월 5일이다.

③ 이메일로 제출할 수 있다.

④ 한 명당 한 개의 그림만 제출할 수 있다.

⑤ 수상자는 웹사이트를 통해 발표될 것이다.

16 다음 도표의 내용과 일치하지 <u>않는</u> 것은?

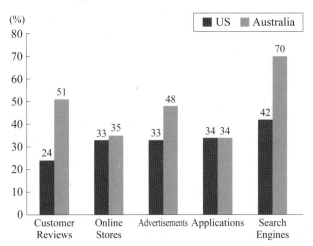

The Use of Information Sources When Shopping Online in the US and Australia

The graph above shows which information sources people in the US and Australia refer to while shopping online. ① Australians use customer reviews more than twice as much as Americans. ② People in the US refer to online stores as often as advertisements when they shop online. ③ When it comes to advertisements, the gap between the US and Australia is 15 percentage points. ④ The percentage of people who refer to applications is the same in the US and Australia. ⑤ In Australia, search engines are used the most for online shopping, followed by advertisements.

17 다음 글의 밑줄 친 부분 중, 문맥상 낱말의 쓰임이 적절하지 <u>않은</u> 것은?

Feeling upset by a stressful situation is a common human reaction. But for a highly sensitive person (HSP), this type of experience could have a ① <u>greater</u> emotional impact. HSPs are believed to have naturally increased sensitivity to social, physical, and emotional interactions. For them, ② <u>internal</u> factors can set off intense emotions. For instance, they might be easily offended by other people, and they may be more ③ <u>affected</u> by art and nature. This causes them to consume a lot of mental energy compared to other people and to become easily ④ <u>exhausted</u>. So, it is not surprising that they sometimes avoid what makes them tense or anxious. This might seem like strange behavior, but those highly sensitive people are just trying to ⑤ <u>protect</u> themselves.

* set off: 일으키다

18 다음 글의 밑줄 친 부분 중, 어법상 <u>틀린</u> 것은?

The Internet can be a cruel place. Popular social media networks are evidence of this. People are less polite to each other, ① <u>adding</u> rude comments regularly. One survey even found ② <u>that</u> bad behavior towards others has been demonstrated online by up to two-thirds of millennials. But experts wonder what the reason for this is. Physical distance is one factor ③ <u>what</u> they've considered. For example, when people write comments on their phone, no one is able to see the message while they're typing. It's like they are talking to ④ <u>themselves</u>, and they forget that someone else is involved. If they ⑤ <u>were given</u> the chance to speak to the other person face-to-face, they would probably be nicer.

[19~20] 다음 글을 읽고, 물음에 답하시오.

With education, we often think that studying longer is better. Students these days are pushed to learn for hours because people believe that it will lead to future success. But (a) sufficient rest is also important for learning. If students are exhausted from too much work, they will (b) struggle to actually absorb anything new. In Finland, the government applied this logic to the education system. For them, less is more. Finnish students have less school hours and days than students in many other countries. And yet the nation is still known for its (c) excellent education. The reason these students are able to learn so much with so little study time is that they get enough rest. They are (d) encouraged to spend time with their families and friends instead of always remaining in a classroom. This gives their brains the opportunity to organize information. Without breaks like these, information is harder to (e) forget. So, while studying is essential for a good education, taking time away from it is also needed.

19 윗글의 제목으로 가장 적절한 것은?

① How to Prepare Effective Class Materials

② Independent Studying Is the Key to Education!

③ Time for Rest: The Secret to Effective Learning

④ Achieving Good Grades: Study Smart, Not Hard

⑤ Tips for Motivating Kids to Take an Interest in Learning

20 밑줄 친 (a)~(e) 중에서 문맥상 낱말의 쓰임이 적절하지 않은 것은?

① (a) 　② (b) 　③ (c) 　④ (d) 　⑤ (e)

1 다음 글의 주제로 가장 적절한 것은?

When people face stressful situations, their breathing becomes quick and light. The phrase "take a deep breath" comes to mind in cases like these. That's because breathing isn't just a natural process that allows people's bodies to get oxygen. Taking deep breaths can also help people feel better. By taking a deep breath from the stomach, people can change their breathing pattern and increase their airflow. This can physically calm them since it quiets the nervous system. They feel more relaxed because negative emotions are reduced. Therefore, breathing deeply is a simple solution for managing stress.

* nervous: 신경의

① effects of oxygen on the human body

② importance of controlling stress levels

③ breathing techniques to increase airflow

④ differences between nervousness and stress

⑤ deep breathing as a means of reducing anxiety

2 다음 글의 제목으로 가장 적절한 것은?

Climate change is harming one of our most valuable resources: sleep. As the earth gets warmer, nighttime temperatures are rising. This makes it more difficult for us to get a good night's rest because our bodies need to cool down before bed. It is recommended that people get around seven hours of sleep. But it's harder to achieve this when temperatures are too high. We spend a longer time falling asleep as a result. In fact, experts estimate that people are already losing around 44 hours of rest each year due to climate change. They expect the number to increase as temperatures climb. So, unless climate change is addressed, there could be many uncomfortable nights in our future.

① Methods to Stay Cool While Sleeping

② Why Sleep Is Important to Our Health

③ Global Temperatures: Future Forecasts

④ Rising Temperatures Could Mean Less Sleep

⑤ Stages of Sleep: An Overview of the Sleep Cycle

3 다음 글의 요지로 가장 적절한 것은?

It is normal to forget things you have just learned. But there's an easy way to reduce the chances of this happening. All you need is a pen and some paper. When you write something down, your body and senses are more engaged. If you're in class and not taking notes, you're just listening to the lecture and watching the teacher speak. However, if you're writing down information during the class, you're also moving your hand, looking at the paper, and touching your pen. Your memory of the information becomes tied to the movement you make to write each letter. This higher level of sensory activity gives you a better chance at remembering the material.

* sensory: 감각의

① 꾸준한 신체 활동은 지능 발달에 도움을 준다.
② 정보를 이해하기 쉽게 전달하는 능력이 필요하다.
③ 배운 내용을 손으로 받아 적으면 잘 기억할 수 있다.
④ 교사는 학생들의 참여를 이끌어 내는 수업을 해야 한다.
⑤ 창의성을 기르려면 교실을 벗어난 다양한 경험이 요구된다.

4 다음 글에서 필자가 주장하는 바로 가장 적절한 것은?

"If you don't practice, you don't deserve to win." With this quote, tennis player Andre Agassi highlights how practice is needed for success. Without it, you cannot improve your skills. That's why reaching a goal requires you to make an effort every day. If you want to become a famous author, you should write, share your pieces, and get feedback daily. Or, if you want to produce popular paintings, you need to make time to work on your art at least once a day. Even if the rewards of your labor seem far away, you should continue practicing. The commitment will pay off in the future, and will help you achieve your dream in the end.

① 실력이 부족한 부분을 보완하라.
② 항상 목표 지향적인 태도를 가져라.
③ 시간을 효율적으로 쓰는 법을 익혀라.
④ 매일 시간을 들여서 꾸준히 연습하라.
⑤ 다른 사람의 조언을 적극적으로 구하라.

5 다음 빈칸에 들어갈 말로 가장 적절한 것을 고르시오.

Being able to accurately define a problem is a crucial part of solving it. When we do not identify the exact issue we face, we waste a great deal of effort on "solutions" that do not accomplish anything. We end up spinning our wheels, using lots of energy and not making any progress. It is a frustrating feeling that can make us give up. In order to avoid this situation, time should be spent on _____. We must not immediately try different things to resolve the difficulty we are facing. By examining a problem carefully and learning its true nature, we have a much greater chance of discovering an effective solution to it.

① comparison

② analysis

③ debate

④ education

⑤ collaboration

6 다음 빈칸에 들어갈 말로 가장 적절한 것을 고르시오.

Most people think forest fire is dangerous and must be avoided, but a "controlled burn" is different. It is carefully carried out by experts to _____. Controlled burns prevent future wildfires by removing dry things like dead leaves from the forest floor. And forestry experts always control the fires so that they only go through certain areas. This way, these fires do not harm the whole forest. They help the soil because burned trees provide important nutrients. With controlled burns, local people are protected, and the forest becomes healthier in the long term.

* forestry: 산림 관리

① prevent the growth of trees

② educate people about fire safety

③ discover the cause of forest wildfires

④ provide the forest with some benefits

⑤ limit the number of plants and animals

7 밑줄 친 broaden our horizons가 다음 글에서 의미하는 바로 가장 적절한 것은?

Conflict occurs when people have a fight or disagreement. It comes from the differences people have and gets worse by fixed attitudes and positions. But seeing our differences as something negative is taking a narrow view of conflict. It makes us consider every disagreement to be a personal attack. We shouldn't approach conflict this way because then we become defensive and more emotional. Instead, let's allow conflict to <u>broaden our horizons</u>. By valuing the different viewpoints of others, we can gain opportunities through conflict. If we approach conflict as a chance to open ourselves up to hearing new perspectives, we can expand our understanding. We can achieve more personal growth and make better decisions for ourselves.

① improve our debate skills for the future
② overcome restricted ways of thinking
③ expand the range of our emotions
④ confirm the beliefs we already have
⑤ find similarities with others more easily

8 다음 글의 목적으로 가장 적절한 것은?

Dear Mrs. Miller,

Thank you so much for choosing Sunset Palms Hotel for your stay. We hope you enjoyed your visit. We'd love to hear your feedback about our rooms and services. So, we have attached a form to this email for you to fill out about your experience with us. We would really appreciate if you could complete the survey. It will help us improve our service. At Sunset Palms Hotel, we are dedicated to giving you the very best, and we hope to see you again sometime soon.

Sincerely,
Trent Harper
Sunset Palms Hotel Manager

① 객실 이용에 관한 문의사항에 답변하려고
② 만족도 설문에 대한 응답을 부탁하려고
③ 변경된 예약 일정을 다시 확인하려고
④ 재방문 고객을 위한 혜택을 안내하려고
⑤ 숙박 중 불편을 겪은 고객에게 사과하려고

9 다음 글에 드러난 'I'의 심경 변화로 가장 적절한 것은?

My heart was beating fast as I waited at the park entrance. I had spent weeks asking everyone to help clean up the old park. The starting time was getting closer and I was worried because nobody had arrived yet. My hands were shaking and I began to sweat. Then, I heard voices nearby. I turned around and saw people walking towards me. It seemed like the whole neighborhood had come to help. I was so thankful that my eyes filled with tears. I expressed my thanks by giving everyone a hug. I thought it was going to be the worst day, but it was one of the best.

① nervous → grateful

② frightened → disappointed

③ excited → jealous

④ embarrassed → calm

⑤ hopeful → worried

10 다음 글의 내용을 한 문장으로 요약하고자 한다. 빈칸 (A), (B)에 들어갈 말로 가장 적절한 것은?

How good are we at multitasking? The so-called invisible gorilla experiment tried to answer this question. In the study, participants were told to watch a video and count the number of times a basketball was passed by the team wearing white. There was also a team in black passing their own basketball. All of the passes happened slowly and were easy to track. Yet, despite the task's simplicity, it seemed to take up all of the participants' attention. Because they were counting, fewer than half of them noticed that a man in a gorilla suit had appeared in the video. The man in the gorilla suit had even stood in the middle of the playing area beating his chest, but many only saw the basketball. Attending to one easy task, it seems, can prevent us from seeing anything else.

⬇

Concentrating on a single task can cause us to ____(A)____ obvious details, even when the task is ____(B)____ .

	(A)		(B)
①	consider	......	predictable
②	notice	......	predictable
③	overlook	......	uncomplicated
④	consider	......	uncomplicated
⑤	overlook	......	accustomed

11 다음 글에서 전체 흐름과 관계 <u>없는</u> 문장은?

Many people no longer read books to learn about new topics these days. Instead, they watch short videos on different subjects and think they have learned enough information. ① They prefer videos because watching them requires less time and effort than reading a book. ② However, most video clips only provide fun facts rather than a deeper understanding of a topic. ③ Measuring achievement is the key to revealing how much knowledge a person has of a topic. ④ People don't learn a lot from videos because they aren't long enough to include sufficient details and descriptions. ⑤ If a person really wants to know about a topic, they should try to finish a book about it.

12 주어진 글 다음에 이어질 글의 순서로 가장 적절한 것을 고르시오.

"Setting goals is the first step in turning the invisible into the visible." In this quote, author Tony Robbins tells us that goals can help us make real changes.

(A) The next step is to measure our progress to ensure we are actually moving forward. Every time we get a step closer to our goal, it will encourage us to continue.

(B) This motivation will help us reach it in the end. As a result, we can take an invisible idea and turn it into a real, visible change.

(C) With a clear goal, we can identify the best path there from our current position. It means that we start from figuring out the required work to go in the right direction.

① (A) – (C) – (B) ② (B) – (A) – (C)
③ (B) – (C) – (A) ④ (C) – (A) – (B)
⑤ (C) – (B) – (A)

13 글의 흐름으로 보아, 주어진 문장이 들어가기에 가장 적절한 곳을 고르시오.

> However, vaudeville started to fade away due to newer technology for entertainment.

From the late 1800s to the early 1900s, vaudeville was the most popular type of entertainment for American families. (①) Vaudeville performances included comedy, music, dance, and circus acrobatics. (②) People of all races and social classes enjoyed vaudeville. (③) People began listening to the radio and watching films. (④) As a result, vaudeville audiences shrunk. (⑤) Its popularity declined even further because famous performers such as Charlie Chaplin and Buster Keaton moved over to these new forms of media.

* acrobatics: 곡예

14 글의 흐름으로 보아, 주어진 문장이 들어가기에 가장 적절한 곳을 고르시오.

> To avoid this situation, it is advised that people sleep for seven or eight hours every night.

People often sleep less during the week because they have lots of work to do. (①) They then try to make up for their lost rest by sleeping late on the weekends. (②) Although this approach may make them feel better temporarily, it is not really effective. (③) It does not solve all of the problems that result from insufficient sleep. (④) Those who regularly do not sleep enough during the week will suffer from a variety of health problems regardless of the amount of sleep they get on weekends. (⑤) This is the only way to ensure they will not experience the negative effects of inadequate rest.

15 Anthony van Dyck에 관한 다음 글의 내용과 일치하지 <u>않는</u> 것은?

Anthony van Dyck was a 17th-century painter from the Netherlands. Born in 1599, he began painting at the age of 10. As a teenager, he worked as an assistant for Peter Paul Rubens, the Netherlands' greatest Baroque painter. Van Dyck later spent time in Italy and became more influenced by the Italian painter Titian. He developed his own style while he was there. In 1632, England's Charles I invited Van Dyck to become his official court painter. Van Dyck became famous for his portraits of England's royal family and other important Europeans. He painted quickly and made his models look good. He influenced both English painters and younger artists in Europe.

① 열 살 때부터 그림을 그렸다.
② Peter Paul Rubens의 조수로 일했다.
③ 이탈리아 화가로부터 영향을 받았다.
④ 네덜란드 왕실 가족의 초상화로 유명해졌다.
⑤ 그림을 빠르게 그렸다.

16 다음 도표의 내용과 일치하지 <u>않는</u> 것은?

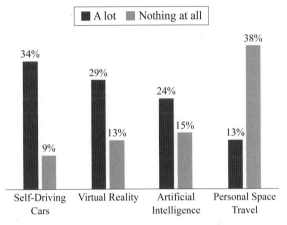

US Adults Who Have Heard About Recent Technologies
(Based on a survey of US adults in 2022)

Note: Remaining respondents answered "A little."

The graph above shows the percentage of US adults who have heard about recent technologies. ① Self-driving cars is the only category of which less than 10 percent of people heard nothing at all. ② More than a third of people heard a lot about self-driving cars, while less than a third of people heard a lot about virtual reality. ③ The percentage of people who heard nothing at all about virtual reality is two percentage points lower than that of artificial intelligence. ④ Among the four categories, artificial intelligence shows the smallest gap between the two responses. ⑤ As for personal space travel, the percentage of people who heard nothing at all is over three times higher than that of people who heard a lot.

17 다음 글의 밑줄 친 부분 중, 문맥상 낱말의 쓰임이 적절하지 <u>않은</u> 것은?

Do you often feel unhappy with your life? Like you can never achieve everything you want? That's because most of us are chasing too many things without appreciation for everything that we have now. We all ① <u>want</u> an amazing job, expensive house, and lots of friends. We feel like we can't be ② <u>satisfied</u> until we have all of them. But as we work towards this, we end up ③ <u>remembering</u> what we already have. So, we never concentrate on the present. To live ④ <u>fully</u> in the moment, we have to be thankful for all of the good things that have happened to us. If we take time to feel gratitude at least once a day, it will allow us to ⑤ <u>enjoy</u> the moment.

18 다음 글의 밑줄 친 부분 중, 어법상 <u>틀린</u> 것은?

The reason why many people enjoy jogging these days is that ① <u>it</u> only requires a pair of sneakers and some comfortable clothes. While special equipment may not be required, it is important to maintain the proper form. This is because keeping your head and back straight while jogging greatly ② <u>reduce</u> the risk of sprain. You also need to make sure your feet are hitting the pavement ③ <u>directly</u> beneath your knees instead of in front of them. Following these guidelines will help you lower the chances of ④ <u>being</u> hurt. This ensures ⑤ <u>that</u> you can continue with this form of exercise until late in your life.

* sprain: 접질림, 삠

[19~21] 다음 글을 읽고, 물음에 답하시오.

(A)

Paul looked out the window at the soccer field. His friends were passing a ball to one another. But Paul had hurt his leg and couldn't play soccer. A teacher saw Paul staring out the window, and decided to cheer (a) <u>him</u> up. "I have something for you to do," said the teacher.

(B)

Paul's teacher helped (b) <u>him</u> improve his painting skills over the next few weeks. His pieces became better, and Paul found himself really enjoying his time in the art classroom. When Paul's injury was finally healed, his teacher asked him, "Will you still paint?" "Of course," Paul replied. Art was just as important to him as soccer now, and (c) <u>he</u> couldn't imagine a life without it.

(C)

After a while, Paul decided to paint his favorite thing in the world: a soccer ball. He had liked to play soccer since he was young, so it was easy for him. He finished his first piece and showed his teacher. "Well done!" (d) <u>he</u> said. "Do you want to paint more?" "Yes, but I also want you to teach me more about painting," Paul answered.

(D)

The teacher led Paul to the art room. He got Paul some paper and paint. "I think you'll like painting," he said. Paul just stared down at the paper and didn't move. He had never liked art, and painting seemed difficult to him. "What do (e) <u>I</u> paint?" he asked. "Anything you want," replied his teacher.

19 주어진 글 (A)에 이어질 내용을 순서에 맞게 배열한 것으로 가장 적절한 것은?

① (B) – (D) – (C)　　② (C) – (B) – (D)

③ (C) – (D) – (B)　　④ (D) – (B) – (C)

⑤ (D) – (C) – (B)

20 밑줄 친 (a)~(e) 중에서 가리키는 대상이 나머지 넷과 <u>다른</u> 것은?

① (a)　② (b)　③ (c)　④ (d)　⑤ (e)

21 윗글의 Paul에 관한 내용으로 적절하지 <u>않은</u> 것은?

① 다리를 다쳐서 한동안 축구를 하지 못했다.

② 선생님에게 그림에 관해 도움을 받았다.

③ 첫 번째 그림으로 축구공을 그렸다.

④ 선생님의 안내로 미술실에 갔다.

⑤ 예전부터 그림 그리기를 좋아했다.

MEMO

MEMO

MEMO

앞서가는 **중학생**을 위한 **수능 첫걸음!**

해커스
첫수능 영어
유형독해

초판 2쇄 발행 2023년 12월 11일
초판 1쇄 발행 2023년 3월 3일

지은이	해커스 어학연구소
펴낸곳	㈜해커스 어학연구소
펴낸이	해커스 어학연구소 출판팀

주소	서울특별시 서초구 강남대로61길 23 ㈜해커스 어학연구소
고객센터	02-537-5000
교재 관련 문의	publishing@hackers.com
	해커스북 사이트(HackersBook.com) 고객센터 Q&A 게시판
동영상강의	star.Hackers.com

ISBN	978-89-6542-574-8 (53740)
Serial Number	01-02-01

중고등영어 1위,
해커스북 HackersBook.com

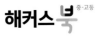

· 끊어읽기가 되어 있는 지문에 해석을 써보며 연습할 수 있는 **직독직해 워크시트**
· 효과적인 단어 암기를 돕는 **어휘 리스트 및 어휘 테스트**
· 듣기 실력도 향상시키는 **지문 MP3**

중·고등영어도 역시 **1위** 해커스

해커스 young star

중·고등

중·고등영어의 압도적인 점수 상승,
해커스 영스타 중·고등에서 현실이 됩니다.

해커스 영스타 중·고등 강의 **무료체험**

내게 맞는 공부법 체크! **학습전략검사**

해커스 중·고등교재 **무료 학습자료**

보카 강의 수강생 수
1위 박가은

앞서가는 중학생을 위한 **수능 첫걸음!**

해커스
첫수능
영어

유형독해

정답 및 해설

HACKERS

해커스
첫수능
영어

유형독해

정답 및 해설

해커스 어학연구소

Chapter 1
중심 내용을 파악하는 유형

유형 1 | 주제·제목 파악하기
본문 p. 10

기출 적용
정답 ①

해석

교실의 소음은 의사소통 패턴과 주의를 기울이는 능력에 부정적인 영향을 미친다. 그러므로 지속적으로 소음에 노출되는 것은, 특히 읽기와 읽기 학습에 미치는 그것의 부정적인 영향 면에서, 아이들의 학업 성취도와 관련이 있다. 연구자들은 소음 레벨이 낮아진 유치원 교실에서 아이들이 더 완전한 문장으로 말했으며 아이들이 읽기 전 시험에서 더 높은 점수를 받았다는 것을 발견했다. 나이가 더 많은 아이들을 대상으로 한 연구는 비슷한 결과를 보여 준다. 읽기와 수학 시험에서, 시끄러운 학교나 교실에 있는 초등학생들과 고등학생들은 더 조용한 환경에 있는 학생들보다 일관되게 성취도가 낮다.

① 소음이 학업 성취도에 미치는 영향
② 교실 디자인의 새로운 경향
③ 시끄러운 학급을 통제하는 방법들
④ 다양한 종류의 읽기 활동
⑤ 글쓰기 실력을 향상하는 데 있어서 읽기의 역할

해설

교실의 소음이 아이들의 학업 성취도에 부정적인 영향을 미친다는 내용의 글이므로, 글의 주제로 가장 적절한 것은 ①이다.

▌오답 분석 ②, ④, ⑤은 글의 중심 소재인 noise가 포함되지 않았으므로 오답이다. ③은 글의 중심 소재가 포함되어 있지만, 시끄러운 학급을 통제하는 방법에 대해서는 글에서 이야기하고 있지 않으므로 오답이다.

구문 풀이

> [5행] Researchers have found that in **preschool classes** [where noise levels were reduced], children spoke in more complete sentences and scored higher on prereading tests.
>
> → [ ]는 앞에 온 선행사 preschool classes를 수식하는 관계부사절로, 선행사가 장소를 나타내는 preschool classes이므로 관계부사 where가 쓰였다.
>
> [8행] On reading and math tests, elementary and high school students in noisy schools or classrooms consistently perform below **those** [in quieter settings].

→ [ ]는 지시대명사 those를 수식하는 전치사구이다. 이때 those는 앞에 언급된 elementary and high school students를 대신해서 쓰였다. 따라서 '더 조용한 환경에 있는 초등학생들과 고등학생들'이라는 의미로 해석한다.

유형 1 TEST
본문 p. 12

1 ④　　　2 ④　　　3 ⑤

1
정답 ④

해석

16세기와 18세기 사이에, 파인애플은 유럽에서 매우 인기 있지만 보기 드문 식품이었다. 유럽의 기후는 파인애플을 기르는 것을 어렵게 만들었다. 사람들은 다른 나라로부터 파인애플 하나를 수입하기 위해 오늘날의 화폐 가치로 약 5,000 달러에서 10,000 달러를 지불했다. 그것은 너무 비싸서 그것을 살 여유가 있는 사람들이 거의 없었다. 일부 귀족들조차도 파인애플을 사서 먹을 충분한 돈을 갖고 있지 않았다. 이러한 가격은 결국 파인애플을 '대여하는' 이상한 관습으로 이어졌다. 이렇게 해서, 그들은 파티 손님들에게 그들의 높은 지위를 자랑하기 위해 파인애플을 여전히 자랑스럽게 전시할 수 있었다. 파인애플은 그저 과일이었던 것이 아니라, 엄청난 사치의 상징이기도 했다.

① 누가 파인애플 무역을 시작했는가?
② 부유한 유럽인들의 관습들
③ 부를 꾸며내는 것은 새로운 발상이 아니다
④ 파인애플: 부의 역사적인 상징
⑤ 유럽에서 파인애플 기르기: 실패

해설

파인애플이 16세기와 18세기 사이에 유럽에서 매우 비쌌고 엄청난 사치의 상징이었다는 내용의 글이므로, 글의 제목으로 가장 적절한 것은 ④이다.

▌오답 분석 ①, ⑤은 글의 중심 소재가 포함되었으나 글의 핵심 내용과 관련 없으므로 오답이다. ②, ③은 글의 중심 소재인 pineapple이 포함되지 않았으므로 오답이다.

독해력 PLUS

Q1 주제문: Pineapples were not just a fruit, but also a symbol of great luxury.

해석: 파인애플은 그저 과일이었던 것이 아니라, 엄청난 사치의 상징이기도 했다.

Q2 Sign

구문 풀이

> [2행] The climate in Europe **made** *it* **difficult** *to grow pineapples*.
>
> → 「make + 목적어 + 형용사」는 '~을 …하게 만들다'라는 의미이다.
>
> → it은 가목적어이고, to grow pineapples가 진목적어이다. 이때 가목적어 it은 따로 해석하지 않는다.

[2행] People spent around $5,000 to $10,000 in today's money **to import a single pineapple from another country**.

→ to import 이하는 '다른 나라로부터 파인애플 하나를 수입하기 위해'라는 의미로, [목적]을 나타내는 to부정사의 부사적 용법으로 쓰였다.

[3행] It was **so costly that** few people could afford one.

→ 「so + 형용사/부사 + that절」은 '너무 ~해서 …하다'라는 의미이다. 이 문장에서는 '그것은 너무 비싸서 그것을 살 여유가 있는 사람들이 거의 없었다'라고 해석한다.

[7행] Pineapples were **not just** a fruit, **but also** a symbol of great luxury.

→ 「not just A but also B」는 '단지 A인 것이 아니라 B이기도 한'이라는 뜻으로, 「not only A but also B」와 같은 의미이다.

[1행] Regular handwashing dramatically reduces the spread of disease **by removing** germs from your skin.

→ 「by + v-ing」는 '~함으로써, ~해서'라는 의미로 수단이나 방법을 나타낸다.

[5행] To **avoid spreading** germs, you should clean underneath your nails, between your fingers, and up to your wrists with soapy water.

→ 「avoid + v-ing」는 '~하는 것을 방지하다, 막다'라는 의미이다. avoid는 목적어로 동명사를 쓴다.

[7행] Washing your hands regularly is an easy way **to keep** you and those around you safe.

→ to keep 이하는 '당신과 당신 주변 사람들을 안전하게 하기 위한'이라는 의미로, to부정사의 형용사적 용법으로 쓰여 an easy way를 수식하고 있나.

2 정답 ④

[해석]
규칙적인 손 씻기는 당신의 피부에서 세균을 없앰으로써 질병의 전파를 극적으로 줄인다. 당신은 많은 것들을 만지기 위해 손을 사용하기 때문에, 그것들은 세균들과 빈번하게 접촉한다. 만약 그런 다음 당신이 눈이나 입을 만진다면, 이 세균들은 당신의 몸 안으로 쉽게 들어갈 수 있다. 당신은 그냥 눈으로는 이 세균들을 볼 수 없지만, 그것들은 무해한 박테리아부터 생명을 위협하는 바이러스까지 이른다. 세균을 퍼뜨리는 것을 방지하려면, 당신은 손톱 밑, 손가락 사이 그리고 손목 위까지 비눗물로 닦아야 한다. 비누와 물을 구할 수 없다면, 알코올로 만든 손 세정제를 대신 사용할 수 있다. 규칙적으로 당신의 손을 씻는 것은 당신과 당신 주변 사람들을 안전하게 하기 위한 쉬운 방법이다.

① 세균에 의해 야기되는 질병들
② 박테리아가 몸에 들어오는 방법들
③ 손 세정제를 사용하는 것의 장점들
④ 질병을 방지하는 방법으로써의 손 씻기
⑤ 손이 질병을 빠르게 퍼뜨리는 이유들

[해설]
규칙적인 손 씻기는 손에서 세균을 없애 질병의 전파를 줄인다는 내용의 글이므로, 글의 주제로 가장 적절한 것은 ④이다.

▌오답 분석 ①은 글의 중심 소재인 '손 씻기(handwashing)'가 포함되지 않았으므로 오답이다. ②, ③, ⑤는 글의 중심 소재와 핵심 내용을 포함하지 않고 글의 일부 내용만 다루고 있으므로 오답이다.

[독해력 PLUS]

Q1 Regular handwashing

Q2 ①

3 정답 ⑤

[해석]
우리는 아이들이 적은 스트레스를 경험하는 것이 더 낫다고 보통 생각한다. 만약 우리가 어려운 상황에 처한 아이들을 알아차린다면, 우리는 그들이 거기서 빠져나오도록 도와야 할 것 같다고 느낀다. 극단적인 경우, 부모들은 그들의 아이들의 길에서 모든 장애물을 없애려 시도할 것이다. 하지만, 아이들은 스트레스를 다룸으로써 문제 해결에 더욱 능숙해진다. 대부분의 전문가들은 아이들이 나중에 비슷한 문제에 직면했을 때 해결책을 찾기 위해 이전의 경험을 이용할 수 있다는 것에 동의한다. 그들은 미래에 유사한 스트레스 경험이 생길 때 그것에 의해 영향을 덜 받는다. 예를 들어, 제시간에 학교 숙제를 끝내려고 애썼던 아이는 마감 기한에 대해 당황할 가능성이 더 낮을 것이다.

① 아이들이 스트레스에 대처하는 방법들
② 문제 해결: 필수적인 육아 스킬
③ 아이들의 스트레스를 줄이는 방법
④ 아동기 문제들에 대한 일반적인 해결책들
⑤ 스트레스가 아이들에게 미치는 긍정적인 영향

[해설]
아이들이 스트레스를 다룸으로써 문제 해결에 더욱 능숙해진다는 내용의 글이므로, 글의 주제로 가장 적절한 것은 ⑤이다.

▌오답 분석 ①, ③은 글의 중심 소재인 children과 stress를 포함하고 있으나 글의 핵심 내용과 관련이 없으므로 오답이다. ②, ④은 글의 중심 소재가 포함되지 않았으므로 오답이다.

[독해력 PLUS]

Q1 주제문: However, children become more skilled at problem-solving by dealing with stress.

해석: 하지만, 아이들은 스트레스를 다룸으로써 문제 해결에 더욱 능숙해진다.

Q2 ②

[1행] We normally think [(that) **it**'s better *for children* **to experience** little stress].

→ [ ]는 think의 목적어 역할을 하는 명사절로, 명사절 접속사 that이 생략되어 있다.

→ it은 가주어이고, to experience 이하가 진주어이다. 이때 가주어 it은 따로 해석하지 않는다.

→ for children은 to부정사의 의미상 주어로, to부정사(to experience)가 나타내는 동작의 주체이다.

[6행] For example, a child [who has struggled to complete a school assignment on time] will be less likely to panic about deadlines in the future.

→ [ ]는 앞에 온 선행사 a child를 수식하는 주격 관계대명사절이다.

Grammar Focus | 1. 수 일치

본문 p. 15

어법 출제 POINT **is**

기출로 Check-Up　1 impacts　2 ○　3 does

예문 해석

1) 평균적인 식료품점은 10,000개 이상의 다양한 품목을 취급한다.

2) 너무 많은 장식이 있는 교실은 어린 아이들에게 방해가 되는 원인이다.

3) 질문하는 습관을 들이는 것은 여러분을 적극적인 청자로 변화시킨다.

4) 매일 산책하는 것은 당신을 건강하고 활기 있게 하는 훌륭한 방법이다.

5) 고대 이집트인들이 어떻게 대 피라미드를 지었는지는 오늘날 우리에게 여전히 미스터리이다.

어법 출제 POINT

해석

콘크리트와 아스팔트로 둘러싸인 가로수의 평균 수명은 7년에서 15년이다.

해설

주어 the average life가 단수명사이므로, 단수동사 is가 와야 한다. of a street tree는 주어를 수식하는 전치사구, surrounded by concrete and asphalt는 a street tree를 수식하는 분사구이다.

기출로 Check-Up

1 impacts

해석

진정한 미소는 눈 주위의 근육과 주름에 영향을 준다.

해설

주어 A genuine smile이 단수이므로, impact를 단수동사 impacts로 고쳐야 한다.

2 ○

해석

어두운 바다에서 사냥하는 몇몇 동물들은 뛰어난 시력을 가지고 있다.

해설

주어 Some animals가 복수이므로, 복수동사 have를 쓴 것은 적절하다. hunting ~ ocean은 주어를 수식하는 분사구이다.

3 does

해석

문제가 존재한다는 것을 아는 것은 그것을 해결하는 데 아무런 도움이 되지 않는다.

해설

주어가 동명사 Knowing으로 시작하는 동명사구이므로, do를 단수동사 does로 고쳐야 한다. 참고로, that a problem exists는 동명사 Knowing의 목적어 역할을 하는 명사절이다.

유형 2 | 요지·주장 파악하기

본문 p. 16

기출 적용

정답 ①

해석

부모는 그들이 많은 시간을 그들의 자녀들과 함께 보낸다고 종종 주장할지도 모른다. 사실, 그들이 의미하는 것은 그들의 자녀들과 함께가 아니라 가까이에 있는 것이다. 즉, 그들은 그들의 자녀와 같은 방에 있지만, 텔레비전을 보거나, 독서를 하거나, 또는 손님들과 대화하고 있을지도 모른다. 필요한 것은 자녀들과 함께하는 적극적인 참여이다. 이것은 함께 독서하기, 함께 운동과 게임하기, 함께 퍼즐 맞추기, 함께 요리하고 먹기, 함께 쇼핑하기, 그리고 함께 설거지하기를 의미한다. 다시 말해, 자녀를 홀로 두는 동시에 단순히 자녀와 함께 있는 것으로는 충분하지 않다. 자녀와 함께 활동에 적극적인 참여자이자 동반자가 되는 것 또한 필요하다.

해설

부모는 자녀들 가까이에 있기만 하는 게 아니라 자녀들의 활동에 적극적으로 참여해야 한다는 내용의 글이므로, 글의 요지로 가장 적절한 것은 ①이다.
┃**오답 분석** ②, ③, ④은 글의 중심 소재인 '부모', '자녀' 혹은 '아동'이 포함되어 있지만 글쓴이의 의견과 관련이 없으므로 오답이다. ⑤은 글의 중심 소재가 모두 포함되어 있으나 부모가 자녀의 활동에 함께해야 한다는 글쓴이의 의견과 반대되므로 오답이다.

구문 풀이

[2행] Actually, [**what** they mean] is not with but near their children.

→ [ ]는 문장의 주어 역할을 하는 관계대명사절이다. 관계대명사 what은 선행사를 포함하고 있으며, '~하는 것'이라는 의미이다. 이때 what은 the thing(s) which[that]으로 바꿔 쓸 수도 있다.

[3행] That is, they may be in the same room as their child but (they may be) watching TV, reading, or conversing with guests.

→ but 뒤에는 앞에서 언급된 they may be가 생략되어 있다. 반복되는 말은 생략하는 경우가 많다.

[8행] In other words, **it** is not enough **to** simply **be** in a child's company [*while* simultaneously *leaving* the child alone].

→ it은 가주어이고, to be 이하가 진주어이다. 이때 가주어 it은 따로 해석하지 않는다.

→ [ ]는 '아이를 홀로 두는 동시에'라는 의미로, [동시동작]을 나타내는 분사구문이다. 분사구문의 의미를 분명하게 하기 위해 접속사 while이 생략되지 않았다.

= ~ **while they** simultaneously **leave** the child alone

→ { }는 앞에 온 선행사 things를 수식하는 목적격 관계대명사절로, 목적격 관계대명사 which/that이 생략되어 있다.

[1행] **What if I hadn't taken** art lessons just to follow my friends?

→ 「what if + 주어 + had p.p. ~?」는 가정법 과거완료로, '~했었더라면 어땠을까?'라는 의미이다. 과거 사실과 반대되는 상황을 가정할 때 쓰인다.

[3행] Sure, our lives would be different if we had chosen some other options, but the bigger question is, does it matter?

→ 「If + 주어 + had p.p. ~, 주어 + might/would/could/should + 동사원형 …」은 혼합 가정법으로, '만약 (과거에) ~했다면 (지금) …할 것이다'라는 의미이다. 혼합 가정법은 과거 사실과 반대되는 일이 현재까지 영향을 미치는 상황을 가정할 때 쓰인다.

유형 2 TEST

본문 p. 18

1 ③　　　2 ②　　　3 ⑤

1

정답 ③

해석

우리 모두가 과거에 다르게 할 수 있었음 직한 일들에 대해 생각한다는 것은 비밀이 아니다. 내가 그저 내 친구를 따라가려고 미술 수업을 듣지 않았었다면 어떻게 되었을까? 내가 대신 음악을 선택했다면? 이러한 '만약의 문제들'은 우리가 우리의 현재 상황에 그다지 만족하지 않을 때 보통 나타난다. 물론, 우리가 어떤 다른 선택지들을 선택했다면 우리의 삶은 다를 것이지만, 더 큰 문제는, 그것이 중요한가? 일어난 일은 일어난 것이다. 우리는 과거를 바꿀 수 없으므로, 그것에 너무 많이 초점을 둘 이유가 없다. 그렇게 함으로써, 우리는 우리 자신의 기분을 더 나쁘게 만들 뿐이다. 게다가, 어쩌면 오늘날 우리가 누구인지는 — 더 세고, 더 강인하고, 더 현명한 — 겉보기에는 '잘못된' 선택들의 결과이다. 당신의 실수로부터 배우고 내일에 대비하기 위해 그것들을 활용하라.

해설

이미 일어난 일은 일어난 것이므로 후회하는 대신 실수로부터 배우고 그것들을 미래에 대비하는 데에 활용하라는 내용의 글이므로, 필자의 주장으로 가장 적절한 것은 ③이다.

독해력 PLUS

Q1 주제문: Learn from your mistakes and use them to prepare for tomorrow.

해석: 당신의 실수로부터 배우고 내일에 대비하기 위해 그것들을 활용하라.

Q2 ①

구문 풀이

[1행] **It's** no secret [that all of us think about things {(which/ that) we could have done differently in the past}].

→ It은 가주어이고, that절이 진주어이다. 이때 가주어 it은 따로 해석하지 않는다.

2

정답 ②

해석

협동은 공동의 목표를 달성하기 위한 최고의 방법이다. 예를 들어, 내가 우리 학교 농구 팀에 처음 합류했을 때 나는 애를 먹었다. 내가 혼자서 득점을 하려고 할 때마다 상대 팀이 나를 가로막았다. 내 코치는 내가 안 좋은 위치에 있을 때 내 팀 동료를 찾아야 한다고 말했다. 다음 경기 동안, 나는 내가 꼼짝 못하게 되었을 때 동료에게 공을 넘겼고 그가 득점했다. 그가 나중에 똑같은 상황에 처했을 때, 그는 내게 공을 주었고 나는 득점했다. 우리는 그 경기를 이겼는데 왜냐하면 우리는 팀을 위한 최선이 무엇인지를 생각했고 서로를 도울 방법을 찾았기 때문이다. 속담에도 있듯이, 백지장도 맞들면 낫다.

해설

공동의 목표를 달성하기 위해서는 협동을 해야 한다는 내용의 글이므로, 글의 요지로 가장 적절한 것은 ②이다.

■ **오답 분석** ①은 협동의 중요성에 대한 글쓴이의 의견과 반대되는 내용이므로 오답이다. ③, ④, ⑤는 글의 중심 소재인 '협동(cooperation)'이 포함되지 않았으므로 오답이다.

독해력 PLUS

Q1 주제문: Cooperation is the best way to reach a common goal.

해석: 협동은 공동의 목표를 달성하기 위한 최고의 방법이다.

Q2 ②

구문 풀이

[2행] The opposing team stopped me **every time I tried** to score by myself.

→ 「every time + 주어 + 동사」는 '~할 때마다'라는 의미이다.

[3행] My coach said [that I should look for my teammates when I was in a bad position].

→ [ ]은 said의 목적어 역할을 하는 명사절이다. 이때 명사절 접속사 that은 생략할 수 있다.

[5행] We won that game because we thought of [**what** was best for the team] and found ways to help each other.

→ [ ]는 전치사 of의 목적어 역할을 하는 관계대명사절이다. 관계대명사 what은 선행사를 포함하고 있으며, '~하는 일[것]'이라는 의미이다.

3
정답 ⑤

해석

우리의 행복은 모두 우리에 관한 것이라고 생각하기 쉽다. 그러나 연구는 그렇지 않다는 것을 증명했다. 아이오와 주립 대학교의 심리학자들은 한 대학생 집단에게 낯선 사람들을 보며 "저 사람이 행복하기를 원한다"라고 생각하게 했다. 그들은 이 생각을 정말 마음에 품도록 요청받았다. 또 다른 집단은 사람들을 보고 그들의 신체적 외모와 옷차림에 주목하도록 지시받았다. 실험이 끝나고, 참가자들은 그들의 감정에 대한 질문들에 답했다. 첫 번째 집단은 다른 집단보다 더 높은 행복도를 보였다. 따라서, 당신이 당신의 행복에 정말 관심을 가진다면, 당신은 다른 사람들이 잘 되기를 바라야 한다.

해설

자신이 행복하려면 다른 사람들이 잘 되기를 바라야 한다는 내용의 글이므로, 필자의 주장으로 가장 적절한 것은 ⑤이다.

▋ 오답 분석 ③은 중심 소재인 '행복'이 포함되어 있으나, 다른 사람이 행복하기를 바라야 한다는 글쓴이의 의견과 관련이 없으므로 오답이다.

독해력 PLUS

Q1 주제문: So, if you really care about your own well-being, you should wish the best for others.

해석: 따라서, 당신이 당신의 행복에 정말 관심을 가진다면, 당신은 다른 사람들이 잘 되기를 바라야 한다.

Q2 should

구문 풀이

[1행] **It's** easy **to think** that our happiness is all about us.

→ It은 가주어이고, to think 이하가 진주어이다. 이때 가주어 it은 따로 해석하지 않는다.

[2행] Psychologists at Iowa State University **had one group of college students look** at strangers and **think**, "I want that person to be happy."

→ 「have + 목적어 + 동사원형」은 '~을 …하게 만들다'라는 의미이다. 여기서는 동사원형 look과 think가 등위접속사 and로 연결되어 쓰였다.

[3행] They **were asked to really mean** this thought.

→ 「be asked + to-v」는 '…하도록 요청받다'라는 의미로, 「ask + 목적어 + to-v」(~가 …하도록 요청하다)의 수동태 표현이다.

Grammar Focus | 2. 수량/부분 표현
본문 p. 21

어법 출제 POINT　　have
기출로 Check-Up　　1 are　　2 produces　　3 ○

예문 해석

1) 우리 딸들 중 한 명은 호주에서 대학을 다닌다.

2) 그 시리즈의 각 영화는 동일한 등장인물에 관한 이야기를 전한다.

3) 허리케인 때문에 많은 나무들이 쓰러졌다.

4) 오늘날, 세계 인구의 대부분은 생존할 수 있는 충분한 음식을 가지고 있다.

5) 몇몇 온라인 집단들은 인터넷에서 소문을 퍼뜨리는 데 시간을 보낸다.

어법 출제 POINT

해석

많은 "청소년 친화적" 정신 건강 웹사이트들이 개발되어 왔다.

해설

주어가 'a number of + 명사'이므로, 복수동사 have가 와야 한다.

기출로 Check-Up

1　are

해석

바다에 있는 대부분의 플라스틱 입자들은 매우 작다.

해설

주어에 most of가 있고 of 뒤에 복수명사 the plastic particles가 왔으므로, is를 복수동사 are로 고쳐야 한다.

2　produces

해석

모든 즐거운 경험은 당신의 뇌에 기분을 좋게 하는 화학 물질을 만들어낸다.

해설

주어에 every가 있으므로, produce를 단수동사 produces로 고쳐야 한다.

3　○

해석

2010년 밴쿠버 올림픽에 참가한 남자 선수들의 수는 1,500명 이상이었다.

해설

주어에 the number of가 있으므로, 단수동사 was를 쓴 것은 적절하다.

Chapter 2
추론하는 유형

→ [ ]는 '높은 성취도를 보이는 사람들을 연구하면서'라는 의미로, [동시동작]을 나타내는 분사구문이다. 여기서는 분사구문의 의미를 분명하게 하기 위해 접속사 while이 생략되지 않았고, 부연 설명을 하기 위해 문장 중간에 삽입되었다.

= **while he studied** high achievers
→ { }는 found의 목적어 역할을 하는 명사절이다.

유형 3 | 빈칸 추론하기

본문 p. 24

기출 적용

정답 ③

해석

대면 상호 작용은 많은 종류의 지식을 공유하는 특별히 강력한 방법이다. 그것은 새로운 생각과 아이디어를 자극하는 가장 좋은 방법들 중 하나이기도 하다. 우리들 중 대부분이 그림만으로 신발 끈 묶는 법 또는 책으로부터 계산하는 방법을 배우는 데 어려움을 겪었을 것이다. 심리학자 Mihàly Csikszentmihàlyi(미하이 칙센트미하이)는 높은 성취도를 보이는 사람들을 연구하면서 다수의 노벨상 수상자들이 이전 수상자들의 학생들이라는 것을 발견했다. 그들은 다른 모든 사람들과 마찬가지로 (연구) 문헌에 접근할 수 있었지만, 개인적인 접촉이 그들의 창의력에 결정적인 차이를 만들었다. 이것은 대화가 조직 내에서 고급 전문 기술을 위해 중대하고, 일상 정보를 공유하는 가장 중요한 방식이라는 것을 의미한다.

① 타고난 재능
② 규칙적인 연습
③ 개인적인 접촉
④ 복잡한 지식
⑤ 강력한 동기

해설

대면 상호 작용이 지식을 공유하는 강력한 방법이라고 했다. 또한 대화가 고급 전문 기술을 위해 중대하고, 일상 정보를 공유하는 가장 중요한 방식이라고 했다. 따라서 빈칸에 들어갈 말로 가장 적절한 것은 ③이다.

▌오답 분석 ①, ②, ④, ⑤은 대면 상호 작용이 지식을 공유하는 강력한 방법이라는 글의 핵심 내용과 관련이 없으므로 오답이다.

구문 풀이

[2행] It is **one of the best ways** to stimulate new thinking and ideas, too.

→ 「one of the + 최상급 + 복수명사」는 '가장 ~한 … 중 하나'라는 의미이다.

→ to stimulate 이하는 '새로운 생각과 아이디어를 자극하는'이라는 의미로, to부정사의 형용사적 용법으로 쓰여 the best ways를 수식하고 있다.

[5행] Psychologist Mihàly Csikszentmihàlyi found, [**while studying** high achievers], {that a large number of Nobel Prize winners were the students of previous winners}.

유형 3 TEST

본문 p. 26

1 ②   2 ⑤   3 ③

1

정답 ②

해석

우리가 자는 동안에는 우리는 프랑스어를 배우거나 수학 문제를 풀 수 없다. 그러나 한 연구에서, 연구원들은 우리의 뇌가 자는 동안에도 계속 활동적인 상태를 유지하고 무언가를 배운다는 것을 알아냈다. 이것을 시험하기 위해, 그들은 자는 사람들이 특정 음을 듣게 하고는 동시에 지독한 냄새를 방출했다. 후에, 참가자들이 깨어 있을 때, 연구원들은 그 음을 다시 틀었다. 참가자들은 그 음을 듣자마자, 나쁜 냄새에 대비하기 위해 모두 숨을 참았다. 그들은 그 소리에 딸려 있던 감각 경험과 함께 그 소리를 기억하는 것처럼 보였다. 어찌된 일인지, 심지어 자는 동안에도 그들의 뇌는 지식을 얻었다.

① 그들의 후각이 향상되었다
② 그들의 뇌는 지식을 얻었다
③ 그들의 생각이 몸의 반응을 제한했다
④ 그들은 좋은 기억들을 생각해 냈다
⑤ 그들은 경계하는 상태를 유지할 수 있었다

해설

자는 동안에도 우리의 뇌가 활동적인 상태를 유지하고 무언가를 배운다고 했다. 따라서 빈칸에 들어갈 말로 가장 적절한 것은 ②이다.

▌오답 분석 ①, ③, ⑤은 자는 동안에도 뇌가 새로운 것을 학습했다는 글의 핵심 내용과 관련이 없으므로 오답이다. ④은 사람들이 자는 동안 특정 음과 함께 맡았던 나쁜 냄새를 기억했다는 글의 내용과 반대되므로 오답이다.

독해력 PLUS

Q1 ②

Q2 주제문: But in one study, researchers discovered that our brains remain active and learn things during sleep.

해석: 그러나 한 연구에서, 연구원들은 우리의 뇌가 자는 동안에도 계속 활동적인 상태를 유지하고 무언가를 배운다는 것을 알아냈다.

구문 풀이

[1행] But in one study, researchers discovered [that our brains remain active and learn things during sleep].

→ [ ]는 discovered의 목적어 역할을 하는 명사절로, 명사절 접속사 that은 생략할 수 있다.

[2행] **To test this**, they *made sleeping people listen* to a certain tone and released a terrible smell at the same time.

→ To test this는 '이것을 시험하기 위해'라는 의미로, [목적]을 나타내는 to부정사의 부사적 용법으로 쓰였다.

→ 「make + 목적어 + 동사원형」은 '~가 …하도록 만들다'라는 의미이다.

[4행] **As soon as** the participants heard the tone, they all held their breath to prepare for the bad smell.

→ as soon as는 부사절을 이끄는 접속사로, '~하자마자'라는 의미이다.

2 정답 ⑤

해석

사람들이 추위를 느끼거나 강한 감정을 경험할 때, 그들은 피부에 소름이 돋게 된다. 이것들은 털을 수직으로 당기는 피부 속 아주 작은 근육들에 의해 생긴다. 사실, 소름은 우리 조상들에게 <u>생존 방법</u>이었다. 그들은 현대의 유인원처럼 여전히 털이 있었다. 그리고 그들이 위협을 마주쳤을 때, 그들의 뇌는 아드레날린이라 불리는 호르몬이 분비되도록 했다. 그 결과, 그들의 몸을 덮고 있는 털이 일어나 곧게 섰다. 이것은 포식자에게 그들이 더 커 보이도록 만들었을 것이고, 그것을 쫓아버릴 수 있었을 것이다. 그러므로, 소름은 위험을 피하는 유용한 방법이었다. 비록 우리는 더 이상 털은 없지만, 우리의 신체는 스트레스를 받는 상황에서 여전히 같은 방식으로 반응한다.

① 뇌 기능
② 천연 난방기
③ 아주 오래된 전통
④ 감정적 신호
⑤ 생존 방법

해설

소름이 돋는 것은 옛 조상들이 위험을 피하는 방법이었다고 했다. 따라서 빈칸에 들어갈 말로 가장 적절한 것은 ⑤이다.

▌오답 분석 ①, ②, ④은 소름이 조상들에게 살아남을 방법을 제공했다는 글의 핵심 내용과 관련이 없으므로 오답이다. ③은 글에서 소름이 우리 조상들에게 생존을 위한 방법이었다고는 했지만, 전통과 관련된 것이 아니라 위험에 닥쳤을 때 본능적으로 작용한 것이므로 오답이다.

독해력 PLUS

Q1 사실, 소름은 우리 조상들에게 생존 방법이었다.

Q2 ①

구문 풀이

[1행] These are caused by tiny muscles in the skin [**pulling** the hairs upright].

→ [ ]은 앞에 온 tiny muscles in the skin을 수식하는 현재분사구이다. 이때 pulling은 '당기는'이라고 해석한다.

[2행] In fact, goosebumps **used to be** a survival method for our ancestors.

→ used to-v는 '~하곤 했다' 또는 '~이었다'라는 의미로 과거의 습관이나 상태를 나타낸다.

cf. 「be used + to-v」: ~하는 데 사용되다 *ex.* This key is used to open the box. (이 열쇠는 상자를 여는 데 사용된다.)

「be used to + (동)명사」: ~에 익숙하다 *ex.* I am used to exercising in the morning. (나는 아침에 운동하는 것에 익숙하다.)

[3행] And when they ran into a threat, their brains **caused a hormone** [*called* adrenaline] to be released.

→ 「cause + 목적어 + to-v」는 '~가 …하도록 하다, 야기하다'라는 의미이다.

→ [ ]는 앞에 온 a hormone을 수식하는 과거분사구이다. 이때 called는 '~이라고 불리는'이라고 해석한다.

3 정답 ③

해석

쇼핑몰은 예정에 없던 결정을 부추기기 위해 고안된 구경거리, 냄새, 소음들로 가득하다. 당신이 쇼핑몰에 걸어 들어갈 때, 당신은 보통 많은 밝은 조명들과 거대한 장식된 유리창들을 본다. 향수 냄새가 공기를 가득 채운다. 대중가요는 배경에서 크게 울린다. 당신이 더 많은 것들을 경험할수록, 당신이 계획되지 않은 구매를 하게 될 가능성이 더 크다. 당신의 감각들은 쇼핑몰에 압도되게 된다. 이 상태에서, 당신은 당신의 원래 일정을 잊어버리고 예상한 것보다 오래 머문다. 당신은 사려고 계획하지 않았던 것들을 산다. 집에 돌아와서, 당신의 쇼핑백 안에서 당신이 생각했던 것보다 더 많은 물건을 발견하는 것이 당신을 놀라게 할 수 있다.

① 쇼핑객이 편안함을 느끼도록 돕기
② 할인 중인 물품을 발견하기
③ 예정에 없던 결정을 부추기기
④ 제품 선택권에 대해 더 알기
⑤ 쇼핑몰 인테리어의 디테일을 강조하기

해설

밝은 조명, 향수 냄새, 대중가요 등 쇼핑몰에서 더 많은 것들을 경험할수록 계획하지 않았던 것들을 더 사게 될 것이라고 했다. 따라서 빈칸에 들어갈 말로 가장 적절한 것은 ③이다.

▌오답 분석 ①은 쇼핑몰의 구경거리, 냄새, 소음 등은 당신의 감각을 압도하도록 고안되었다는 글의 내용과 반대되므로 오답이다.

독해력 PLUS

Q1 주제문: The more things you experience, the more likely you are to make an unplanned purchase.

해석: 당신이 더 많은 것들을 경험할수록, 당신이 계획되지 않은 구매를 하게 될 가능성이 더 크다.

Q2 쇼핑몰은 예정에 없던 결정을 부추기기 위해 고안된 구경거리, 냄새, 소음들로 가득하다.

[1행] Shopping malls **are full of** sights, smells, and noises [that are designed for *encouraging unexpected decisions*].

→ be full of는 '~으로 가득 차다'라는 의미의 표현이다.
   = be filled with

→ [ ]는 앞에 온 선행사 sights, smells, and noises를 수식하는 주격 관계대명사절이다. 이때 「주격 관계대명사 + be동사」는 생략할 수 있다.

→ encouraging unexpected decisions는 전치사 for(~하기 위해)의 목적어 역할을 하는 동명사구이다.

[4행] **The more** things you experience, **the more** likely you are to make an unplanned purchase.

→ 「the + 비교급 ~, the + 비교급 …」은 '~할수록 더 …하다'라는 의미이다.

[6행] Back home, **it** might surprise you [to find more stuff than you thought inside your shopping bags].

→ it은 가주어이고, [ ]이 진주어이다. 이때 가주어 it은 따로 해석하지 않는다.

Grammar Focus | 3. to부정사와 동명사   본문 p. 29

어법 출제 POINT   to do
기출로 Check-Up   1 to find   2 expanding   3 ○

예문 해석
1) 고객들에게 편리한 서비스를 제공하는 것은 만족으로 이어진다.
2) 우리가 스마트폰을 너무 자주 사용하기 때문에 우리의 집중력이 위협을 받는다.
3) 많은 사람들은 그들 자신을 깨어 있게 돕기 위해 커피를 마신다.
4) 약 10,000년 전에, 인간은 식물을 경작하는 법을 배웠다.
5) 만약 우리가 과도한 산책로를 짓기 위해 자연 서식지를 계속해서 파괴한다면, 야생 동물들은 이 지역들을 이용하는 것을 멈출 것이다.

어법 출제 POINT

해석
그는 나에게 잔디를 깎으라고 말했고 나는 앞마당만 하기로 결정했다.

해설
decide는 to부정사를 목적어로 쓰는 동사이므로 to do가 와야 한다.

기출로 Check-Up

1 to find

해석
음식 라벨은 여러분이 먹는 음식에 대한 정보를 찾는 좋은 방법이다.

해설
문장의 동사 are가 이미 있고 앞에 온 a good way를 수식하는 자리이므로 find를 to부정사 to find로 고쳐야 한다.

2 expanding

해석
우리는 종종 가족을 넘어 정체성에 대한 감각을 확장하는 방법으로 친구를 사귄다.

해설
문장의 동사 make가 이미 있고 전치사 of의 목적어 역할을 해야 하므로 expand를 동명사 expanding으로 고쳐야 한다.

3 ○

해석
처음에 세탁기는 많은 소음을 냈고, 그 후 작동하는 것을 멈췄다.

해설
동명사를 목적어로 쓰는 동사 stop이 쓰였고 '작동하는 것을 멈추다'라는 의미가 되어야 하므로, 동명사 functioning을 쓴 것은 적절하다.

유형 4 | 함축 의미 추론하기   본문 p. 30

기출 적용   정답 ③

해석
한 심리학 교수가 학생들에게 스트레스를 다루는 법을 가르치면서 물이 든 잔을 들어 올렸다. 그러고 나서 그녀는 "제가 들고 있는 이 물 잔은 얼마나 무거울까요?"라고 그들에게 물었다. 학생들은 다양한 대답을 외쳤다. 그 교수가 답했다. "이 잔의 절대적인 무게는 중요하지 않습니다. 그것은 제가 그것을 얼마나 오래 들고 있느냐에 달려 있죠. 만약 제가 이것을 1분 동안 들고 있다면, 꽤 가볍죠. 하지만, 만약 제가 이것을 하루 동안 계속해서 들고 있다면 이것은 제 팔에 심각한 고통을 야기할 것입니다. 각 사례에서 잔의 무게는 같지만, 제가 더 오래 들고 있을수록 그것은 저에게 더 무겁게 느껴지죠." 그녀는 이어 말했다. "여러분이 인생에서 느끼는 스트레스들도 이 물 잔과 같습니다. 만약 아직도 어제의 스트레스의 무게를 느낀다면, 그 잔을 내려놓아야 할 때입니다."

① 더 많은 물을 잔에 따르다
② 실수를 하지 않도록 계획을 세우다
③ 여러분 마음의 스트레스를 놓아주다
④ 여러분의 스트레스의 원인에 대해 생각하다
⑤ 다른 사람들의 의견을 받아들이는 것을 배우다

해설
물이 든 잔의 절대적 무게와 상관없이 그것을 오래 들고 있을수록 더 무겁게 느껴진다고 했고 스트레스가 물 잔과 같다고 했다. 따라서 '그 잔을 내려놓다'의 의미로 ③이 가장 적절하다.

▌ 오답 분석 ①, ④은 글에 언급된 단어를 포함하고 있으나 글의 핵심 내용과 관련이 없으므로 오답이다. ②, ⑤은 스트레스의 무게가 느껴진다면 붙들고 있던 스트레스를 내려놓을 때라는 글의 핵심 내용과 관련이 없으므로 오답이다.

[1행] A psychology professor raised a glass of water [while teaching her students how to handle stress].

→ [ ]는 '학생들에게 스트레스를 다루는 법을 가르치면서'라는 의미로, [동시동작]을 나타내는 분사구문이다. 여기서는 분사구문의 의미를 분명하게 하기 위해 접속사 while이 생략되지 않았다.
= **while she taught** her students how to handle stress

[5행] It depends on [how long I hold it].

→ [ ]는 「how + 부사 + 주어 + 동사」의 의문사가 이끄는 명사절로, depends on의 목적어 역할을 하고 있다. 이때 how는 '얼마나'라고 해석한다.

[7행] In each case, the weight of the glass is the same, but **the longer** I hold it, **the heavier** it feels to me.

→ 「the + 비교급 ~, the + 비교급 …」은 '~할수록 더 …하다'라는 의미이다.

유형 4 TEST

본문 p. 32

1 ②   2 ⑤   3 ④

1

정답 ②

해석

누군가 웃는 소리를 들으면, 우리는 보통 그들이 무언가 웃긴 것을 듣거나 보았기 때문이라고 생각한다. 그러나 웃음의 15퍼센트만이 유머 때문이다. 대다수의 웃음은 사실 그저 우리를 다른 사람과 연결시켜주는 사회적 반응이다. 과학자들은 인간들이 수 세기 동안 이 유대감 형성 기법을 사용해왔다고 생각한다. 인간이 언어를 만들어 내기 전, 웃음은 관계를 강화하기 위해 사용되었다. 심지어 오늘날 우리는 여전히 이 목적으로 그것을 사용한다. 예를 들어, 친구들 몇 명이 영화를 보고 있고 그들 중 한 명이 무언가에 웃으면, 아마 그 무리의 나머지도 따라할 것이다. 우리가 웃음을 보거나 들으면, 우리는 그것에 함께하고 싶어 한다. 본질적으로, 웃음은 <u>두 사람 사이의 가장 짧은 거리</u>이다.

① 사람들이 서로를 이해하지 못하게 하는 반응
② 사람들을 더 가까워지게 하는 자연적인 방법
③ 말하는 것보다 더 효율적인 의사소통
④ 무언가 웃긴 것을 보는 것에 대한 특이한 반응
⑤ 사람들이 과거에 사건들을 기념하던 방식

해설

대다수의 웃음은 유머 때문이 아닌 그저 다른 사람과 연결시켜주는 사회적 반응이며, 인간이 언어를 만들어 내기 전부터 웃음은 관계를 강화하기 위해 사용되었다고 설명하고 있다. 따라서 '두 사람 사이의 가장 짧은 거리'의 의미로 ②가 가장 적절하다.

▎오답 분석 ①은 웃음이 사람들을 연결하는 사회적 반응이라는 글의 핵심 내용과 반대되므로 오답이다. ③, ④, ⑤은 글의 핵심 내용과 관련이 없으므로

오답이다.

독해력 PLUS

Q1 두 사람 사이의 가장 짧은 거리

Q2 ②

[2행] The majority of laughs are actually just social responses [that connect us to other people].

→ [ ]는 앞에 온 선행사 social responses를 수식하는 주격 관계대명사절이다.

[3행] Scientists believe that humans **have been using** this bonding technique for centuries.

→ 「have/has been + v-ing」는 현재완료진행 시제로, 과거에 시작된 일이 현재까지도 계속 진행 중임을 강조하여 나타낸다.

[5행] For example, if some friends are watching a movie and **one of them** laughs at something, the rest of the group will probably follow.

→ 「one of + 복수명사」는 '~ 중 하나'라는 의미이다. 「one of + 복수명사」는 단수 취급하므로, 뒤에 단수동사 laughs가 쓰였다.

2

정답 ⑤

해석

사람들이 인터넷을 돌아다닐 때, 그들의 시간 감각은 바뀐다. 그들은 일 하나를 끝내고 그것이 겨우 10분도 채 걸리지 않았다고 짐작할지도 모른다. 하지만 실제로는, 사실 그 시간의 2배가 걸렸다. 그것은 왜냐하면 사람들이 일을 하는 중간에 무작위로 이메일이나 메시지를 확인하는 것과 같은 일들을 자주 하기 때문이다. 또는 그들은 유용한 웹페이지를 발견하고 나중을 위해 그것을 북마크해놓는다. 그들이 화면을 쳐다보는 동안, 그들은 시간을 정확하게 계속 파악할 수 없다. <u>이러한 함정에 빠지는 것</u>을 피하기 위해 사람들은 더 목적 의식을 가지고 인터넷에 접근해야 한다. 예를 들어, 그들은 온라인에 접속하기 전에 그들이 무슨 정보를 찾고 있는지 더 잘 정할 수 있다. 그들은 또한 이메일 확인하기 같은 일들을 동시에 하기보다는 하나의 일을 완성하는 것에 몰두해야 한다.

① 신뢰할 수 있는 출처들만 훑어보는 것
② 온라인상의 논의에서 실수하는 것
③ 기계적 문제로 인해 스트레스를 받는 것
④ 업무 중 신체 활동을 적게 하는 것
⑤ 산만해지고 시간에 대해 잊는 것

해설

사람들은 인터넷을 하면서 무작위로 이메일을 확인하거나 웹페이지를 구경하다 보니 시간을 정확하게 파악하고 있지 못한다고 하고, 이를 피하기 위해 목적 의식을 더 가지고 인터넷에 접근해야 한다고 하고 있다. 따라서 '이러한 함정에 빠지는 것'의 의미로 ⑤가 가장 적절하다.

▎오답 분석 ①, ②, ③, ④은 인터넷을 하면서 시간 감각을 잃는 것을 피하기 위해 목적 의식을 가지고 인터넷에 접근해야 한다는 글의 핵심 내용과 무관하므로 오답이다.

Q1 이러한 함정에 빠지는 것

Q2 ②

구문 풀이

[5행] To **avoid falling** into this trap, people must approach the Internet with more purpose.

→ 「avoid + v-ing」는 '~하는 것을 피하다'라는 의미이다. avoid는 목적어로 동명사를 쓴다.

[6행] For example, they can better define [**what** information they're looking for] before going online.

→ [ ]는 「의문사(what) + 주어 + 동사」의 의문사가 이끄는 명사절로, define의 목적어 역할을 하고 있다. 여기서는 they가 명사절의 주어에 해당하며, what은 '무슨, 어떤'이라는 의미로 쓰여 뒤의 information을 수식하고 있다.

구문 풀이

[1행] Many animals **have lost** their natural habitats due to human activity.

→ have lost는 현재완료 시제(have p.p.)로, 이 문장에서는 과거에 시작된 일이 현재까지 영향을 미쳐 발생한 [결과]를 나타낸다.

[1행] But some of them have found ways **to continue living**.

→ to continue living은 '계속 살아갈'이라는 의미로, to부정사의 형용사적 용법으로 쓰여 ways를 수식하고 있다.

[3행] For example, city coyotes are now looking both ways before **crossing the street** [to avoid fast-moving cars].

→ crossing the street은 전치사 before(~ 전에)의 목적어 역할을 하는 동명사구이다.

→ [ ]는 '빠르게 움직이는 자동차들을 피하기 위해'라는 의미로, [목적]을 나타내는 to부정사의 부사적 용법으로 쓰였다.

3
정답 ④

해석

많은 동물들이 인간의 활동 때문에 그들의 자연 서식지를 잃었다. 그러나 그들 중 몇몇은 계속 살아갈 방법들을 찾았다. 그들은 이제 도시의 인구에 포함될 수 있다. 그들은 새로운 환경에서 살아남기 위해 그들의 행동을 바꿔 왔다. 예를 들어, 이제 도시의 코요테는 빠르게 움직이는 자동차들을 피하기 위해 길을 건너기 전에 양쪽을 살핀다. 너구리와 곰들은 쓰레기통에서 음식을 찾을 수 있다는 것을 배웠다. 이 동물들에게는 도시의 생존 기술들을 익히는 것 외에는 선택의 여지가 없었다. 인간은 그들이 서식지를 바꾸게 만들었고, 그 결과 그들은 성공적으로 도시의 생활에 섞여 들었다.

① 그들의 원래 환경으로 돌아가도록 강요받는

② 도시의 해로운 환경에 영향을 받은

③ 새로운 서식지에 대한 더 많은 선택지가 주어진

④ 도시에 완전히 적응한 것으로 여겨지는

⑤ 그들의 친밀함 덕분에 더 쉽게 보호받는

해설

많은 동물들이 인간으로 인해 서식지를 잃었으며, 도시에서 살아남기 위해 행동을 바꾸고 도시의 생존 기술을 익힌다는 내용이다. 따라서 '도시의 인구에 포함될'의 의미로 ④이 가장 적절하다.

▌오답 분석 ①은 몇몇 동물들이 성공적으로 도시의 생활에 섞여 들었다는 글의 핵심 내용과 반대되므로 오답이다. ②은 도시 환경이 해롭다는 내용이 글에 언급되지 않았으므로 오답이다. ③, ⑤은 글의 핵심 내용과 무관하므로 오답이다.

Q1 그들은 이제 도시의 인구에 포함될 수 있다.

Q2 learned, survive

Grammar Focus | 4. 분사
본문 p. 35

어법 출제 POINT   Asked

기출로 Check-Up   1 given   2 ○   3 consuming

예문 해석

1) 1992년 1월 10일에, 거친 바다를 지나 여행하던 한 선박이 12개의 화물 컨테이너를 분실했다.

2) 참가자들은 웹사이트에 제공된 제안서를 사용해야 합니다.

3) 그녀가 전화로 이야기하는 동안, Dorothy는 밖에 있는 이상한 불빛을 알아차렸다.

4) 발언할 기회가 주어지자, 그녀는 다른 사람들 앞에서 자신의 의견을 밝혔다.

어법 출제 POINT

해석

그들이 읽은 것을 기억해달라고 요청받았을 때, 사람들은 그 캐릭터에 대한 묘사가 실제로 그런 것보다 더 긍정적인 것으로 기억했다.

해설

주절의 주어인 people이 요청받은 대상이므로 과거분사 Asked가 와야 한다.

기출로 Check-Up

1 given

해석

나는 3개월 전에 우리에게 주어진 세탁기를 수리했다.

해설

앞에 온 the washing machine은 주는 동작을 당하는 대상이므로 현재분사 giving을 과거분사 given으로 고쳐야 한다.

2 ○

해석

1차 세계대전 동안 부상을 입은 까닭에, 그 군인은 여러 병원에서 3년을 보냈다.

해설

주절의 주어 the soldier는 부상을 입히는 동작을 당하는 대상이므로, 과거분사 Injured를 쓴 것은 적절하다.

3 consuming

해석

텔레비전은 제1의 여가 활동으로, 우리의 여가 시간의 절반 이상을 소비한다.

해설

주절의 주어 Television은 소모하는 동작을 하는 주체이므로, 과거분사 consumed를 현재분사 consuming으로 고쳐야 한다.

유형 5 | 목적 파악하기

본문 p. 36

기출 적용

정답 ⑤

해석

학교 도서관 사서 선생님께,

저는 학교 영어 글쓰기 동아리 회장인 Kyle Thomas입니다. 저는 저희 동아리 회원들의 글쓰기 실력을 증진시킬 활동들을 계획해 왔습니다. 이러한 활동의 목적 중 하나는 저희가 다양한 유형의 뉴스 미디어와 인쇄된 신문에 사용된 언어를 알게 만드는 것입니다. 그러나 몇몇 오래된 신문은 온라인으로 접근하는 것이 쉽지 않습니다. 그러므로 학교 도서관에 보관되어 온 오래된 신문을 저희가 사용할 수 있도록 허락해 줄 것을 선생님께 요청드립니다. 만약 선생님께서 저희에게 허락해 주시면 저는 그것을 정말 감사히 여기겠습니다.

Kyle Thomas 드림

해설

학교 도서관의 오래된 신문을 사용하는 것을 허락해 달라고 요청하는 글이므로, 글의 목적으로 가장 적절한 것은 ⑤이다.

구문 풀이

[2행] I am **Kyle Thomas, the president of the school's English writing club.**

→ Kyle Thomas와 the president of the school's English writing club은 콤마로 연결된 동격 관계이다.

[4행] One of the aims of these activities is to *make us aware* of various types of news media and the language [**used** in printed newspaper articles].

→ 「make + 목적어 + 형용사」는 '~을 …하게 만들다'라는 의미이다.

→ [ ]는 앞에 온 the language를 수식하는 과거분사구이다. 이때 used는 '사용된'이라고 해석한다.

유형 5 TEST

본문 p. 38

1 ⑤   2 ③   3 ②

1

정답 ⑤

해석

Noles 선생님께,

아시다시피, 저는 언제나 저희 반 친구들과 피아노를 치는 것을 매우 좋아했습니다. 그것이 제가 학교에서 새로운 음악 동아리를 시작하고 싶은 이유입니다. 저는 가입하고 싶어 하는 여러 학생들을 이미 찾았습니다. 하지만 학교 측에서 말하기를 모든 동아리는 그것을 지도해주실 선생님이 필요하다고 합니다. 그래서, 선생님께서 저희의 동아리의 지도 선생님이 되어 주실 수 있다면 저는 감사할 것입니다. 음악 선생님으로서, 저의 피아노 연주에 대해 매우 도움이 되는 조언을 주셔서, 선생님이 생각났습니다. 선생님께서 그것을 고려해주시기를 바랍니다. 감사합니다.

Thomas Wales 드림

해설

새로 시작하는 음악 동아리의 지도 선생님이 되어 달라고 부탁하는 글이므로, 글의 목적으로 가장 적절한 것은 ⑤이다.

독해력 PLUS

Q1 music teacher

Q2 문장: So, I would be grateful if you could be our club's lead teacher.

해석: 그래서, 선생님께서 저희의 동아리의 지도 선생님이 되어 주실 수 있다면 저는 감사할 것입니다.

구문 풀이

[2행] As you know, I **have** always **loved** to play the piano with my classmates.

→ have loved는 현재완료 시제(have p.p.)로, 이 문장에서는 과거에 시작된 일이 현재까지 이어지는 [계속]을 나타낸다.

[3행] I've already **found** several students [who want to join].

→ 've found는 현재완료 시제(have p.p.)로, 이 문장에서는 과거에 시작된 일이 현재에 끝난 [완료]를 나타낸다.

→ [ ]은 앞에 온 선행사 several students를 수식하는 주격 관계대명사절이다.

[4행] However, the school says [(that) every club needs a teacher **to supervise it**].

→ [ ]는 says의 목적어 역할을 하는 명사절이다. 명사절 접속사 that이 생략되어 있다.

→ to supervise it은 '그것을 지도해주실'이라는 의미로, to부정사의 형용사적 용법으로 쓰여 a teacher를 수식하고 있다.

2 정답 ③

해석

지역 주민분들께,

저에게 함께 나눌 흥미진진한 소식들이 있습니다! 새로운 Recoop 재활용 가게가 Pellman 슈퍼마켓 근처에 문을 열 예정입니다. Recoop은 지역 사회에 여러 가지 환경 친화적인 서비스를 제공할 것입니다. 저희는 재활용 자재들로 만들어진 제품들과 쉽게 재사용할 수 있는 제품들만 판매할 것입니다. 5월 20일 토요일에 저희의 공식 개업 행사에 함께해주십시오. 기념 행사는 Grant가 144번지에서 오전 9시에 시작할 것입니다. 저희는 그곳에서 여러분을 뵙기를 기대합니다!

Edwin Garvey 드림

해설

지역 주민들에게 새로 문을 여는 재활용 가게의 개업을 홍보하는 글이므로, 글의 목적으로 가장 적절한 것은 ③이다.

독해력 PLUS

Q1 ①

Q2 문장: Please join us at our official opening event on Saturday, May 20.

해석: 5월 20일 토요일에 저희의 공식 개업 행사에 함께해주십시오.

구문 풀이

[4행] We will only sell products [that **are made of** recycled materials] and items {that are easily reusable}.

→ [ ]와 { }은 각각 앞에 온 선행사 products와 items를 수식하는 주격 관계대명사절이다.

→ be made of는 '~으로 만들어지다'라는 의미의 수동태 표현이다. be made of는 재료의 성질이 변하지 않을 때 사용한다.
cf. be made from: ~으로 만들어지다 (재료의 성질이 변함)
ex. Cheese is made from milk. (치즈는 우유로 만들어진다.)

3 정답 ②

해석

Park 작가님께,

매달 저희 도서관은 특별 행사에 저희와 함께할 작가 한 분을 초청합니다. 이 행사들은 작가에 의한 낭독과 그 또는 그녀의 작품에 관한 토론을 포함

합니다. 저희는 다음 달에 당신이 저희의 발표자가 되어주셨으면 합니다. 저희 회원들 중 많은 분들이 당신의 시집 <바다 위의 다리>에 관한 이야기를 듣는 데 관심을 가질 것이라고 생각합니다. 당신이 행사에 참여하실 수 있는지 555-3495로 저희에게 연락해서 알려주십시오.

Holly Oak 도서관장 Alisha Ramirez 드림

해설

도서관장이 도서관 특별 행사의 발표자로 작가를 초청하는 글이므로, 글의 목적으로 가장 적절한 것은 ②이다.

독해력 PLUS

Q1 author

Q2 문장: We would like you to be our speaker next month.

해석: 저희는 다음 달에 당신이 저희의 발표자가 되어주셨으면 합니다.

구문 풀이

[2행] Every month, our library **invites** an author to join us for a special event.

→ 과학적/일반적 사실, 현재의 습관, 속담/격언은 항상 현재 시제로 쓴다. 매달 열리는 도서관 특별 행사는 반복되는 습관과 같은 것으로 볼 수 있으므로, 현재 시제(invites)가 쓰였다.

[4행] We think many of our members would be interested in [**hearing** a talk about your book of poems, *Bridge Over Oceans*].

→ [ ]는 전치사 in의 목적어 역할을 하는 동명사구이다.

Grammar Focus | 5. 목적격 보어 본문 p. 41

어법 출제 POINT   to work

기출로 Check-Up   1 ○   2 to exercise   3 see

예문 해석

1) 고객은 그 녹색 스웨터가 비싸다고 생각했다.

2) 다른 관심사를 갖고 있는 친구들을 두는 것은 삶을 즐겁게 해준다.

3) 교실에서의 그룹 활동은 학생들이 그들의 반 친구들과 상호 작용할 수 있도록 해준다.

4) Doris는 그 쇼에서 유명한 바이올리니스트가 연주하는 것[연주하고 있는 것]을 보았다.

어법 출제 POINT

해석

인상주의 그림들은 우리에게 이미지를 이해하기 위해 열심히 애쓰기를 요구하지 않는다.

해설

ask는 to부정사를 목적격 보어로 쓰는 동사이므로, to부정사 to work를 써야 한다.

1 ○

해석
우리는 그것들에 대한 모든 것이 명확하지 않으면 사물들을 매력적이라고 여기는 경향이 있다.

해설
find는 형용사/현재분사를 목적격 보어로 쓰는 동사이므로 현재분사 appealing을 쓴 것은 적절하다.

2 to exercise

해석
스마트워치는 아마도 사람들이 더 규칙적으로 운동하도록 장려했을 것이다.

해설
encourage는 목적격 보어로 to부정사를 쓰는 동사이므로, exercise를 to부정사 to exercise로 고쳐야 한다.

3 see

해석
망원경과 현미경 같은 도구들은 우리가 그것들 없이 볼 수 있었던 것보다 훨씬 더 잘 보게 해준다.

해설
let은 목적격 보어로 동사원형을 쓰는 사역동사이므로, to see를 동사원형 see로 고쳐야 한다.

유형 6 | 심경·분위기 파악하기
본문 p. 42

기출 적용
정답 ②

해석
어느 토요일 아침, Matthew의 어머니는 Matthew에게 그를 공원에 데리고 갈 것이라고 말했다. 환한 미소가 그의 얼굴에 그려졌다. 그는 밖에 나가서 노는 것을 좋아했기 때문에, 그들이 나갈 수 있도록 서둘러 옷을 입었다. 그들이 공원에 도착했을 때, Matthew는 그네를 향해 온 힘을 다해 뛰어갔다. 그것은 그가 공원에서 가장 하기 좋아하는 것이었다. 하지만 그네는 이미 모두 이용되고 있었다. 그의 어머니는 그네를 이용할 수 있게 될 때까지 미끄럼틀을 탈 수 있다고 말했지만, 그것은 부서져 있었다. 갑자기 그의 어머니가 전화를 받고는 Matthew에게 그들이 떠나야 한다고 말했다. 그는 가슴이 내려앉았다.

① 당황한 → 무관심한 ② 신이 난 → 실망한
③ 쾌활한 → 창피한 ④ 긴장한 → 감동한
⑤ 겁먹은 → 느긋한

해설
Matthew는 공원에 가게 되어 환한 미소가 얼굴에 그려졌는데(excited), 공원의 그네도 미끄럼틀도 이용할 수 없는 상황인데다 어머니가 가야 한다고 말하자 가슴이 내려앉았다(disappointed). 따라서 Matthew의 심경 변화로 가장 적절한 것은 ②이다.

구문 풀이

[1행] One Saturday morning, Matthew's mother **told Matthew** [that she was going to take him to the park].

→ 「tell + 간접목적어 + 직접목적어」는 '~에게 …을 말하다, 알려주다'라는 의미이다. 이 문장에서는 명사절 [ ]가 told의 직접목적어 역할을 하고 있다.

[6행] But the swings **were** all **being used**.

→ 수동태가 과거진행 시제로 쓰였다. 과거진행 시제는 was/were 뒤에 현재분사가 오므로, 과거진행 시제의 수동태는 「was/were + being + p.p.」가 된다.

유형 6 TEST
본문 p. 44

1 ③ 2 ⑤ 3 ②

1
정답③

해석
긴 산책을 한 이후 Sarah와 그녀의 엄마는 해변에서 저녁노을을 보기 위해 앉았다. 하늘은 오렌지색과 핑크색이었고, 물은 아름다운 짙은 파란색이었다. Sarah는 눈을 감고 파도가 해안에 부딪치는 소리에 귀를 기울였다. 그녀는 그 순간 아무런 걱정도 없었다. "우리 이제 저녁 먹으러 호텔로 돌아갈까?" Sarah의 엄마가 잠시 후 물었다. "아직이요. 여기에 좀 더 있어요"라고 Sarah가 대답했다. 그녀는 깊이 숨을 들이쉬었고 부드러운 모래 안에서 발가락을 움직였다. 그녀는 이 순간이 끝나지 않기를 바랐다.

① 신비로운 ② 극적인
③ 편안한 ④ 긴박한
⑤ 우스꽝스러운

해설
Sarah는 엄마와 함께 해변에서 저녁노을을 보는 동안 아무런 걱정도 없었고, 깊이 숨을 들이쉬고 부드러운 모래 안에서 발가락을 움직였다(relaxing). 따라서 글의 분위기로 가장 적절한 것은 ③이다.

독해력 PLUS
Q1 ①
Q2 ②

구문 풀이

[1행] After **taking a long walk**, Sarah and her mom sat down *to watch the sunset from the beach*.

→ taking a long walk은 전치사 after(~후에)의 목적어 역할을 하는 동명사구이다.
→ to watch 이하는 '해변에서 저녁노을을 보기 위해'라는 의미로, [목적]을 나타내는 to부정사의 부사적 용법으로 쓰였다.

[2행] Sarah closed her eyes and listened to the sound of the waves [(which/that were) **hitting** the shore].

→ [ ]는 앞에 온 the waves를 수식하는 현재분사구이며, 현재분사 앞에 「주격 관계대명사 + be동사」가 생략되어 있다. 이때 hitting은 '부딪치는'이라고 해석한다.

2
정답 ⑤

해석

Oliver는 미술관 표를 위해 줄을 서서 기다리는 사람들의 줄들을 쳐다보았다. 그의 앞에는 100명이 넘는 사람들이 있는 것 같았다. Oliver는 그의 시계를 확인했다. 그는 이미 한 시간 넘도록 여기에 있었다. 할 게 아무것도 없었기 때문에, 그는 심지어 바닥의 타일을 세기 시작했다. 그는 더 이상 참을 수 없었다. "실례합니다," 그는 그의 앞에 있던 사람에게 말했다. "왜 이렇게 오래 걸리는 건가요?" 그 여자는 미술관의 표 판매기가 고장 나서 그들은 그것이 수리되기를 기다려야 한다고 설명했다. "안 돼," Oliver가 말했다. 그는 바닥의 타일들을 다시 세기 시작했다.

① 신이 난   ② 긴장한
③ 겁에 질린   ④ 쾌활한
⑤ 지루한

해설

Oliver는 미술관 표를 사려고 이미 한 시간 넘도록 기다리면서, 할 일이 없어서 바닥의 타일을 세기까지 했다. 게다가, 표 판매기가 고장 나서 수리되기를 기다려야 한다는 것을 알고는 바닥의 타일을 다시 세기 시작했다(bored). 따라서 Oliver의 심경으로 가장 적절한 것은 ⑤이다.

독해력 PLUS

Q1 ②

Q2 ①

구문 풀이

[1행] Oliver stared at the rows of people [(who were) **waiting** in line for art museum tickets].

→ [ ]는 앞에 온 people을 수식하는 현재분사구이며, 현재분사 앞에 「주격관계대명사 + be동사」가 생략되어 있다. 이때 waiting은 '기다리는'이라고 해석한다.

[2행] He **had** already **been** here for over an hour.

→ had been은 과거완료 시제(had p.p.)로, 이 문장에서는 과거의 특정 시점보다 더 이전에 시작된 일이 그 시점까지 이어지는 [계속]을 나타낸다. 지난 과거의 시점까지 한 시간 넘도록 계속해서 여기에 있었다는 의미이다.

[5행] The woman explained [that the museum's ticket machine was down, so they had to wait *for it* **to be fixed**].

→ [ ]는 explained의 목적어 역할을 하는 명사절이다. 이때 명사절 접속사 that은 생략할 수 있다.

→ 「for + 목적격」은 to부정사의 의미상 주어로, to be fixed의 대상이 된다.

3
정답 ②

해석

Jane은 그녀의 아버지가 동물들에게 먹이를 주는 것을 돕고 있었다. "그들은 너무 목이 말라 보이는데, 우리에게는 충분한 물이 없어"라고 그녀는 걱정하는 말투로 말했다. 몇 달 동안 비가 내리지 않았고, 농장의 모든 것이 말라 있었다. 그녀는 올해의 수확에 대해 생각하면서 깊게 한숨을 쉬었다. 그 순간에, 그녀는 무언가 차갑고 축축한 것이 그녀의 얼굴에 부딪치는 것을 느꼈다. 그녀는 하늘을 올려다보았고 캄캄한 회색 구름을 보았다. 그녀의 눈이 커졌다. "비가 와요, 아빠!" 그녀가 소리쳤다. 그녀의 아빠는 그녀에게 미소를 지으며 고개를 끄덕였다. 이 예상치 못한 비는 땅을 적시고 식물들에게 충분한 물을 줄 것이다. 그녀가 흠뻑 젖은 채 집으로 걸어가면서 그녀 얼굴에 평화로운 표정이 떠올랐다.

① 놀라는 → 실망한   ② 걱정한 → 안심하는
③ 후회하는 → 만족스러워하는   ④ 화가 난 → 자신감 있는
⑤ 자랑스러워하는 → 당혹스러운

해설

Jane은 동물에게 먹이를 주면서 그들에게 줄 충분한 물이 없다고 걱정하는 말투로 말했는데(worried), 비가 내리기 시작하자 평화로운 표정으로 집으로 걸어갔다(relieved). 따라서 Jane의 심경 변화로 가장 적절한 것은 ②이다.

독해력 PLUS

Q1 문장: At that moment, she felt something cold and wet hit her face.

해석: 그 순간에, 그녀는 무언가 차갑고 축축한 것이 그녀의 얼굴에 부딪치는 것을 느꼈다.

Q2 concerned, sighed, peaceful

구문 풀이

[1행] Jane was **helping her father feed** the animals.

→ 「help + 목적어 + 동사원형」은 '~가 …하는 것을 돕다'라는 의미이다.
= 「help + 목적어 + to-v」

[1행] "They **look so thirsty**, but we don't have enough water," she said in a concerned tone.

→ 「look + 형용사」는 '~하게 보이다'라는 의미이며, 이 문장에서는 부사 so가 형용사 thirsty를 수식하여 '너무 목이 말라 보인다'라고 해석한다.

[2행] It **hadn't rained** in months, and everything on the farm was dry.

→ hadn't rained은 과거완료 시제의 부정형(had not p.p.)으로, 이 문장에서는 과거의 특정 시점보다 더 이전부터 그 시점까지 어떤 일이 발생하지 않았음을 나타낸다. 여기서는 이야기가 묘사되는 시점보다 더 이전부터 비가 내리지 않았다는 의미이다.

[3행] She sighed deeply [**thinking** about this year's harvest].

→ [ ]는 '올해의 수확에 대해 생각하면서'라는 의미로, [동시동작]을 나타내는 분사구문이다.

= She sighed deeply **while/as she thought** about this year's harvest.

Grammar Focus | **6. 수동태①**

본문 p. 47

어법 출제 POINT   is taught
기출로 Check-Up   1 was caused   2 occurs   3 ○

[예문 해석]

1) 유명한 건축가가 새 도서관을 설계했다.

→ 그 새 도서관은 유명한 건축가에 의해 설계되었다.

2) Nora는 현관 밖으로 사라졌다.

3) 다리가 강을 가로질러 건설되고 있다.

4) 그녀가 왔을 때, 컴퓨터는 수리되었다.

5) 신청서는 반드시 이메일을 통해 제출되어야 한다.

어법 출제 POINT

[해석]

모든 것이 학교에서 가르쳐지는 것은 아니다.

[해설]

주어 Not everything은 가르치는 동작을 당하는 대상이므로, 수동태 is taught이 와야 한다.

기출로 Check-Up

1 was caused

[해석]

그녀는 그 기계의 고장이 제조상의 결함 때문에 야기되었다고 말했다.

[해설]

주어 the machine's failure는 '야기하는' 행위의 대상이므로, caused를 수동태 was caused로 고쳐야 한다.

2 occurs

[해석]

무역은 한 쪽의 당사자가 다른 당사자가 제공하는 것을 원할 때 발생한다.

[해설]

occur는 수동태로 쓸 수 없는 동사이므로, is occurred를 능동태 단수동사 occurs로 고쳐야 한다.

3 ○

[해석]

등록은 프로그램이 시작하기 최소 이틀 전에 완료되어야 합니다.

[해설]

주어 Registration은 '하는' 행위의 대상이므로, 수동태 be done을 쓴 것은 적절하다.

유형 7 | 요약문 완성하기

본문 p. 48

기출 적용

정답 ②

[해설]

한 연구에서, 연구자들은 서로 모르는 사람들끼리 짝을 이루어 한 방에 앉아서 이야기하도록 요청했다. 방의 절반에는 근처 탁자 위에 휴대폰이 놓여 있었고; 나머지 절반에는 휴대폰이 없었다. 대화가 끝난 후, 연구자들은 참가자들에게 서로에 대해 어떻게 생각하는지를 물었다. 그들은 휴대폰이 없을 때보다 방에 휴대폰이 있을 때 참가자들이 질 낮은 관계를 보고한 것을 알게 되었다. 휴대폰이 있는 방에서 대화한 짝들은 자신의 상대가 공감을 덜 보여 주었다고 생각했다. 친구와 점심을 먹기 위해 자리에 앉아 탁자 위에 휴대폰을 놓았던 모든 순간들을 떠올려 보라. 당신은 메시지를 확인하려고 휴대폰을 집어 들지 않았기에 스스로에 대해 잘했다고 느꼈을지 모른다. 하지만, 확인하지 않은 당신의 메시지는 여전히 당신의 맞은편에 앉아 있는 사람과의 관계를 상하게 하고 있었다.

↓

휴대폰의 존재는 심지어 휴대폰이 (B) 무시되고 있을 때조차 대화에 참여하는 사람들 간의 관계를 (A) 약화시킨다.

	(A)		(B)
①	약화시키다	……	응답받는
②	약화시키다	……	무시되는
③	새롭게 하다	……	응답받는
④	유지하다	……	무시되는
⑤	유지하다	……	갱신되는

[해설]

휴대폰이 없는 방에서 대화를 할 때보다 휴대폰이 있는 방에서 대화할 때 질 낮은 관계가 형성되었다는 내용의 글이다. 따라서 요약문은 '휴대폰의 존재는 심지어 휴대폰이 (B) 무시되고 있을 때조차 대화에 참여하는 사람들 간의 관계를 (A) 약화시킨다'는 내용이 되어야 하므로 빈칸에 들어갈 말로 가장 적절한 것은 ②이다.

[3행] After the conversations had ended, the researchers asked the participants [what they thought of each other].

→ [ ]는 「의문사(what) + 주어 + 동사」의 간접의문문으로, asked의 직접목적어 역할을 하고 있다.

[7행] The pairs [who talked in the rooms with cell phones] thought {(that) their partners showed less empathy}.

→ [ ]는 앞에 온 선행사 The pairs를 수식하는 주격 관계대명사절이다.

→ { }는 thought의 목적어 역할을 하는 명사절로, 명사절 접속사 that이 생략되어 있다.

[9행] Think of all the times [(when) you've sat down to have lunch with a friend and set your phone on the table].

→ [ ]는 앞에 온 선행사 all the times를 수식하는 관계부사절로, 관계부사 when이 생략되어 있다. 관계부사의 선행사가 the reason, the place, the time과 같이 이유, 장소, 시간을 나타내는 일반적인 명사인 경우 선행사나 관계부사 중 하나를 생략할 수 있다.

유형 7 TEST

본문 p. 50

1 ③　　　2 ④　　　3 ②

1

정답 ③

해석

백색 소음은 사람들이 들을 수 있는 다양한 음들이 모두 결합되었을 때 발생한다. 우리는 그것을 자연물에 의해 생기는 소리와 비슷하지 않은 불특정한 소리로 듣는다. 연구는 그것이 사람들이 끝마쳐야 하는 업무에 주의를 기울이도록 돕는 데에 유용하다는 것을 보여 주었다. 만약 누군가 도서관처럼 조용한 곳에서 공부하고 있다면, 그들이 소리에 의해 산만해지기는 쉽다. 그 사람은 근처에 앉은 한 무리가 대화를 시작하거나 누군가 책상에 연필을 두드리기 시작한다면 집중력을 잃을 수 있다. 하지만 만약 그들이 백색 소음을 듣고 있다면 이러한 소리들은 두드러지지 않을 것이다. 이는 그것에 다른 소리를 안 들리게 하는 능력이 있기 때문이다. 그것들은 백색 소음의 다른 소리들에 더해지기만 할 것이다. 그러므로 백색 소음은 방해를 막고 사람들이 집중한 상태를 유지하는 것을 도울 수 있다.

↓

백색 소음은 다른 소리들을 (B) 막기 때문에 사람들이 그들의 일에 (A) 집중하는 것을 돕는다.

	(A)	(B)
①	의존하다	증가시키다
②	의존하다	흡수하다
③	집중하다	막다
④	집중하다	시작하다
⑤	계획하다	퍼뜨리다

해설

백색 소음은 다른 소리를 안 들리게 할 수 있어서 사람들이 집중한 상태를 유지하도록 돕는다는 내용의 글이다. 따라서 요약문은 '백색 소음은 다른 소리들을 (B) 막기 때문에 사람들이 그들의 일에 (A) 집중하는 것을 돕는다'는 내용이 되어야 하므로 빈칸에 들어갈 말로 가장 적절한 것은 ③이다.

독해력 PLUS

Q1 white noise

Q2 (A) = pay attention to, stay alert

(B) = mask

[2행] We hear it as an unspecific noise [that does not resemble a sound {(which is) *made* by natural objects}].

→ [ ]는 앞에 온 선행사 an unspecific noise를 수식하는 주격 관계대명사절이다.

→ { }는 앞에 온 a sound를 수식하는 과거분사구이다. 이때 made는 '생기는'이라고 해석한다. 과거분사 앞에 「주격 관계대명사 + be동사」가 생략되어 있다.

[3행] Research has shown that it is useful in [**helping** people pay attention to tasks {(which/that) they need to complete}].

→ [ ]는 전치사 in(~에)의 목적어 역할을 하는 동명사구이다.

→ { }은 앞에 온 선행사 tasks를 수식하는 목적격 관계대명사절로, 이 문장에서는 목적격 관계대명사 which/that이 생략되어 있다.

[4행] If someone is studying in a quiet place like the library, **it**'s easy *for them* **to become** distracted by sounds.

→ it은 가주어이고, to become 이하가 진주어이다. 이때 가주어 it은 따로 해석하지 않는다.

→ 「for + 목적격」은 to부정사의 의미상 주어로, to부정사(to become)가 나타내는 동작의 주체이다.

2

정답 ④

해석

과학자들은 그들이 노화된 뇌의 기능을 향상시킬 수 있을지 알아보기 위해 연구를 수행했다. 실험을 위해 그들은 서로 다른 연령대를 대표하는 두 그룹의 사람들을 상대로 실험했다. 한 그룹은 20세에서 29세인 참가자들을 포함했고 다른 그룹은 60세에서 76세인 사람들로 이루어졌다. 실험에서 사진 두 개가 잇달아 빠르게 보여졌다. 그러고 나서 참가자들은 이 이미지들 사이의 차이점들을 기억하고 가리키도록 요청받았다. 과학자들은 그 활동들 중 일부 동안 사람들 뇌에 일련의 전하를 전달했다. 이 전하들 없이, 더 나이 든 사람들은 대체로 더 젊은 그룹만큼 잘 수행하지 못했다. 하지만 그들이 전기 자극을 받았을 때, 그들의 뇌 활동이 높아졌다. 그들은 이미지들 사이의 더 많은 차이점들을 기억했고 더 젊은 사람들만큼 잘 과업을 마쳤다.

↓

연구에 따르면, 더 노화된 뇌가 (A) 기억 과업 동안 전하를 받았을 때 그들의 뇌 기능이 (B) 향상되었다.

  (A)   (B)
① 사회적 …… 변경되었다
② 간단한 …… 바뀌었다
③ 간단한 …… 둔해졌다
④ 기억의 …… 향상되었다
⑤ 기억의 …… 감소했다

해설

노화된 뇌가 전기 자극을 받으면 젊은 사람들의 뇌만큼 잘 기억하게 된다는 내용의 글이다. 따라서 요약문은 '연구에 따르면, 더 나이가 많은 사람들이 (A) 기억 과업 동안 전하를 받았을 때 그들의 뇌 기능이 (B) 향상되었다'는 내용이 되어야 하므로 빈칸에 들어갈 말로 가장 적절한 것은 ④이다.

독해력 PLUS

Q1 ①

Q2 ②

구문 풀이

[1행] Scientists conducted a study to see [**if** they could improve the function of old brains].

→ [ ]는 to see의 목적어 역할을 하는 명사절이다. 명사절 접속사 if는 '~인지·(아닌지)'라고 해석한다.

[3행] One group included participants [who were 20 to 29 years old] and the other (group) consisted of people {(who were) **aged** 60 to 76}.

→ [ ]는 앞에 온 선행사 participants를 수식하는 주격 관계대명사절이다.

→ the other 뒤에는 앞에서 언급한 group이 생략되어 있다. 반복되는 말은 생략하는 경우가 많다.

→ { }는 앞에 온 people을 수식하는 과거분사구로, 이때 aged는 '(나이가) ~인'이라고 해석한다. 과거분사 앞에 「주격 관계대명사 + be동사」가 생략되어 있다.

[7행] Without these charges, the older people did not perform **as well as** the younger group in general.

→ 「as + 부사 + as」는 '~만큼 …하게'라는 의미이다. 이 문장에서는 '더 젊은 그룹만큼 잘'이라고 해석한다.

3

해석

표준시가 만들어지기 전에는, 미국 전역의 마을과 도시들이 모두 서로 다른 공식 시간을 가지고 있었다. 시간은 태양에 의해 결정되었기 때문에, 정오는 항상 태양이 하늘 중앙에 있을 때였다. 따라서 이웃하는 도시들은 단지 몇 분 차이밖에 나지 않는 시간들에 맞추어 운영됐다. 이 작은 차이들은 철도 회사들에게 큰 문제였는데, 이동에 따라 시간이 너무 자주 바뀌었기 때문이다. 1883년까지 철도 회사들은 시간표를 만들 때 56개의 표준 시간을 고려해야 했다. 이 복잡한 시스템을 고치기 위해, 철도 회사들은 미국 대륙이 오늘날까지도 사용하는 4개의 표준 시간대를 만들었다. 그 시스템은 너무나 잘 기능해서 다른 나라들이 그것으로부터 영감을 받아 비슷한 방식으로 그들의 시간을 체계화했다.

↓

(A) 복잡한 시간표 짜기 시스템은 미국 철도 회사들이 표준 시간대를 (B) 확립하게 했다.

  (A)   (B)
① 복잡한 …… 조사하다
② 복잡한 …… 확립하다
③ 배분된 …… 무시하다
④ 정리된 …… 확정하다
⑤ 정리된 …… 예상하다

해설

서로 다른 시간대로 인한 복잡한 시간표 시스템을 고치기 위해 미국 철도 회사들이 표준 시간대를 만들었다는 내용의 글이다. 따라서 요약문은 '(A) 복잡한 시간표 짜기 시스템은 미국 철도 회사들이 표준 시간대를 (B) 확립하게 했다'는 내용이 되어야 하므로 빈칸에 들어갈 말로 가장 적절한 것은 ②이다.

독해력 PLUS

Q1 ①

Q2 (A) = complex

(B) = created

구문 풀이

[2행] The time was determined by the sun, so noon was always (the time) [**when** the sun was in the middle of the sky].

→ [ ]는 시간을 나타내는 선행사 the time을 수식하는 관계부사절로, 선행사 the time이 생략되어 있다. 관계부사의 선행사가 the time, the place, the reason과 같이 시간, 장소, 이유를 나타내는 일반적인 명사인 경우 선행사나 관계부사 중 하나를 생략할 수 있다.

[6행] **To fix this complex system**, the railroads created the four time zones [that the continental United States still uses today].

→ To fix this complex system은 '이 복잡한 시스템을 고치기 위해'라는 의미로, [목적]을 나타내는 to부정사의 부사적 용법으로 쓰였다.

→ [ ]는 앞에 온 선행사 the four time zones를 수식하는 목적격 관계대명사절이다. 이때 목적격 관계대명사 that은 생략하거나 which로 바꿔 쓸 수 있다.

[8행] The system worked **so well that** other countries were inspired by it and organized their time in similar ways.
→ 「so + 부사 + that절」은 '너무 ~해서 …하다'라는 의미이다.

Grammar Focus | 7. 수동태②
본문 p. 53

어법 출제 POINT   **were given**
기출로 Check-Up   **1** be given   **2** was told   **3** ○

예문 해석

1) Jessica는 나에게 책을 주었다.
 → 나는 Jessica에게 책을 받았다.
 → 책은 Jessica에 의해 나에게 주어졌다.

2) 1806년에, 사람들은 Richard Porson(리처드 포슨)을 런던 연구소의 도서관장으로 선출했다.
 → 1806년에, 리처드 포슨은 런던 연구소의 도서관장으로 선출되었다.

3) 선생님은 그 학생들이 그들의 꿈에 대해 에세이를 쓰도록 했다.
 → 그 학생들은 선생님에 의해 그들의 꿈에 대한 에세이를 쓰게 되었다.

어법 출제 POINT

해석
시각이 어떻게 그들의 미각에 영향을 끼쳤는지를 연구하기 위해, 참가자들은 연구원들이 빨갛게 물들여 놓은 화이트 와인을 받았다.

해설
주어 **participants**는 주는 동작을 당하는 대상이므로, 수동태 **were given**이 와야 한다. white wine은 4형식 동사 give가 수동태로 바뀌면서 뒤에 남은 직접목적어이다.

기출로 Check-Up

1 be given

해석
무료 블루투스 헤드셋이 모든 TV 구매자에게 제공될 것이다.

해설
주어 **A free Bluetooth headset**은 주는 동작을 당하는 대상이므로, give를 수동태 be given으로 고쳐야 한다.

2 was told

해석
매니저는 정해진 수의 신발을 생산하라는 지시를 받았다.

해설
주어 **The manager**는 지시하는 동작을 당하는 대상이므로, told를 수동태 was told로 고쳐야 한다. to produce는 5형식 동사 tell이 수동태로 바뀌면서 뒤에 남은 목적격 보어이다.

3 ○

해석
리돕스는 바위처럼 생긴 독특한 외관 때문에 "살아있는 돌"이라고 불린다.

해설
주어 Lithops는 부르는 동작을 당하는 대상이므로, 수동태 are called를 쓴 것은 적절하다. "living stones"는 5형식 동사 call이 수동태로 바뀌면서 뒤에 남은 목적격 보어이다.

Chapter 3
흐름을 파악하는 유형

본문 p. 56

유형 8 | 흐름과 무관한 문장 찾기 본문 p. 56

기출 적용
정답 ③

해석

오늘날의 음악 사업은 뮤지션들이 그들의 일을 직접 하게 해주었다. ① 뮤지션들은 더 이상 음반사나 TV 프로그램의 문지기(권력을 쥐고 당신이 들어가는 것을 막는 사람)가 그들이 주목받을 만하다고 말해주기를 기다리지 않아도 된다. ② 오늘날의 음악 사업에서는 팬층을 만들기 위해 허락을 구할 필요가 없으며, 그렇게 하려고 회사에 돈을 지불할 필요도 없다. (③ TV 오디션을 이용하여 어린이 뮤지션들을 마케팅하는 데에 대한 우려가 증가하고 있다.) ④ 매일 뮤지션들은 어떤 외부의 도움도 없이 수천 명의 청취자들에게 자신들의 음악을 내놓고 있다. ⑤ 그들은 수천 명의 청취자들과 관계를 형성하기 위해 허락이나 외부의 도움을 요청하지 않고, 그저 그것(자신들의 음악)을 팬들에게 직접 전달한다.

해설

오늘날 음악 사업에서 뮤지션이 그들의 일을 직접 하게 된 것을 설명하는 글이므로, 어린이 뮤지션들을 마케팅하는 것에 대해 이야기하는 ③은 글의 전체 흐름과 무관하다.

구문 풀이

[2행] Musicians **no longer** have to wait [for a gatekeeper (someone who holds power and prevents you from being let in) at a label or TV show] *to say they are worthy of the spotlight.*

→ no longer는 '더 이상 ~않는'이라는 의미이다.
  = not ~ any longer = not ~ anymore

→ to say 이하는 '그들이 주목받을 만하다고 말해주기를'이라는 의미로, to부정사의 명사적 용법으로 쓰여 wait의 목적어 역할을 하고 있다.

→ [ ]는 to부정사의 의미상 주어로, to부정사(to say)가 나타내는 동작의 주체이다.

[10행] They simply deliver it to the fans directly, without [**asking** for permission or outside help *to connect with thousands of listeners*].

→ [ ]는 전치사 without(~ 하지 않고, ~ 없이)의 목적어 역할을 하는 동명사구이다.

→ to connect 이하는 '수천 명의 청취자들과 관계를 형성하기 위해'라는 의미로, [목적]을 나타내는 to부정사의 부사적 용법으로 쓰였다.

유형 8 TEST 본문 p. 58

1 ③　　　　2 ④　　　　3 ③

1
정답 ③

해석

1981년부터 1996년까지 태어난 사람들은 Y세대(Gen Y)라고 알려져 있다. 다른 연령대들과 비교해서 Y세대 구성원들은 성인기에 도달하는 데에 더 오래 걸리고 있다. ① 그들은 그들의 부모와 더 오래 살고 결혼하는 것을 미룰 가능성이 더 높다. ② 따라서 그들은 종종 피터 팬 세대라고 불린다. (③ 하나의 가족 세대는 약 30년 지속되는데, 왜냐하면 이것이 사람들이 자라서 아이를 갖는 데에 걸리는 기간이기 때문이다.) ④ 그것은 Y세대 사람들은 그저 젊은 것을 좋아하기 때문에 성숙해지기를 원하지 않는 것처럼 보일지도 모른다. ⑤ 하지만 그들은 사실 더 높은 생계비와 더 낮은 취업률과 같은 가혹한 현실을 직면하고 있다.

해설

성인기에 도달하는 데 오래 걸리는 Y세대의 특징을 설명하는 글이므로, 하나의 가족 세대의 지속 기간에 대해 이야기하는 ③은 글의 전체 흐름과 무관하다.

독해력 PLUS

Q1 1981년부터 1996년까지 태어난 사람들은 Y세대(Gen Y)라고 알려져 있다.

Q2 Generation Y[Gen Y]

구문 풀이

[1행] People [(who are) **born** from 1981 to 1996] are known as Generation Y (Gen Y).

→ [ ]는 앞에 온 People을 수식하는 과거분사구이다. 이때 born은 '태어난'이라고 해석한다. 과거분사 앞에 「주격 관계대명사 + be동사」가 생략되어 있다.

[1행] (Being) **Compared to other age groups**, Gen Y members are taking longer to reach adulthood.

→ Compared to other age groups는 '다른 연령대 집단과 비교했을 때'라는 의미로, [조건]을 나타내는 수동형 분사구문이다. 분사구문으로 만드는 부사절에 수동태가 쓰였을 경우 동사를 「Being p.p.」로 바꾸는데, 이때 Being은 생략할 수 있다.

[2행] They are more likely **to live** with their parents longer and (to) **postpone** getting married.

→ likely 뒤의 to live와 (to) postpone은 등위접속사 and로 연결되어 쓰였다.

2

정답 ④

해석

우리는 전 세계 해변에서 작고 형형색색인 유리 조각들을 찾을 수 있다. 그것들은 바다 유리라고 불린다. 이 매력적인 물건들은 보통 장신구를 만드는 데 사용되지만, 바다 유리는 사실 쓰레기로 만들어진다. ① 그것들은 유리병이나 접시 같은 것들로부터 나오는 부서진 유리 조각들로 시작한다. ② 이 조각들은 그런 다음 바다에 던져지고 그곳에 오랜 시간 머무른다. ③ 서서히, 소금기가 있는 물결의 움직임이 유리의 질감과 모양을 바꾼다. (④ 우리가 오늘날 사용하는 많은 유리는 모래, 재활용 유리, 그리고 화학 물질을 혼합함으로써 만들어진다.) ⑤ 20년에서 40년 후에, 유리 조각들의 날카로운 모서리가 부드러워지고, 바다 유리의 특별한 흐릿한 외관을 갖게 된다.

해설

바다 유리가 생겨나는 과정에 대해 설명하는 글이므로, 일반적인 유리의 제조 방법에 대해 이야기하는 ④은 글의 전체 흐름과 무관하다.

독해력 PLUS

Q1 sea glass

Q2 ①

구문 풀이

[2행] These attractive items **are** often **used to make** jewelry, but sea glass is actually made out of trash.

→ 「be used + to-v」는 '~하는 데 사용되다, ~하기 위해 쓰이다'라는 의미이다.
cf. 「used to + 동사원형」: ~하곤 했다 *ex.* I used to play soccer every Sunday. (나는 매주 일요일에 축구를 하곤 했다.)
cf. 「be used to + (동)명사」: ~에 익숙하다 *ex.* I am used to getting up early. (나는 일찍 일어나는 것에 익숙하다.)

[5행] A lot of the glass [(which/that) we use today] is made by {**mixing up** sand, recycled glass, and chemicals}.

→ [ ]는 앞에 온 선행사 A lot of the glass를 수식하는 목적격 관계대명사절로, 목적격 관계대명사 which/that이 생략되어 있다.
→ { }는 전치사 by(~함으로써)의 목적어 역할을 하는 동명사구이다.

3

정답 ③

해석

벌집군집붕괴현상(CCD)은 한 벌집의 일벌 대부분이 떠나서 결코 돌아오지 않을 때 일어나는 것이다. 과학자들은 여전히 CCD의 정확한 원인을 모르지만, 그들은 이 문제를 심각하게 여긴다. ① 벌 군집이 사라지는 것은 우리들의 생존에 직접적으로 관련되어 있다. ② 인간이 식량으로 길러야 하는 모든 다양한 식물들에 대해 생각해 보라. (③ 벌들은 근처에 있는 먹이 공급원의 위치를 설명하기 위해 대개 움직임을 이용함으로써 서로 의사소통한다.) ④ 그 중요한 식물들은 벌들 덕분에 매년 계속해서 자란다. ⑤ 건강한 벌 군집이 충분히 있지 않다면 우리는 단 몇 년 안에 심각한 식량 위기를 마주할 수도 있다.

해설

벌집군집붕괴현상의 심각성에 대해 설명하는 글이므로, 벌의 의사소통에 대해 이야기하는 ③은 글의 전체 흐름과 무관하다.

독해력 PLUS

Q1 한 벌집의 일벌 대부분이 떠나서 결코 돌아오지 않을

Q2 ②

구문 풀이

[1행] Colony Collapse Disorder (CCD) is [**what** happens when most of the worker bees in a hive leave and never come back].

→ [ ]은 is의 주격 보어 역할을 하는 관계대명사절이다. 관계대명사 what은 선행사를 포함하고 있으며, '~하는 일[것]'이라는 의미이다. 이때 what은 the thing(s) which[that]로 바꿔 쓸 수도 있다.

[4행] Think about all of the different plants [that humans need to grow for food].

→ [ ]는 앞에 온 선행사 all of the different plants를 수식하는 목적격 관계대명사절이다. 이때 목적격 관계대명사 that은 생략할 수 있다.

[4행] Bees often communicate with each other **by using** movements *to describe the location of nearby food sources*.

→ 「by + v-ing」는 '~함으로써, ~해서'라는 의미로 수단이나 방법을 나타낸다.
→ to describe 이하는 '근처에 있는 먹이 공급원의 위치를 설명하기 위해'라는 의미로, [목적]을 나타내는 to부정사의 부사적 용법으로 쓰였다.

Grammar Focus | 8. 명사절 접속사

본문 p. 61

어법 출제 POINT   if
기출로 Check-Up   1 ○   2 that   3 whether 또는 if

예문 해석

1) 우리가 어떻게 삶을 살아가는지는 우리의 결정들에 달려 있다.

2) 여행의 가장 좋은 점은 다양한 문화를 경험하게 된다는 것이다.

3) 우리는 하루에 24시간밖에 없다는 사실을 피할 수 없다.

4) Colin Cherry(콜린 체리)는 우리가 동시에 두 사람이 이야기하는 것을 들을 수 있는지를 밝히려고 시도했다.

5) 나는 내 꿈이 어떻게 현실이 될지에 대해 생각하는 것을 좋아한다.

어법 출제 POINT

해석

호텔방을 본 후에, 그는 안내 데스크에 와서 그가 그의 귀중품을 금고에 둘 수 있는지 문의했다.

해설
뒤에 완전한 절이 왔으며, '귀중품을 금고에 둘 수 있는지'라는 의미가 되어야 하므로, '~인지 (아닌지)'라는 의미의 if가 와야 한다.

기출로 Check-Up

1 ○

해석
나는 대부분의 사람들이 자신과 같은 사람들을 고용하기를 좋아한다는 것을 발견했다.

해설
found의 목적어 역할을 하고 '~라는 것'이라는 의미가 되어야 하므로, 명사절 접속사 that을 쓴 것은 적절하다.

2 that

해석
동물들이 도덕적인 행동을 할 가능성을 고려하는 것은 쉽지 않다.

해설
the possibility와 동격 관계에 있는 명사절을 이끌고 있으므로, which를 명사절 접속사 that으로 고쳐야 한다.

3 whether 또는 if

해석
그 설문조사는 사람들이 공원에서 드론을 조종하도록 허용되어야 하는지에 대해 물었다.

해설
'~인지 아닌지'라는 의미가 되어야 하므로, that을 명사절 접속사 whether 또는 if로 고쳐야 한다.

유형 9 | 글의 순서 배열하기
본문 p. 62

기출 적용
정답 ②

해설
전 세계에 거의 10억 명의 굶주린 사람들이 있는데, 원인이 분명 단 하나만 있는 것은 아니다.

(B) 하지만, 가장 큰 원인은 단연 빈곤이다. 세계의 굶주린 사람들의 79퍼센트가 식량 순 수출국에 살고 있다. 어떻게 이럴 수가 있을까?
(A) 그러한 국가들에서 사람들이 굶주리는 이유는 그곳에서 생산된 산물들은 세계 시장에서 팔리기 때문이다. 그 결과 현지 주민들은 그것들에 값을 지불할 형편이 되지 않는다. 현대에는 여러분이 식량이 없어서 굶주리는 것이 아니라, 돈이 없어서 굶주리는 것이다.
(C) 이것의 이면에 있는 진짜 문제는 식량이 너무 비싸고 많은 사람들이 그것을 사기에 너무 가난하다는 것이다. 이 문제의 해결책은 식량의 가격을 낮추는 것이다.

굶주림의 원인에 대한 주어진 글의 설명은 However로 시작하여 가장 큰 원인은 빈곤이라는 (B)의 설명으로 이어진다. (B)의 '어떻게 이럴 수가 있을까?'라는 질문은 그 이유를 답하는 (A)로 이어지고, (B)의 식량 순 수출국은 (A)의 those countries로 이어진다. (A)의 돈이 없어서 굶주린다는 설명은 (C)의 this로 이어진다. 따라서 글의 순서로 가장 적절한 것은 ②이다.

구문 풀이

[3행] The reason [(why) people are hungry in those countries] is that the products {produced there} are sold on the world market.
→ [ ]는 앞에 온 선행사 The reason을 수식하는 관계부사절로, 관계부사 why가 생략되어 있다. 관계부사의 선행사가 the reason, the place, the time과 같이 이유, 장소, 시간을 나타내는 일반적인 명사인 경우 선행사나 관계부사 중 하나를 생략할 수 있다.
→ { }는 앞에 온 the products를 수식하는 과거분사구이다. 이때 produced는 '생산된'이라고 해석한다.

[12행] The solution to this problem is to reduce the cost of food.
→ to reduce 이하는 '식량의 가격을 낮추는 것'이라는 의미로, to부정사의 명사적 용법으로 쓰여 is의 보어 역할을 하고 있다.

유형 9 TEST
본문 p. 64

1 ④　　2 ②　　3 ③

1
정답 ④

해석
태양은 무료이면서 재생 가능한 에너지의 원천이기 때문에, 태양력 발전은 엄청나게 유용한 기술이다. 그럼에도 불구하고 태양 전지판은 그것들의 높은 가격 때문에 종종 비난받아 왔다.

(C) 다행히도 이 문제는 현재 사용되는 전지판보다 훨씬 저렴한 새로운 태양광 전지의 개발을 통해 다뤄지고 있다. 이 새로운 전지는 벽이나 지붕에 칠해질 수 있도록 액체로 만들어진다.
(A) 그 결과, 연구자들은 태양열 페인트가 태양광 전지의 인기 있는 대체재가 될 것이라는 점에 긍정적이다. 소수의 사람들만이 태양광 전지를 스스로 설치할 수 있는 반면, 페인트칠은 간단하다.
(B) 따라서 이 간단함은 태양광 전지를 설치하는 것에 대한 비용 효율이 높고 편리한 대안을 제공할 것이다. 그것은 더 많은 사람들이 태양 에너지를 사용할 수 있게 할 것이다.

해설
주어진 글에 제시된 태양 전지판의 높은 가격으로 인한 비난은 (C)의 this issue로 이어진다. (C)의 액체로 만들어진 태양광 전지의 개발에 대한 내

22 영어 실력을 높여주는 다양한 학습 자료 제공 HackersBook.com

용은 그것이 태양광 전지의 대체재가 될 것이라는 (A)의 설명으로 이어지고, 설치가 간편한 태양열 페인트에 관한 내용은 Therefore로 시작하는 (B)의 this simplicity에 관한 설명으로 이어진다. 따라서 글의 순서로 가장 적절한 것은 ④이다.

독해력 PLUS

Q1 ②

Q2 (A) As a result

　　(B) Therefore, this simplicity

　　(C) this issue

구문 풀이

[2행] Still, solar panels **have** often **been criticized** for their high cost.

→ 수동태가 현재완료 시제로 쓰였다. 현재완료 시제는 have/has 뒤에 과거분사(p.p.)가 오므로, 현재완료 시제의 수동태는 「have/has been + p.p.」가 된다.

[7행] Fortunately, this issue is being addressed by the development of new solar cells [that are **far** *cheaper* than the panels currently used].

→ [ ]는 앞에 온 선행사 new solar cells를 수식하는 주격 관계대명사절이다.

→ 부사 far는 비교급(cheaper) 앞에 와서 강조하는 역할을 한다.

[8행] These new cells are produced as liquids **so that** they can be painted on walls and roofs.

→ so that은 부사절을 이끄는 접속사로, '~하도록'이라는 의미이다.
cf. 「so + 형용사/부사 + that절」: 너무/매우 ~해서 …하다

2
정답 ②

해석

당신은 성공하기 위해 실수를 피해야 한다고 생각할지도 모른다. 하지만 실패는 사실 성공의 비결이다.

(B) 이는 실패가 피드백의 한 형태이기 때문이다. 그것은 당신이 목표를 달성하기 위해 노력하고 있는 방식이 효과적이지 않다는 것을 나타낸다. 그래서 당신은 현재의 방식을 이용하는 것을 중단해야 한다.
(A) 그 결과, 당신은 당신의 목표에 도달하기 위한 새로운 방법을 찾기 시작할 것이다. 예를 들어, 당신이 혼자 공부할 때 성적이 오르지 않는다면, 당신은 스터디 그룹에 가입하는 것을 고려할 수 있다.
(C) 이 예시는 실패가 어떻게 성공으로 가는 긴 길에 필요한 단계들인지를 보여 준다. 당신이 실패할 때마다, 당신이 마침내 목표를 달성할 때까지 필요한 변화들을 만들어라.

해설

실패는 사실 성공의 비결이라는 주어진 글의 내용은 This is because를 통해 그 이유를 실패가 피드백의 한 형태이기 때문이라고 설명하는 (B)로 이어진다. (B)의 현재의 방식을 중단해야 한다는 설명은 As a result를 포함한

(A)의 목표를 달성하기 위한 새로운 방법을 찾기 시작할 것이라는 설명으로 이어진다. (A)의 혼자 공부해서는 성적이 오르지 않으면 스터디 그룹에 가입하는 것을 고려할 수 있다는 예시는 (C)의 This example로 이어진다. 따라서 글의 순서로 가장 적절한 것은 ②이다.

독해력 PLUS

Q1 ①

Q2 (A) As a result

　　(B) This is because

　　(C) This example

구문 풀이

[5행] It indicates [that **the way** {you are trying to achieve your goal} is not effective].

→ [ ]는 indicates의 목적어 역할을 하는 명사절이다. 이때 명사절 접속사 that은 생략할 수 있다.

→ { }는 앞에 온 선행사 the way를 수식하는 관계부사절로, 선행사가 방법이면 관계부사 how를 쓴다. 이때 the way와 how는 둘 중 하나만 쓸 수 있으므로, 이 문장에서는 the way만 쓰였다.

[7행] **Each time you fail**, make the necessary changes *until* you eventually achieve your goal.

→ 「Each time + 주어 + 동사」는 '~할 때마다'라는 의미이다.

→ until은 '~할 때까지'라는 의미로, 부사절을 이끄는 접속사로 쓰여 뒤에 「주어 + 동사」의 절이 왔다.

3
정답 ③

해석

번역가가 필요로 하는 유일한 역량은 주어진 단어의 정확한 의미를 아는 것이라고 여겨진다. 그러나 이것은 충분하지 않다.

(B) 그 이유는 글자 그대로의 번역은 때때로 부정확하기 때문이다. 어떤 표현은 글자 그대로의 의미와 다른 의도된 의미를 가질 수도 있다.
(C) 예를 들어, 영어 표현 find one's feet는 글자 그대로 '당신의 발이 있는 위치를 알아내다'는 뜻이다. 이것은 의도된 의미와 일치하지 않는데, 그것은 '새로운 환경에 적응하다'이다.
(A) 이와 같은 표현들을 정확하게 번역하려면, 번역가는 두 언어의 용법을 완전히 이해해야 한다. 이는 그들이 원문의 진정한 의미를 이해하고 그것을 다른 언어로 정확하게 표현할 수 있도록 해 준다.

해설

번역가는 주어진 단어의 정확한 의미를 아는 것만으로 충분하지 않다는 주어진 글의 내용은 The reason을 통해 글자 그대로의 번역은 때때로 부정확하다는 (B)의 설명으로 이어진다. (B)의 문자 그대로의 의미와 의도된 의미가 다른 표현에 대한 설명은 For example과 함께 find one's feet 표현을 예시로 드는 (C)로 흐름이 이어진다. (C)의 find one's feet이라는 표현은 (A)의 this one으로 이어진다. 따라서 글의 순서로 가장 적절한 것은 ③이다.

Q1 (A) this one

(B) The reason

(C) For example

Q2 ②

구문 풀이

[1행] **It** is believed [that the only skill {(that) a translator needs} is *to know the exact meaning of a given word*].

→ It은 가주어이고, that절이 진주어이다. 이때 가주어 it은 따로 해석하지 않는다.

→ { }는 앞에 온 선행사 the only skill을 수식하는 목적격 관계대명사절로, 목적격 관계대명사 that이 생략되어 있다.

→ to know 이하는 '~을 아는 것'이라는 의미로, to부정사의 명사적 용법으로 쓰여 is의 보어 역할을 하고 있다.

[4행] This **allows them to understand** the true meaning of the original text and **to express** it in another language correctly.

→ 「allow + 목적어 + to-v」는 '~이 …하도록 (허락)해 주다'라는 의미이다. 여기서는 to understand와 to express가 등위접속사 and로 연결되어 쓰였다.

[9행] This does not match the intended meaning[**, which** is "to adjust to a new environment]."

→ [ ]은 앞에 온 선행사 the intended meaning을 선행사로 가지는 계속적 용법의 관계대명사절이다. 여기서는 '그런데 그것(의도된 의미)은 ~하다'라고 해석한다.

Grammar Focus | 9. 관계대명사 본문 p. 67

어법 출제 POINT that

기출로 Check-Up 1 what 2 ○ 3 that

예문 해석

1) 너는 너를 실망시키는 친구들과 어울리지 말아야 한다.

2) 나는 Eliot이 전에 추천해 준 박물관에 방문하려던 참이었다.

3) 의사들은 심장이 뛰기를 멈춘 많은 환자들을 되살릴 수 있다.

4) 당신은 다른 사람들이 가지지 않을 그 기회들을 가지는 것을 배워야 한다.

5) 식료품점에서, 사람들은 그들이 처음 보는 것을 사는 경향이 있다.

6) 대부분의 관찰자들은 그 학생들이 그들의 답을 바꿨다는 것을 알아차리지조차 못했다.

어법 출제 POINT

해석

우리 종이 발전한 방식에 뿌리박혀 있는 매우 흔한 인간의 경향이 있다.

해설

앞에 선행사 a very common human tendency가 있고 뒤에 불완전한 절이 있으므로 관계대명사 that이 와야 한다.

기출로 Check-Up

1 what

해석

우리 자신의 감정과 행동을 다스리는 것이 우리가 평화롭게 느낄 수 있도록 해주는 것이다.

해설

주어가 없는 불완전한 절을 이끌고 있으며, 앞에 선행사가 없으므로 that을 관계대명사 what으로 고쳐야 한다.

2 ○

해석

대부분의 출판사들은 그들의 저작물에 너무 많은 실수가 있는 작가들과 시간을 낭비하고 싶지 않을 것이다.

해설

material과 함께 '그들의 저작물(their material)'라는 의미가 되는 것이 적절하므로 소유격 관계대명사 whose를 쓴 것은 적절하다.

3 that

해석

비언어적 의사소통의 장점은 감정을 적절하게 표현할 기회를 제공한다는 것이다.

해설

완전한 절을 이끌고 있으므로 what을 명사절 접속사 that으로 고쳐야 한다.

유형 10 | 주어진 문장의 위치 찾기 본문 p. 68

기출 적용 정답 ④

해석

마찰력은 서로를 가로질러 미끄러지려고 하는 두 표면 사이의 힘이다. 예를 들어, 당신이 바닥을 따라 책을 밀려고 할 때, 마찰이 이를 어렵게 만든다. 마찰은 물체가 움직이거나 움직이려고 하는 방향과 반대되는 방향으로 항상 작용한다. 그래서 마찰은 항상 움직이는 물체를 느리게 만든다. (①) 마찰의 양은 표면의 재질에 따라 달라진다. (②) 표면이 거칠수록 더 많은 마찰력이 발생한다. (③) 마찰은 또한 열을 발생시킨다. (④ 예를 들어, 만약 당신이 두 손을 함께 빠르게 비비면, 손이 더 따뜻해질 것이다.) 마찰력은 우리가 걸을 때 신발이 바닥에서 미끄러지는 것을 방지해주기 때문에 유용한 힘일 수 있다. (⑤) 당신이 걸을 때, 마찰은 당신의 신발 바닥과 지면 사이에서 발생해, 미끄러지는 것을 방지한다.

해설

주어진 문장의 For example로 보아, 앞에는 당신이 두 손을 빠르게 비비면 손이 더 따뜻해질 것이라는 내용을 예시로 들 수 있는 설명이 나와야 한다는 것을 알 수 있다. 마찰은 열을 발생시킨다는 ④ 앞의 내용은 주어진 문장이 예시로써 뒷받침할 수 있고, ④ 앞뒤 문장은 연결 표현 없이 서로 다른 이야기를 하고 있어서 자연스럽게 이어지지 않는다. 따라서 주어진 문장은 ④에 들어가는 것이 적절하다.

Q1 그러므로, 추수감사절 칠면조는 가족을 위한 평범한 음식 그 이상이다.
Q2 ②

구문 풀이

[4행] For example, when you try to push a book along the floor, friction **makes this difficult**.

→ 「make + 목적어 + 형용사」는 '~을 …하게 만들다'라는 의미이다.

[5행] Friction always works in the direction opposite to the direction [**in which** the object is moving, or trying to move].

→ [ ]는 앞에 온 선행사 the direction을 수식하며, 「전치사 + 관계대명사」가 이끄는 관계대명사절이다. 관계대명사가 전치사의 목적어일 때, 전치사를 관계대명사절의 맨 끝이나 관계대명사 바로 앞에 쓸 수 있다.

[8행] **The rougher** the surface is, **the more** friction is produced.

→ 「the + 비교급 ~, the + 비교급 …」은 '~할수록 더 …하다'라는 의미이다.

구문 풀이

[2행] But [**what** they might love more] is {how it brings people together}.

→ [ ]는 문장의 주어 역할을 하는 관계대명사절이다. 관계대명사 what은 선행사를 포함하고 있으며, '~하는 것'이라는 의미이다. 이때 what은 the thing(s) which[that]로 바꿔 쓸 수도 있다.

→ { }는 「의문사(how) + 주어 + 동사」의 의문사가 이끄는 명사절로, is의 보어 역할을 한다.

[5행] For some, Thanksgiving is one of the few times of year [(when) they can get together].

→ [ ]는 앞에 온 선행사 the few times of year를 수식하는 관계부사절로, 관계부사 when이 생략되어 있다. 관계부사의 선행사가 the time, the place, the reason과 같이 시간, 장소, 이유를 나타내는 일반적인 명사인 경우 선행사나 관계부사 중 하나를 생략할 수 있다.

[6행] The holiday **gives friends and families comfort** and *reminds them [that* they are part of something bigger than themselves].

→ 「give + 간접목적어 + 직접목적어」는 '~에게 …을 주다'라는 의미이다. = 「give + 직접목적어 + to + 간접목적어」

→ 「remind + 목적어 + that절」은 '~에게 …을 상기시키다'라는 의미이다.

cf. 「remind + 목적어 + of + (동)명사」: ~에게 …을 다시 한번 알려주다

유형 10 TEST
본문 p. 70

1 ④	2 ③	3 ③

1
정답 ④

해석
사람들은 추수감사절에 칠면조를 먹는 것을 좋아한다. 그러나 그들이 아마 더 좋아할지도 모르는 것은 그것이 어떻게 사람들을 모으는지이다. (①) 몇몇 가족들은 서로를 만나서 이 식사를 함께하기 위해 나라를 가로질러 이동한다. (②) 사람들이 나란히 요리를 하고 식탁에 둘러앉아 있는 동안, 그들은 서로 이야기를 나누고 웃기도 한다. (③) 몇몇 사람들에게 추수감사절은 일 년 중 그들이 모일 수 있는 몇 안 되는 시간 중 하나이다. (④ 그러므로, 추수감사절 칠면조는 가족을 위한 평범한 음식 그 이상이다.) 그것은 그들을 연결시키기도 하기 때문에 그들에게 먹을 것이 되는 것을 넘어선다. (⑤) 그 휴일은 친구들과 가족들에게 위안을 주고 그들이 그들 자신보다 더 큰 무언가의 일부임을 상기시킨다.

해설
주어진 문장의 Therefore로 보아, 앞에는 추수감사절 칠면조가 가족을 위한 평범한 음식 그 이상이라는 것의 이유가 나와야 한다는 것을 알 수 있다. 사람들이 서로 만나서 추수감사절 식사를 함께하기 위해 나라를 가로질러 이동하고 이때가 그들이 모일 수 있는 몇 안 되는 시간 중 하나라는 ④ 문장 앞까지의 내용이 주어진 문장의 이유가 될 수 있다. 또한 ④ 뒤 문장의 it은 주어진 문장의 칠면조를 가리켜야 하므로 주어진 문장은 ④에 들어가는 것이 적절하다.

2
정답 ③

해석
부모들은 공공장소에서 아이들을 통제해야 한다는 엄청난 부담을 항상 받는다. 이것의 한 가지 이유는 많은 사람들이 형편없이 행동하는 아이들이 그들의 부모를 나빠 보이게 만든다고 생각하기 때문이다. (①) 예를 들어, 아이들이 울고 소리를 지를 때, 다른 사람들은 그 아이들이 어떻게 양육되었는지를 판단할 수도 있다. (②) 그들은 그 아이의 부모가 충분히 엄하지 않기 때문에 아이가 말썽을 피운다고 추측할지도 모른다. (③ 하지만, 현실은 모든 아이들이 어느 시점에는 말썽을 피운다는 것이다.) 부모가 아이들을 키우는 방식은 그다지 중요하지 않다. (④) 부모들은 아이들이 공공장소에서 결코 언제나 완벽하게 행동하지 않을 것이라는 것을 받아들여야 한다. (⑤) 그들은 아이들에게 가치 있는 교훈을 가르치기 위해 나쁜 행동에 단지 어떻게 대응할지에 초점을 맞추어야 한다.

해설
주어진 문장의 However로 보아, 앞에는 아이들이 어느 시점에는 말썽을 피우는 것이 현실이라는 것과 반대되는 내용이 오고, 뒤에는 실제로 아이들이

말썽을 부릴 수밖에 없는 구체적인 내용이 와야 한다는 것을 알 수 있다. 따라서 부모가 엄하지 않아서 아이가 말썽을 피운다는 사람들의 추측에 대한 문장 바로 뒤이자, 부모가 아이들을 키우는 방식은 그다지 중요하지 않다는 내용의 앞인 ③에 들어가는 것이 적절하다.

독해력 PLUS

Q1 하지만, 현실은 모든 아이들이 어느 시점에는 말썽을 피운다는 것이다.

Q2 other people

구문 풀이

[2행] One reason for this is that many believe [that poorly behaved children **make** their **parents** *look* bad].

→ [ ]는 believe의 목적어 역할을 하는 명사절이다. 이때 명사절 접속사 that은 생략할 수 있다.

→ 「make + 목적어 + 동사원형」은 '~가 …하게 만들다'라는 의미이다.

→ 「look + 형용사」는 '~하게 보이다'라는 의미로, 이 문장에서는 형용사 bad가 쓰여 '나빠 보이다'라고 해석한다.

[6행] **The way** [parents raise their children] doesn't really matter.

→ [ ]는 앞에 온 선행사 The way를 수식하는 관계부사절로, 선행사가 방법이면 관계부사 how를 쓴다. 이때 the way와 how는 둘 중 하나만 쓸 수 있으므로, 이 문장에서는 the way만 쓰였다.

[7행] They just have to focus on *how to respond* to bad behavior **to teach their children valuable lessons**.

→ 「how + to-v」는 '어떻게 ~할지'라는 의미로, focus on의 목적어 역할을 하고 있다.

→ to teach 이하는 '아이들에게 가치 있는 교훈을 가르치기 위해'라는 의미로, [목적]을 나타내는 to부정사의 부사적 용법으로 쓰였다.

3
정답 ③

해석

일부 전문가들은 취미를 갖는 것이 유익하다고 제안한다. 무언가 즐거운 것을 하는 것은 긍정적인 태도를 야기할 수 있기 때문에 우리는 취미를 하며 시간을 보낼 때 더 행복해진다. (①) 게다가 취미는 우리의 집중력을 향상시킬 수 있다. (②) 어떤 사람이 흥미로운 활동에 참여할 때, 뇌는 더 많은 신경 전달 물질을 생산해낸다. (③ 많은 연구는 더 높은 농도의 이 물질이 일에 집중하는 것을 더 쉽게 만든다는 것을 보여 주었다.) 취미를 갖는 것은 또한 한 사람의 전반적인 자신감의 상당한 증가로 이어질 수 있다. (④) 특히, 우리가 까다로운 취미를 잘할 때 우리의 자존감이 올라간다. (⑤) 이는 더 큰 자긍심을 제공하는데, 이것은 학교에서 혹은 직장에서 모두에게 도움이 된다.

해설

주어진 문장의 these substances로 보아, 바로 앞에 이것이 가리키는 것이 나와야 한다는 것을 알 수 있다. 따라서 주어진 문장은 흥미로운 활동을 할 때 신경 전달 물질이 나온다는 문장 바로 뒤 ③에 들어가는 것이 적절하다.

독해력 PLUS

Q1 많은 연구는 더 높은 농도의 이 물질이 일에 집중하는 것을 더 쉽게 만든다는

것을 보여 주었다.

Q2 neurotransmitters

구문 풀이

[1행] A number of studies have shown that higher levels of these substances **make *it* easier** *to focus* on tasks.

→ 「make + 목적어 + 형용사」는 '~을 …하게 만들다'라는 의미이다. 여기서는 목적어 it뒤에 형용사의 비교급 easier가 쓰였다.

→ it은 가목적어이고, to focus 이하가 진목적어이다. 이때 가목적어 it은 따로 해석하지 않는다.

[3행] **Doing *something enjoyable*** can result in a positive attitude, ~

→ Doing something enjoyable은 문장의 주어 역할을 하는 동명사구이다.

→ something과 같이 -thing으로 끝나는 대명사는 형용사가 뒤에서 수식한다. 이 문장에서는 형용사 enjoyable이 대명사 something을 수식하여 '무언가 즐거운 것'이라고 해석한다.

[8행] This provides a greater sense of self-worth[, **which** benefits everyone in school or the workplace].

→ [ ]는 앞에 온 a greater sense of self-worth를 선행사로 가지는 계속적 용법의 관계대명사절로, '그런데 이것(더 큰 자긍심)은 ~하다'라고 해석한다.

Grammar Focus | 10. 관계부사
본문 p. 73

어법 출제 POINT　in which

기출로 Check-Up　**1** in which 또는 where　**2** ○
　　　　　　　　　3 the way 또는 how

예문 해석

1) 아이의 탄생은 대개 사람들이 사진을 찍기 시작하는 이유이다.

2) Don은 그가 처음 바다를 방문했던 날을 여전히 기억한다.

3) 임 씨는 그녀가 정원 식물들을 가꾸는 방법을 공유할 것이다.

어법 출제 POINT

해석

당신이 운동을 할 환경적 조건에 적합한 옷을 고르세요.

해설

you will be doing exercise는 완전한 절이므로, 「전치사 + 관계대명사」인 in which가 와야 한다.

기출로 Check-Up

1 in which 또는 where

해석

야생 동물들은 인간 활동으로부터 숨을 수 있는 공간이 필요하다.

해설

완전한 절을 이끌고 있으므로, which를 in which 또는 관계부사 where로 고쳐야 한다.

2 ○

해석

당신이 그저 방해받고 싶지 않을 때가 있다.

해설

완전한 절을 이끌고 있으므로, during which를 쓴 것은 적절하다. 또는 관계부사 when을 쓸 수 있다.

3 the way 또는 how

해석

강력한 공동체를 구축하는 우리의 능력은 우리가 소통하는 방식에 의해 영향을 받는다.

해설

관계부사 how는 선행사 the way와 함께 쓸 수 없으므로 the way 또는 how로 고쳐야 한다.

Chapter 4
필요한 정보를 찾는 유형

유형 11 | 세부 정보 파악하기
본문 p. 76

기출 적용
정답 ⑤

해석

Sigrid Undset(시그리드 운세트)는 1882년 5월 20일 덴마크의 칼룬보르에서 태어났다. 그녀는 세 딸 중 맏이였다. 그녀는 2세에 노르웨이로 이주했다. 그녀의 어린 시절은 아버지의 역사적 지식에 크게 영향을 받았다. 16세에 그녀는 가족을 부양하기 위해 공학 기술 회사에 취업했다. 그녀는 책을 많이 읽었고 36권의 책을 집필했다. 그녀의 책들 중 어떤 것도 독자의 관심을 끌지 못한 것은 없다. 1928년에 그녀는 노벨 문학상을 수상했다. 그녀의 소설 중 한 권은 80개 이상의 언어로 번역되었다. 그녀는 독일 점령 기간 중 노르웨이를 탈출했으나, 2차 세계대전이 끝난 후 돌아왔다.

해설

Sigrid Undset은 독일 점령 기간 중 노르웨이를 탈출했으나, 2차 세계대전이 끝난 후 돌아왔다고 했으므로, 글의 내용과 일치하지 않는 것은 ⑤이다.

구문 풀이

[4행] At the age of sixteen, she got a job at an engineering company **to support her family**.

→ to support her family는 '그녀의 가족을 부양하기 위해'라는 의미로, [목적]을 나타내는 to부정사의 부사적 용법으로 쓰였다.

[6행] **None of** her books leaves the reader unconcerned.

→ none of는 '~ 중 어떤 것도 …하지 않다'라는 의미로, [전체 부정]을 나타낸다.

[8행] **One of her novels** has been translated into more than eighty languages.

→ 「one of + 복수명사」는 '~ 중 하나'라는 의미이다. 「one of + 복수명사」는 단수 취급하므로, 뒤에 단수동사 has가 쓰였다.

1 ⑤　　2 ③　　3 ③

1　정답 ⑤

해석

채식 음식 박람회

채식을 홍보하기 위해, 밴쿠버 채식주의자 협회에서 첫 번째 채식 음식 박람회를 개최할 것입니다!

언제 & 어디서
- 10월 13일 토요일 오전 9시 — 오후 2시
- Hastings 공원

입장
- 무료 (예약 불필요)

Lisa Kim 셰프의 특별 강연: "채식이란 무엇인가?"
- 오후 1시 — 오후 2시
- 버섯과 콩을 활용하는 5가지 요리법을 배우세요.

음식 판매자로 등록하시려면, 적어도 10일 전에 foodfair@vvsociety.com으로 저희에게 연락해주세요.

해설

음식 판매자로 등록하려면, 적어도 10일 전에 이메일을 보내 달라고 했으므로, 안내문의 내용과 일치하지 않는 것은 ⑤이다.

독해력 PLUS

Q1 표현: No booking required
해석: 예약 불필요[예약은 필요 없습니다]

Q2 문장: To register as a food seller, contact us at foodfair@vvsociety.com at least 10 days in advance.
해석: 음식 판매자로 등록하시려면, 적어도 10일 전에 foodfair@vvsociety.com으로 저희에게 연락해주세요.

구문 풀이

[11행] Learn five recipes [**using** mushrooms and beans].
→ [ ]는 앞에 온 five recipes를 수식하는 현재분사구다. 이때 using은 '활용하는, 사용하는'이라고 해석한다.

2　정답 ③

해석

Frederick Douglass(프레더릭 더글러스)는 미국에서 노예제를 폐지하기 위해 일한 아프리카계 미국인 작가이자 정치가였다. 그는 1818년에 노예로 태어났다. 더글러스는 12세에 알파벳을 배운 후 교육에 대한 관심을 키웠다. 1838년에 그는 노예 신분에서 벗어났고 그 후 그의 이름을 프레더릭 베일리에서 프레더릭 더글러스로 바꿨다. 더글러스는 노예제에 맞서 싸웠고 여성 투표권을 지지했다. 그는 훌륭한 연설가였고 연설을 하기 위해 전 세계를 돌아다녔다. 그는 또한 그의 삶에 대한 책을 여러 권 썼다. 그가 1895년 워싱턴 D.C.에서 사망했던 때쯤, 그는 19세기의 가장 영향력 있는 미국인 중 한 명이 되었다.

해설

Frederick Douglass는 노예 신분에서 벗어난 후에 이름을 바꿨다고 했으므로, 글의 내용과 일치하지 않는 것은 ③이다.

독해력 PLUS

Q1 문장: In 1838, he escaped from slavery and then changed his name from Frederick Bailey to Frederick Douglass.
해석: 1838년에, 그는 노예 신분에서 벗어났고 그 후 그의 이름을 프레더릭 베일리에서 프레더릭 더글러스로 바꿨다.

Q2 문장: He was an excellent speaker and traveled around the world to give speeches.
해석: 그는 훌륭한 연설가였고 연설을 하기 위해 전 세계를 돌아다녔다.

구문 풀이

[1행] Frederick Douglass was an African American author and politician [who worked to end slavery in the United States].
→ [ ]는 앞에 온 선행사 an African American author and politician을 수식하는 주격 관계대명사절이다.

[2행] Douglas developed an interest in education after [**learning** the alphabet at age 12].
→ [ ]는 전치사 after(~후에)의 목적어 역할을 하는 동명사구이다.

[6행] **By the time he died** in Washington, D.C. in 1895, **he had become** one of the most influential Americans of the 19th century.
→ 이 문장은 「By the time + 주어 + 과거 시제, 주어 + 과거완료 시제」로, '주어가 ~했던 때쯤, 주어가 -했었다'의 의미로 해석한다.
→ 「one of the + 최상급 + 복수명사」는 '가장 ~한 … 중 하나'라는 의미이다.

3　정답 ③

해석

Milford 유리 박물관

Milford 유리 박물관에 오셔서 아름다운 유리 공예품들을 구경하세요!

관람 시간

월요일 — 금요일	오전 9시 — 오후 4시
토요일	오전 11시 — 오후 4시

입장권: 성인 5달러, 학생 & 아이들 2달러

(5세 이하 어린이는 무료)

프로그램들

• 월요일과 화요일마다 - 유리컵 채색하기

• 수요일과 목요일마다 - 꽃병 꾸미기

참고

- 박물관 내에서 음식과 음료는 금지됩니다.

- 방문객들은 사진을 찍는 것이 허락됩니다.

해설

월요일과 화요일마다 유리컵을 채색하는 프로그램이 운영되고 있으므로, 안내문의 내용과 일치하는 것은 ③이다.

독해력 PLUS

Q1 문장: Food and drinks are prohibited in the museum.

해석: 박물관 내에서 음식과 음료는 금지됩니다.

Q2 ① Opening Hours ② Tickets

③ Programs ④ Note

⑤ Note

구문 풀이

[13행] Visitors **are allowed to take** photographs.

→ 「be allowed + to-v」는 '~하는 것이 허락되다'라는 의미로, 「allow + 목적어 + to-v(~가 …하도록 허락하다)」의 수동태 표현이다.

Grammar Focus | 11. it의 다양한 쓰임   본문 p. 81

어법 출제 POINT   them

기출로 Check-Up   1 ○   2 it   3 It

예문 해석

1) 내가 막대기를 공중으로 던지면, 그것은 항상 아래로 떨어진다.

2) 변화는 불편하지만, 그것은 일을 다르게 하기 위한 비결이다.

3) 어떤 학생들은 개인 침실을 제외한 다른 곳에서 공부하는 것을 힘들어한다.

4) 당신이 종종 제시간에 숙제를 제출하지 못하는 것은 문제이다.

어법 출제 POINT

해설

광고 없이는, 고객들은 비록 그 제품이 그들에게 유용할지라도 구매하지 않을 것이다.

해설

앞에 나온 복수명사 customers를 가리키고 있으므로, 복수대명사 them을 써야 한다.

기출로 Check-Up

1 ○

해석

시는 많은 것을 제공하는데, 만약 당신이 그것(시)에 그럴 기회를 준다면 말이다.

해설

앞에 나온 셀 수 없는 명사 Poetry를 가리키고 있으므로, 단수대명사 it을 쓴 것은 적절하다.

2 it

해석

일부 국가들은 자국민에게 안전한 식수를 제공하는 것을 어려워한다.

해설

뒤에 있는 진짜 목적어 to부정사구를 대신하는 자리이므로, that을 가목적어 it으로 고쳐야 한다.

3 It

해석

소음에 대한 지속적인 노출이 아이들의 성취도에 영향을 미친다는 것은 놀랍지 않다.

해설

뒤에 있는 진짜 주어 that절을 대신하는 자리이므로, That을 가주어 It으로 고쳐야 한다.

유형 12 | 도표 정보 파악하기   본문 p. 82

기출 적용   정답 ⑤

해설

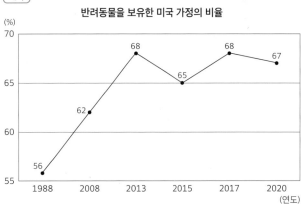

반려동물을 보유한 미국 가정의 비율

위 그래프는 1988년부터 2020년까지 반려동물을 보유한 미국 가정의 비율을 보여준다. ① 1988년에는 절반 이상의 미국 가정이 반려동물을 보유했고, 2008년에서 2020년까지 10개 중 6개 이상의 미국 가정이 반려동물을 보유했다. ② 1988년과 2008년 사이 기간에, 반려동물 보유는 미국 가정들에서 6퍼센트포인트만큼 증가했다. ③ 2008년에서 2013년까지, 반려동물 보유는 추가로 6퍼센트포인트가 올랐다. ④ 2013년의 반려동물을 보유한 미국 가정의 비율은 2017년의 그것(반려동물을 보유한 미국 가정의 비율)과 같은 데, 그것은 68퍼센트였다. ⑤ 2015년에는, 반려동물을 보유한 미국 가정의 비율이 2020년보다 3퍼센트포인트 더 낮았다.

해설
2015년 반려동물을 보유한 미국 가정의 비율은 65퍼센트이며, 이는 2020년의 비율 67퍼센트보다 2퍼센트포인트 낮으므로, 도표의 내용과 일치하지 않는 것은 ⑤이다.

구문 풀이

[4행] In the period between 1988 and 2008, pet ownership increased among U.S. households **by** 6 percentage points.

→ 전치사 by는 '~만큼, ~의 차이로'라는 의미로 수량, 정도, 비율을 나타낸다.

[7행] The percent of U.S. households with pets in 2013 was the same as **that** in 2017[, which was 68 percent].

→ that은 앞에서 언급한 단수명사의 반복을 피하기 위해 사용된 대명사로, 이 문장에서는 앞에 나온 the percent of U.S. households with pets를 대신해서 썼다.

→ [ ]은 앞에 온 선행사 that in 2017을 수식하는 계속적 용법의 관계대명사절로, '그런데 이것은 ~이다'라고 해석한다.

유형 12 TEST

본문 p. 84

1 ④　　2 ④　　3 ③

1

정답 ④

해석

2019년 국가/지역별 포장에 사용된 플라스틱

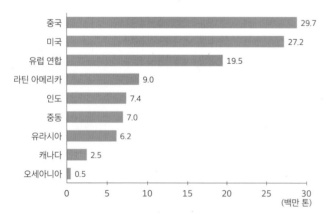

위 그래프는 2019년에 국가 혹은 지역별로 포장에 사용된 플라스틱의 양을 보여 준다. ① 중국이 포장에 사용된 플라스틱 양에서 가장 높은 순위를 차지했고, 미국이 그 뒤를 이었다. ② 미국과 중동에서 포장에 사용된 플라스틱의 양의 차이는 2천만 톤보다 많았다. ③ 유럽 연합에서 포장에 사용된 플라스틱의 양은 라틴 아메리카의 그것(포장에 사용된 플라스틱의 양)의 2배보다 많았

다. ④ 유라시아와 캐나다에서 포장에 사용된 플라스틱의 합쳐진 양은 인도의 포장을 위한 플라스틱 사용량보다 적었다. ⑤ 오세아니아에서 포장에 사용된 플라스틱의 양은 주어진 국가 또는 지역들 중에서 가장 낮았다.

해설

유라시아와 캐나다에서 포장에 사용된 플라스틱 양의 총합은 870만 톤이며, 이는 인도의 740만 톤보다 많으므로, 도표의 내용과 일치하지 않는 것은 ④이다.

독해력 PLUS

Q1 (1) 20.2　(2) 8.7
Q2 less → more

구문 풀이

[2행] China ranked the highest in the amount of plastic [(that was) **used** for packaging], [*followed* by the United States].

→ [ ]은 앞에 온 plastic을 수식하는 과거분사구이다. 이때 used는 '사용된'이라고 해석한다. 과거분사 앞에 「주격 관계대명사 + be동사」가 생략되어 있다.

→ [ ]는 '미국이 그 뒤를 잇는다'라는 의미로, [동시동작]을 나타내는 수동형 분사구문이다. 분사구문으로 만드는 부사절에 수동태가 쓰였을 경우 동사를 「Being p.p.」로 바꾸는데, 이때 Being은 생략할 수 있다.

[4행] The amount of plastic used for packaging in the EU was over **twice as much as** that in Latin America.

→ 「배수사 + as + 형용사/부사 + as」는 '~보다 몇 배 더 …한/하게'라는 의미이다.

→ that은 앞에서 언급한 단수명사의 반복을 피하기 위해 사용된 대명사로, 이 문장에서는 앞에 나온 the amount of plastic used for packaging을 대신해서 썼다.

2

정답 ④

해석

2021년에 다양한 용도에 따라 미국인들이 선호했던 책의 형태

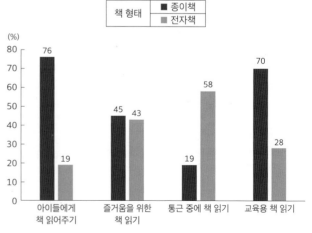

위 그래프는 2021년에 서로 다른 용도에 따라 미국인들이 선호했던 책의 형태를 보여 준다. ① 미국인들은 통근 중에 읽는 것을 제외한 모든 용도에서 종이책을 선호했다. ② 종이책은 아이들에게 읽어 주는 용도로 가장 인기가 높았고, 교육용 책 읽기가 그 뒤를 이었다. ③ 즐거움을 위한 책 읽기의 경우, 종이책과 전자책 사이에 2퍼센트포인트의 차이가 있었다. ④ 미국인들의 3분의 2 이상이 통근 중에 읽을 때는 전자책을 선호했다. ⑤ 미국인들의 70퍼센트가 교육용으로 종이책 읽기를 선호했는데, 이는 같은 용도로 전자책 읽기를 선호했던 사람들의 그것(퍼센트)의 2배보다 많았다.

해설
통근 중에 읽을 때 전자책을 선호하는 미국인의 비율인 58퍼센트는 미국인 전체의 3분의 2, 즉 약 66퍼센트보다 작으므로, 도표의 내용과 일치하지 않는 것은 ④이다.

독해력 PLUS

Q1 (1) 45 (2) 28

Q2 More → Less

구문 풀이

[6행] 70 percent of Americans preferred reading printed books for education[, **which** was more than twice that of people who preferred reading e-books for the same purpose].

→ [ ]는 앞 문장 전체를 선행사로 가지는 계속적 용법의 관계대명사절이다. 여기서는 '그런데 이것(미국인의 70퍼센트가 교육용으로 종이책 읽기를 선호했던 것)은 ~하다'라고 해석한다.

3
정답 ③

해석

멸종 위기에 처한 종의 수와 비율

국가	멸종 위기 포유류 종		멸종 위기 조류 종	
	수	비율	수	비율
스위스	13	36.5%	21	34.6%
독일	10	36.4%	24	33.5%
호주	41	28.3%	55	16.9%
멕시코	50	26.5%	96	21.5%
그리스	10	25.2%	24	14.0%

$$* \text{비율} = \frac{\text{국가 내 멸종 위기 종의 수}}{\text{국가 내 종의 총수}}$$

위 표는 국가별 멸종 위기에 처한 포유류와 조류 종의 수와 비율을 보여 준다. ① 5개 국가들 중 스위스는 멸종 위기의 포유류 종의 가장 높은 비율을 보여 준다. ② 독일의 멸종 위기에 처한 포유류 종의 수는 그리스의 그것(멸종 위기에 처한 포유류 종의 수)과 같다. ③ 호주의 멸종 위기에 처한 조류 종의 비율은 독일의 그것(멸종 위기에 처한 조류 종의 비율)보다 높다. ④ 반면, 멕시코는 가장 높은 멸종 위기에 처한 포유류와 조류 종의 수를 보이고, 두 범주에서 모두 호주가 뒤를 잇는다. ⑤ 그리스의 멸종 위기에 처한 조류 종의 수는 멕시코의 그것(멸종 위기에 처한 조류 종의 수)의 3분의 1보다 적다.

해설
호주의 멸종 위기에 처한 조류 종의 비율은 16.9퍼센트로 이는 독일의 33.5퍼센트보다 낮으므로, 표의 내용과 일치하지 않는 것은 ③이다.

독해력 PLUS

Q1 (1) 10 (2) 32

Q2 higher → lower

구문 풀이

[3행] **The number of endangered mammal species** in Germany is *the same as* that of Greece.

→ 「the number of + 복수명사」는 '~의 수'라는 의미이다. 항상 단수 취급하므로 뒤에 단수동사 is가 쓰였다.

→ the same as는 '~과 같다'라는 의미로, 뒤에 「주어 + 동사」의 절 또는 명사가 온다.

→ that은 앞에서 언급한 단수명사의 반복을 피하기 위해 사용된 대명사로, 이 문장에서는 앞에 나온 The number of endangered mammal species를 대신해서 쓰였다.

Grammar Focus | 12. 대명사
본문 p. 87

어법 출제 POINT   itself

기출로 Check-Up   1 themselves   2 those   3 ○

예문 해석

1) 당신은 무언가를 성취하거나 사회적으로 잘하기 위해 자기 자신에게 너무 많은 압박을 가할지도 모른다.

2) 그녀 자신이 이 책을 썼다.

3) 지난 여름, 대부분의 슈퍼마켓에서 닭고기의 가격은 돼지고기의 그것(가격)보다 낮았다.

어법 출제 POINT

해석
현재가 끊임없이 스스로를 업데이트한다는 의미에서 시간이 흐르는 것처럼 느껴진다.

해설
주어와 동일한 the present를 가리키고 있으므로, 재귀대명사 itself가 와야 한다.

기출로 Check-Up

1 themselves

해석
사람들은 그들이 입는 옷들을 통해 세상에 그들 자신을 드러낸다.

해설
주어 People과 동일한 대상을 가리키고 있으므로, them을 재귀대명사 themselves로 고쳐야 한다.

2 those

해석

오늘날 우리의 뇌들은 조상들의 그것들(뇌들)보다 더 효율적일 수 있다.

해설

앞에서 언급한 복수명사 brains를 대신해서 썼으므로, that을 those로 고쳐야 한다.

3 ○

해석

그들이 만드는 음식을 자랑스러워하는 사람들은 먹는 것을 즐길 가능성이 더 높다.

해설

관계절(who are ~ they make)의 수식을 받아 '~한 사람들'이라는 뜻으로 쓰였으므로 Those를 쓴 것은 적절하다.

Chapter 5
어휘·어법의 적절성을 파악하는 유형

유형 13 | 어휘 적절성 파악하기
본문 p. 90

기출 적용
정답 ⑤

해석

거절은 우리 삶의 일상적인 부분이지만, 대부분의 사람들은 그것을 잘 감당하지 못한다. 많은 사람들에게, 그것은 너무 고통스러워서 그들은 요청하고 거절의 ① 위험을 감수하기보다 차라리 무언가를 아예 요청하지 않으려 한다. 하지만 옛말처럼, 요청하지 않으면 대답은 항상 '아니오'이다. 거절을 피하는 것은 여러분의 삶의 많은 측면에 ② 부정적으로 영향을 미친다. 그 모든 것은 여러분이 단지 그것을 감당할 만큼 ③ 강하지 않기 때문에 일어난다. 이러한 이유로 거절 요법을 고려해 보라. 대개 거절로 끝나게 되는 ④ 요청이나 활동을 생각해 내라. 판매 분야에서 일하는 것이 그러한 사례 중 하나이다. 의도적으로 스스로를 ⑤ 환영받게(→ 거절당하게) 함으로써 여러분은 더 둔감해질 것이다. 이것은 여러분이 인생에서 훨씬 더 많은 것을 안고 갈 수 있게 하고, 그리하여 여러분이 호의적이지 않은 상황에 더 성공적으로 대처할 수 있게 만들어 줄 것이다.

해설

거절을 피하기만 하는 것은 삶에 부정적인 영향을 미치므로, 일부러라도 거절당하는 일을 겪어 보는 거절 요법을 통해 거절에 더 둔감해져 보라는 내용의 글이다. 따라서 ⑤이 포함된 문장의 스스로를 환영받게 함으로써 더 둔감해질 것이라는 것은 문맥에 맞지 않으므로, welcomed(환영받는)를 rejected(거절당하는)와 같은 단어로 고쳐야 한다.

구문 풀이

[2행] For many, it's **so painful that** they'd rather not ask for something at all than ask and risk rejection.

→ 「so + 형용사/부사 + that절」은 '너무/매우 ~해서 …하다'라는 의미이다.

[10행] This will allow you to take on much more in life, [thus **making** you more successful at dealing with unfavorable circumstances].

→ [ ]는 '여러분이 호의적이지 않은 상황에 더 성공적으로 대처할 수 있게 만들어 줄 것이다'라는 의미로, [연속동작]을 나타내는 분사구문이다.

= **and this will make** you more successful at dealing with unfavorable circumstances

---

유형 13 **TEST**

1 ④　　　2 ③　　　3 ④

1

정답 ④

해석

우리는 모두 목표를 세우지만 때때로 행동에 옮기지 않아 그것들을 달성하는 것에 실패한다. 예를 들어, 우리는 매일 헬스장에 갈 것이라고 말했으나 결국은 집에 머무르게 될 수도 있다. 또는 우리는 일본어를 배우겠다고 ① 약속했으나 강의에 절대 가지 않을지도 모른다. 우리가 이런 목표들을 세울 때 우리는 미래의 이로움을 ② 기대한다. 하지만, 우리는 그것들을 ③ 이루기 위해 일정량의 시간 동안 실제로 노력을 해야 한다. 만약 우리가 달리기를 하러 나가는 대신 항상 소파에 앉아 있는다면, 우리는 아마도 훗날 건강한 몸을 절대 가질 수 없을 것이다. 하지만 우리는 많은 경우 소파에서 내려오지 않는데 왜냐하면 우리는 미래에 우리를 이롭게 해줄 것들 대신 우리에게 당장 즐거움을 주는 것을 고를 가능성이 ④ 더 낮기(→ 더 높기) 때문이다. 우리는 우리가 ⑤ 더 오래 머뭇거릴수록 우리의 꿈이 현실이 되기까지 더 오래 걸린다는 것을 명심해야 한다.

해설

목표를 세우고는 달성하지 못하는 것은 당장 행동에 옮기지 않기 때문이며, 기대했던 이로움을 얻으려면 일정 시간 노력을 들여야 한다는 내용의 글이다. ④이 포함된 문장의 우리가 달리기를 하는 대신 소파에 앉아 있는 것이 미래에 우리에게 이로울 것 대신 당장 즐거움을 주는 것을 고를 가능성이 더 낮기 때문이라는 것은 문맥에 맞지 않으므로, less(더 낮은)를 more(더 높은)와 같은 단어로 고쳐야 한다.

독해력 PLUS

Q1 ②

Q2 ①

구문 풀이

[5행] **If we always sit** on the couch rather than go for a run, we'll probably never get a healthy body in the future.

→ 조건을 나타내는 if절(만약 ~한다면)에서는 미래를 나타낼 때도 현재 시제(sit)를 쓴다.

[6행] ~ because we are more likely to choose something [that gives us pleasure now] than something [that will benefit us in the future].

→ [ ]는 앞에 온 선행사 something을 각각 수식하는 주격 관계대명사절이다. 선행사에 -thing, -body, -one으로 끝나는 대명사가 쓰였을 때는 주로 관계대명사 that을 쓴다.

[7행] We must remember that **the longer** we hesitate, **the longer** it takes for our dreams to become a reality.

→ 「the + 비교급 ~ , the + 비교급 …」은 '~할수록 더 …하다'라는 의미이다. 이 문장에서는 '더 오래 머뭇거릴수록 더 오래 걸린다'라고 해석한다.

→ for our dreams는 to부정사(to become)의 의미상 주어이다.

2

정답 ③

해석

휴대전화가 없으면 두려워지는 몇몇 사람들이 있다. 그들이 스마트폰을 사용할 수 없다는 것을 알게 되었을 때, 그들은 굉장히 ① 스트레스를 받거나 공황 상태에 빠지기 시작한다. 그 두려움은 심지어 그들이 숨을 쉬는 데 ② 문제를 겪거나 가슴 통증을 겪게 만들 수 있다. 이러한 두려움을 가진 사람들은 보통 그들의 휴대전화를 두고 오는 것을 거부한다. 그들은 또한 ③ 드물게(→자주, 끊임없이) 새로운 알림이 왔는지 확인할 것이다. 가끔 이러한 사람들은 휴대전화를 하는 데 몇 시간을 보내느라 심지어 끼니도 ④ 거른다. 과학자들은 이러한 불안의 원인은 다른 사람들에 의해 연락이 닿을 수 없는 것에 대한 두려움이라고 말한다. 어떤 사람이 이것을 오랫동안 겪는다면 그것은 미래에 그들의 정신 건강을 ⑤ 해칠 수 있다. 기술이 우리에게 더욱 중요해지면서, 과학자들은 이것이 더욱 널리 퍼지게 될 것이라고 우려한다.

해설

휴대전화가 없으면 두려움을 느끼는 사람들과 그 원인을 다루는 글로, 이러한 사람들은 휴대전화를 두고 오기를 거부하고 휴대전화를 하느라 심지어 끼니를 거른다고 했다. 따라서, ③이 포함된 문장의 이들이 새로운 알림이 왔는지 드물게 확인한다는 것은 문맥에 맞지 않으므로, rarely(드물게)를 frequently(자주)나 constantly(끊임없이)와 같은 단어로 고쳐야 한다.

독해력 PLUS

Q1 ②

Q2 ①

구문 풀이

[1행] When they realize [(that) they are not able to use their smartphone], they become very stressed or **begin to panic**.

→ [ ]는 realize의 목적어 역할을 하는 명사절로, 명사절 접속사 that이 생략되어 있다.

→ begin은 목적어로 to부정사와 동명사 모두 쓸 수 있다.

[2행] The fear can even **cause them to** *have* trouble *breathing* and **experience** chest pains.

→ 「cause + 목적어 + to-v」는 '~가 …하게 만들다, 야기하다'라는 의미이다. 이 문장에서는 to have와 (to) experience가 등위접속사 and로 연결되어 쓰였다.

→ 「have trouble + (in) + v-ing」는 '~하는 데 문제를 겪다'라는 의미이다.

Chapter 5 어휘·어법의 적절성을 파악하는 유형 **33**

[7행] As technology **becomes more important** to us, scientists worry [that this will **become more widespread**].

→ 「become + 형용사」는 '~해지다, ~하게 되다'라는 의미이다. 여기서는 형용사의 비교급 more important와 more widespread 가 쓰였다.

→ [ ]는 worry의 목적어 역할을 하는 명사절이다. 이때 명사절 접속사 that은 생략할 수 있다.

3 정답 ④

해석

올빼미 같은 사람이 일찍 일어나는 사람처럼 행동할 수는 있지만 그것이 항상 쉽지는 않다. 당신이 오전 11시에 일어나는 데에 익숙한데, 훨씬 ① 더 일찍 하루를 시작하기로 마음먹었다고 가정해보자. 하지만 당신이 오전 6시에 일어났을 때, 당신은 집중하기 어렵다는 것을 느낀다. 이는 왜냐하면 사람들에게는 하루 중 그들이 선천적으로 더 ② 활동적인 다양한 시간대가 있기 때문이다. 한 사람의 유전자는 그들이 어떤 시간에 더 졸음을 느끼고 더 깨어 있는지에 영향을 미칠 수 있다. 따라서 올빼미 같은 사람으로 ③ 태어난 사람들이 있다. 그들은 저녁이 ④ 가장 적은(→가장 많은) 에너지를 가지는 때이므로, 이때 일하는 것을 선호할 것이다. 만약 사람들이 하루 동안 더 많은 것을 달성하기를 원한다면, 그들의 타고난 주기를 ⑤ 따르는 것이 더 나을 것이다.

해설

사람들은 유전자의 영향으로 인해 아침과 저녁 중 더 활동적인 각자만의 시간대가 있다는 내용의 글이다. 따라서, ④이 포함된 문장의 올빼미 성향으로 태어난 사람들은 저녁에 가장 적은 에너지를 가진다는 것은 문맥에 맞지 않으므로, least(가장 적은)를 most(가장 많은)와 같은 단어로 고쳐야 한다.

독해력 PLUS

Q1 문장: If people want to achieve more during their days, it might be better to follow their natural cycles.
해석: 만약 사람들이 하루 동안 더 많은 것을 달성하기를 원한다면, 그들의 타고난 주기를 따르는 것이 더 나을 것이다.

Q2 (1) night owl (2) early bird

구문 풀이

[1행] **Let's say** [(that) you *are used to getting up* at 11 a.m., but you decide to start your days much earlier].

→ 「let's say + that절」은 '~이라고 가정해보자'라는 의미로, 이때 that절은 say의 목적어 역할을 하는 명사절이다. 이 문장에서는 명사절 접속사 that이 생략되어 있다.

→ 「be used to + (동)명사」는 '~에 익숙하다'라는 의미이다.
cf. 「used to + 동사원형」: ~하곤 했다, 전에는 ~이었다
　　「be used + to-v」: ~하는 데 사용되다

[4행] A person's genes can affect [what times they are sleepier and more awake].

→ [ ]는 「의문사(what) + 주어 + 동사」의 의문사가 이끄는 명사절로, affect의 목적어 역할을 하고 있다. 이때 what은 '어떤'이라는 의미로, what이 '어떤, 무슨'이라는 의미일 때는 이 문장에서처럼 뒤의 명사(times)를 수식할 수 있다.

[5행] They might prefer working in the evening since it is (the time) [**when** they have the most energy].

→ [ ]는 앞에 온 선행사 the time을 수식하는 관계부사절로, 관계부사의 선행사가 the time, the place, the reason과 같이 시간, 장소, 이유를 나타내는 일반적인 명사인 경우 선행사나 관계부사 중 하나를 생략할 수 있다. 여기서는 선행사 the time이 생략되어 있다.

Grammar Focus | 13. 형용사와 부사 본문 p. 95

어법 출제 POINT　comfortable
기출로 Check-Up　1 dependent　2 highly　3 ○

예문 해석

1) 성공한 사람들은 좋은 잠자리 루틴을 갖는 경향이 있다.

2) 그는 영화 속 연기로 유명해졌다.

3) 시끄러운 소음이 밤 동안 나를 깨어 있게 했다.

4) 솔직히, 빠르게 청소하기에는 부엌이 너무 더럽다.

5) 그가 숲에서 호랑이를 봤을 때, 그는 그 호랑이에게 가까이 갔다.

6) 건강과 질병의 확산은 우리 도시가 어떻게 운영되는지와 긴밀하게 연관되어 있다.

어법 출제 POINT

해석

우리는 땀을 흘리는 것을 피하고 계속 편안하게 있기 위해 체온을 조절한다.

해설

remain의 주격 보어 자리이므로, 형용사 comfortable이 와야 한다.

기출로 Check-Up

1 dependent

해석

기술의 발전은 우리를 천연자원에 의존적이게 만들었다.

해설

have made의 목적격 보어 자리이므로, dependently를 형용사 dependent로 고쳐야 한다.

2 highly

해석

현대의 곤충 군집은 열대 우림에서 매우 다양하다.

해설

형용사 diverse를 수식하는 자리이므로 high를 문맥에 맞는 부사 highly로 고쳐야 한다.

3 ○

해석

해석

수학 문제들 중 15개가 정확하게 풀렸다.

해설

동사를 수식하고 있으므로 부사 correctly를 쓴 것은 적절하다.

유형 14 | 어법상 틀린 것 찾기
본문 p. 96

기출 적용
정답 ③

해석

악기를 쥐고 연주하는 정확한 방법이 보통은 있다. 하지만 우선적으로 가장 중요한 가르침은 그것들이 장난감이 아니라는 것과 반드시 관리되어야 한다는 것이다. 아이들에게 그것(방법)을 보여 주기 전에 악기를 스스로 다루는 방법을 탐구할 시간을 주어라. 소리를 만들어 내는 여러 가지 방법을 찾는 것은 음악적 탐구의 중요한 단계이다. 정확한 연주는 가장 알맞은 음질을 찾으려는 욕구에서 나온다. 그것은 또한 누군가 오랜 시간 동안 잘 다루면서 연주할 수 있도록 가장 편안한 연주 자세를 찾는 것도 포함한다. 악기와 음악이 더 복잡해짐에 따라, 알맞은 연주 기술을 배우는 것은 점점 더 유의미해진다.

해설

③은 주어 자리에 단수 취급하는 동명사구(Finding different ways to produce sounds)가 쓰였으므로, are를 단수동사 is로 고쳐야 한다.

┃ 오답 분석 ①은 is의 보어 역할을 하는 완전한 절을 이끌고 있으므로, 명사절 접속사 that이 온 것은 적절하다.

②은 앞에 주어가 없고 뒤에 다른 동사가 없는 명령문으로 쓰였으므로, 동사원형 Allow가 온 것은 적절하다.

④은 앞에 온 the desire를 수식하는 to부정사의 형용사적 용법으로 쓰였으므로, to find가 온 것은 적절하다.

⑤은 becomes의 보어인 형용사 relevant를 수식하고 있으므로, 부사 increasingly가 온 것은 적절하다.

구문 풀이

[2행] However, the most important instruction to begin with is [that they are not toys] and [that they must be looked after].

→ [ ]는 둘 다 is의 보어 역할을 하는 명사절로, 등위접속사 and로 연결되어 쓰였다.

[8행] It also involves [**finding** the most comfortable playing position] *so that* one can play with control over time.

→ [ ]는 involves의 목적어 역할을 하는 동명사구이다.

→ so that은 부사절을 이끄는 접속사로, '~하도록'이라는 의미이다.

[9행] **As** instruments and music become more complex, [*learning* appropriate playing techniques] becomes increasingly relevant.

→ as는 '~하면서, ~함에 따라'라는 의미로, 부사절을 이끄는 접속사로 쓰여 뒤에 「주어 + 동사」의 절이 왔다.

→ [ ]는 문장의 주어 역할을 하는 동명사구이다.

유형 14 TEST
본문 p. 98

1 ④   2 ③   3 ②

1
정답 ④

해석

미루는 버릇은 어떤 일이 빨리 처리되어야 하는데도 불구하고 그것을 미루는 것이다. 그것은 모든 인간에게 흔한 습관이다. 이 행동 이면에는 다양한 심리적 원인들이 있다. 그 원인들 중 하나는 사람들이 선택의 기회에 의해 압도된다는 것이다. 어떤 사람에게 너무 많은 선택권이 있다면, 그들은 어느 선택이든 내리는 것을 피할 수도 있다. 이러한 결정을 미룸으로써 그들은 그들이 겪어야 할 모든 단계를 미룰 수 있다. 몇몇 사람들에게, 중요한 일들을 미루는 것은 직장이나 학교에서 심각한 문제로 이어진다. 하지만, 가까워지는 마감일에 의해 동기부여가 되는 사람들이 있다는 것에 주목하는 것 또한 중요하다. 그들에게, 마지막 순간까지 기다리는 것이 일을 하는 최선의 방법이다.

해설

④은 문장의 동사가 와야 할 자리이고 주어는 단수 취급하는 동명사구(putting off important tasks)이므로, leading을 단수동사 leads로 고쳐야 한다.

┃ 오답 분석 ①은 주어가 없는 불완전한 절을 이끌고 선행사 a habit을 수식하고 있으므로, 주격 관계대명사 that이 온 것은 적절하다.

②은 주어 자리에 단수 취급하는 수량 표현 one of가 쓰였으므로, 단수동사 is가 온 것은 적절하다.

③은 전치사 by의 목적어 역할을 하는 동명사구를 이끌고 있으므로, 동명사 delaying이 온 것은 적절하다.

⑤은 마감일로 인해 동기부여가 된다는 수동의 의미가 되어야 하므로, be동사 뒤에 과거분사 motivated가 온 것은 적절하다.

독해력 PLUS

Q1 putting off important tasks

Q2 몇몇 사람들에게, 중요한 일들을 미루는 것은 직장이나 학교에서 심각한 문제로 이어진다.

구문 풀이

[4행] By delaying these decisions, they can postpone any steps [(that) they need to take].

→ [ ]는 앞에 온 선행사 any steps를 수식하는 목적격 관계대명사절로, 목적격 관계대명사 that이 생략되어 있다.

[6행] However, **it** is also important **to note** that there are individuals [*who are* motivated by an approaching deadline].

→ it은 가주어이고, to note 이하가 진주어이다. 이때 가주어 it은 따로 해석하지 않는다.
→ [ ]는 앞에 온 선행사 individuals를 수식하는 주격 관계대명사절이다. 이때 「주격 관계대명사 + be동사」는 생략할 수 있다.

[6행] This experiment **seems to prove** [that cats form images of the outside world in their minds].
→ 「seem + to-v」는 '~하는 것처럼 보이다, ~하는 것 같다'라는 의미이다.
→ [ ]는 prove의 목적어 역할을 하는 명사절이다. 이때 명사절 접속사 that은 생략할 수 있다.

2
정답 ③

(해석)
당신의 고양이가 당신과 같은 방에 있지 않더라도, 그것은 아마 여전히 당신이 어디 있는지 알 것이다. 고양이들은 사람들이 소리를 내는 것을 들으면 사람들의 위치를 알아낼 수 있다. 한 실험에서, 고양이의 이름을 부르는 목소리가 녹음된 것이 한 번은 고양이가 가까이에서 그리고 그 다음에는 더 멀리서 재생되었다. 소리의 갑작스러운 움직임에 고양이들은 충격을 받은 것처럼 보였다. 그들은 첫 번째 소리가 들려온 곳을 쳐다봤고 방을 살펴보았다. 고양이들은 그 사람이 어디에 있는지를 이미 알아냈기 때문에, 그들은 소리가 첫 번째 위치에서 계속 들려오기를 예상했다. 이 실험은 고양이들이 바깥 세상의 이미지를 그들의 머릿속에 형성한다는 것을 증명하는 것처럼 보인다.

(해설)
③은 주격 보어가 와야 할 자리이고 주어인 고양이가 충격을 받았다는 수동의 의미가 되어야 하므로, 현재분사 shocking을 과거분사 shocked로 고쳐야 한다.
▋오답 분석 ①은 knows의 목적어 역할을 하는 명사절을 이끌고 있으므로, 의문사 where가 온 것은 적절하다.
②은 목적격 보어 자리이다. 지각동사 hear는 목적격 보어로 동사원형이나 분사를 쓰는 동사이고 목적어가 소리를 내는 주체이므로, 동사원형 make가 온 것은 적절하다.
④은 문장 구조로 보아 동사로 쓰였으며, 등위접속사 and를 중심으로 병렬 구조를 이루어야 하므로 앞서 쓰인 동사 stared와 시제가 같은 searched가 온 것은 적절하다.
⑤은 prove의 목적어 역할을 하는 완전한 절을 이끌고 있으므로, 명사절 접속사 that이 온 것은 적절하다.

(독해력 PLUS)
Q1 한 실험에서, 고양이의 이름을 부르는 목소리가 녹음된 것이 한 번은 고양이가 가까이에서 그리고 그 다음에는 더 멀리서 재생되었다.
Q2 소리의 갑작스러운 움직임에 고양이들은 충격을 받은 것처럼 보였다.

(구문 풀이)

[2행] In an experiment, a recording of a voice [**calling** cats' names] was played once near the cats and then from farther away.
→ [ ]는 앞에 온 a voice를 수식하는 현재분사구이다. 이때 calling은 '부르는'이라고 해석한다.

[5행] Since the cats had already figured out [where the person was], they expected the noises to continue coming from the first location.
→ [ ]는 「의문사(where) + 주어 + 동사」의 의문사가 이끄는 명사절로, had figured out의 목적어 역할을 하고 있다.

3
정답 ②

(해석)
아기들에게 흔하지 않은 이름을 지어주는 것이 전 세계적으로 더욱 흔해지고 있다. 실제로, 1950년대 이래로 전통적인 이름의 사용의 꾸준한 감소가 있어 왔다. 독특한 이름들의 증가는 부모들이 그들의 아이들이 어울리기보다는 돋보이기를 원한다는 것을 보여 준다. 다름이 이제 더 중요하게 여겨진다. 이것은 사람들의 성공에 대한 생각이 어떻게 바뀌었는지의 반영이다. 과거에는 부모들은 어울리는 것이 미래의 성공으로 이어질 것이라고 믿었다. 그러나 이제, 보편적인 견해는 차별성이 대신 이것을 한다는 것이다.

(해설)
②은 동사 shows의 목적어가 시작되는 자리이고 완전한 절을 이끌고 있으므로, 관계대명사 what을 명사절 접속사 that으로 고쳐야 한다.
▋오답 분석 ①은 주어 자리에 단수명사 a steady decline이 왔고 1950년대에 시작된 일이 현재까지 계속되고 있음을 나타내고 있으므로, 단수동사 현재완료 시제 has been이 온 것은 적절하다.
③은 주어 자리에 단수 취급하는 동명사구 Being different가 왔으므로, 단수동사 is가 온 것은 적절하다.
④은 전치사 of의 목적어 자리에 의문사절이 온 것이므로, 의문사절을 이끌 수 있는 how가 온 것은 적절하다.
⑤은 앞의 동사(구) lead to success in the future의 반복을 피하기 위해 대동사가 사용된 것이므로, 일반동사가 쓰인 동사구를 대신할 수 있는 does가 온 것은 적절하다.

(독해력 PLUS)
Q1 what → that
Q2 독특한 이름들의 증가는 부모들이 그들의 아이들이 어울리기보다는 돋보이기를 원한다는 것을 보여 준다.

(구문 풀이)

[4행] This is a reflection of [how people's ideas about success have changed].
→ [ ]는 「의문사(how) + 주어 + 동사」의 의문사가 이끄는 명사절로, 전치사 of(~의)의 목적어 역할을 하고 있다.

[5행] In the past, parents believed [(that) fitting in would lead to success in the future].
→ [ ]는 believe의 목적어 역할을 하는 명사절로, 명사절 접속사 that이 생략되어 있다.

Grammar Focus | 14. 비교구문

본문 p. 101

어법 출제 POINT　much
기출로 Check-Up　1 ○　2 fewer　3 hard

예문 해석

1) 이 텔레비전은 저 노트북만큼 비싸다.

2) 컴퓨터는 아이가 할 수 있는 것만큼 쉽게 체스 기물들을 인식할 수 있다.

3) 가축들은 일반적으로 야생 동물들보다 더 작다.

4) 눈이 예상보다 훨씬 더 심하게 내리고 있었다.

5) 인류 역사 전체에서, 우리는 지구상에서 가장 창의적인 존재였다.

어법 출제 POINT

해석

사람들은 우리의 삶을 훨씬 더 쉽고 더 좋게 만드는 도구와 기계를 만든다.

해설

비교급 easier and better를 강조하고 있으므로, 비교급을 강조하는 부사인 much가 와야 한다. very는 원급 앞에만 올 수 있다.

기출로 Check-Up

1 ○

해석

그 차는 내가 원했던 것보다 훨씬 더 빨리 가고 있었다.

해설

비교급 faster를 강조하고 있으므로, 비교급을 강조하는 부사 a lot을 쓴 것은 적절하다.

2 fewer

해석

일부 실내 곤충들은 야외 곤충들보다 먹이를 먹을 기회가 더 적다.

해설

than과 함께 '더 적은'이라는 비교의 형태가 되어야 하므로 few를 비교급 fewer로 고쳐야 한다.

3 hard

해석

비행기가 몇 차례 오르락내리락하자 그 남자는 그가 할 수 있는 만큼 세게 좌석을 잡았다.

해설

앞뒤의 as와 함께 「as + 형용사/부사의 원급 + as」 형태가 되어야 하므로, harder를 원급 hard로 고쳐야 한다.

Chapter 6

긴 글을 읽고 이해하는 유형

유형 15 | 장문 독해 1

본문 p. 104

기출 적용

정답 1 ①　2 ⑤

해석

아이였을 때, 우리는 자전거 타기를 배우는 데에 열심이었다; 우리가 넘어졌을 때, 우리는 어려움 없이 탈 수 있을 때까지 다시 올라탔다. 그러나 어른으로 살면서 무언가 새로운 것을 시도해 볼 때 우리는 그것이 (a) 잘 되었는지 아닌지를 판단하기 전에 대체로 단 한 번만 시도해볼 것이다. 만약 우리가 처음에 실패하거나 혹은 어색한 느낌이 들면, 우리는 그것에 (b) 또 다른 시도를 하기보다는 그것이 성공이 아니었다고 스스로에게 말할 것이다.

그것은 애석한 일인데, 왜냐하면 반복은 우리 뇌를 재연결하는 과정에 핵심적이기 때문이다. 여러분의 뇌가 뉴런의 연결망을 가지고 있다는 것을 생각해 보라. 여러분이 무언가 새로운 것을 하기를 기억할 때마다 그것들은 서로 (c) 연결될 것이다. 그 연결들은 처음에는 그리 (d) 신뢰할 만하지 않은데, 그것은 여러분의 첫 번째 시도들을 다소 마구잡이가 되도록 할 수도 있다. 여러분은 연관된 단계 중 하나를 기억하고, 다른 것들을 기억하지 못할 수도 있다. 그러나 과학자들은 "함께 활성화되는 뉴런들은 함께 연결된다"라고 말한다. 다시 말하자면, 어떤 행동의 반복은 그 행동에 연관된 뉴런들 사이의 연결을 (e) 차단한다(→ 강화한다). 그것은 여러분이 무언가 새로운 것을 더 여러 차례 해 볼수록, 여러분에게 그것이 필요할 때 더 쉽게 여러분에게 다가올 것을 의미한다.

구문 풀이

[2행] But when we try **something new** in our adult lives we'll usually make just one attempt before judging [*whether* it's worked].

→ something과 같이 -thing으로 끝나는 대명사는 형용사가 뒤에서 수식한다. 이 문장에서는 형용사 new가 대명사 something을 뒤에서 수식하여, '무언가 새로운 것'이라고 해석한다.

→ [ ]는 동명사 judging의 목적어 역할을 하는 명사절로, 이때 명사절 접속사 whether는 '~인지 (아닌지)'로 해석한다.

[9행] They will connect with each other **whenever** you remember to do something new.

→ whenever는 복합관계부사로, '~할 때마다'라는 의미이다. 여기서는 whenever 대신 at any time (when)으로 바꿔 쓸 수 있다.

[14행] In other words, repetition of an action reinforces the connections between the neurons [**involved** in that action].

→ [ ]는 앞에 온 the neurons를 수식하는 과거분사구이다. 이때 involved는 '연관된'이라고 해석한다.

---

1   정답 ①

해석
① 반복하라 그러면 당신은 성공할 것이다
② 더 호기심을 가지고, 더 똑똑해져라
③ 놀이가 우리를 인간으로 만드는 것이다
④ 행동하기 전에 멈춰서 생각하라
⑤ 성장은 전적으로 균형을 유지하는 것에 대한 것이다

해설
무언가 새로운 것을 처음 시도할 때 잘 안 되더라도 계속 반복해서 뉴런들이 연결되어야 그것을 잘하게 된다는 내용의 글이므로, 글의 제목으로 가장 적절한 것은 ①이다.

■ 오답 분석 ②, ③, ④, ⑤은 글의 중심 소재인 repetition과 유사한 표현이 포함되지 않았으므로 오답이다.

---

2   정답 ⑤

해설
함께 활성화되는 뉴런들은 함께 연결되므로 같은 행동을 반복해야 그것을 잘하게 된다고 했다. 따라서 (e)가 포함된 문장의 어떤 행동의 반복은 그 행동에 연관된 뉴런들 사이의 연결을 차단한다는 내용은 문맥에 맞지 않으므로, blocks(차단하다)를 strengthens/reinforces(강화하다)와 같은 단어로 고쳐야 한다.

유형 15 TEST   본문 p. 106

1 ③   2 ⑤   3 ①   4 ④
5 ④   6 ②

1~2

해석
오늘날 세계에서 7,000개가 넘는 언어들이 사용된다. 따라서 우리 대부분은 공통의 언어 없이는 서로를 이해할 수 없을 것이다. 이런 경우 (a) 보통 영어가 사용되고 심지어 영어를 모국어로 사용하지 않는 사람들도 영어를 공통 언어로 여긴다. 그 결과, 그들은 제2언어로 영어를 배우는 데에 많은 (b) 추가적인 시간을 보낸다. 그러나 폴란드의 언어학자 Ludwik Lejzer Zamenhof(루도비코 라자로 자멘호프)는 한 가지 언어의 화자가 다른 사람들보다 이점을 가지는 것에 동의하지 않았다. 그는 대신 언어 학습이 (c) 공평한 과정이 되기를 바랐다. 그것이 그가 19세기 후반에 Esperanto(에스페란토어)라고 불리

는 언어를 만드는 일에 나선 이유이다.
자멘호프에게 에스페란토어는 사람들을 통합하는 하나의 방법이었다. 그것은 또한 모국이나 언어에 상관없이 그들이 보다 (d) 수월하게 서로 소통하는 것을 가능하게 했다. 사람들이 그것을 배우도록 장려하기 위해 그는 에스페란토어의 어휘, 철자법, 그리고 문법을 가능한 한 (e) 복잡하게(→단순하게) 만들었다. 예를 들어, 에스페란토어의 모든 동사들은 한 가지 규칙만 가지고 있어서, 사람들은 다양한 형태의 동사 규칙들을 외울 필요가 없다. 비록 에스페란토어가 자멘호프가 희망한 것처럼 확산되지는 않았지만, 약 2백만 명의 사람들이 현재 에스페란토어를 쓴다.

구문 풀이

[4행] But Polish linguist Ludwik Lejzer Zamenhof disagreed with speakers of one language [**having** an advantage over other people].

→ [ ]는 앞에 온 speakers of one language를 수식하는 현재분사구이다. 이때 having은 '가지는'이라고 해석한다.

[9행] **To encourage people to learn it**, he *made [*the vocabulary, spelling, and grammar of Esperanto*] as simple as possible*.

→ To encourage 이하는 '사람들이 그것을 배우도록 장려하기 위해'라는 의미로, [목적]을 나타내는 to부정사의 부사적 용법으로 쓰였다.

→ 「make + 목적어 + 형용사」는 '~을 …하게 만들다'라는 의미이다. 여기서는 [ ]가 목적어이고, 형용사의 원급 비교 표현 「as + 형용사 + as possible」(가능한 한 ~한)이 쓰였다.

---

1   정답 ③

해석
① 새로운 언어를 배우는 최선의 방법은 무엇인가?
② 외국인과의 소통은 어렵지 않다
③ 에스페란토어: 모두를 위해 만들어진 언어
④ 당신의 면대면 소통을 향상시켜라!
⑤ 무엇이 영어를 우리의 공통 언어로 만들었는가?

해설
에스페란토어는 모두에게 언어 학습이 공평한 과정이 되어야 한다는 생각으로 만들어진 언어라는 내용의 글이므로, 글의 제목으로 가장 적절한 것은 ③이다.

■ 오답 분석 ①, ⑤은 글에서 언급된 Language를 포함하고 있으나, 언어 학습이 공평한 과정이 되기를 바라는 마음으로 에스페란토어를 만들었다는 글의 핵심 내용과 관련이 없으므로 오답이다.

---

2   정답 ⑤

해설
사람들이 에스페란토어를 배우도록 장려하기 위해, 자멘호프는 동사가 오직 한 개의 규칙만 따르게 해서 다양한 규칙들을 전부 외울 필요가 없게 만들

었다고 했다. 따라서 (e)가 포함된 문장의 어휘, 철자법, 문법을 가능한 한 복잡하게 만들었다는 것은 문맥에 맞지 않으므로, complicated(복잡한)를 simple(단순한)과 같은 단어로 고쳐야 한다.

독해력 PLUS

Q1 ②

Q2 ①

3~4

해석

초기 인류는 태양을 따라 살았다; 그들은 태양이 떠오를 때 일어나고 저물 때 자러 갔다. 그러나 사회가 진보하면서, 몇몇 사람들은 (a) 더 일찍 일어나길 원했다. 사람들은 해가 뜨기 전에 일어나기 위한 다양한 방법들을 찾아내기 시작했다. 기원전 427년 무렵 플라톤은 물시계를 고안했는데, 그것은 그가 이른 약속에 갈 수 있도록 (b) 특정한 시간에 소리를 냈다. 그리고 중국에서는 양초시계가 같은 목적으로 발명되었다. 양초시계는 못으로 가득 채워져 있어서, 양초가 타들어감에 따라 못들이 땅에 떨어져 소리를 냈다. 이러한 발명품들이 바로 알람 시계의 가장 최초의 형태들이었다.

역사가 진보함에 따라, 기업들은 근로자들이 하루를 시작하는 시간들을 달리하기 시작했다. 따라서 근로자들이 서로와 (c) 다른 시간에 일어나는 일이 흔해졌다. 이러한 생활 양식의 변화는 다양한 시간에 알람이 설정될 수 있는 시계에 대한 수요를 (d) 감소시켰다(→증가시켰다). 19세기 후반에, 사람들의 요구가 드디어 충족되었다. 개인용 알람 시계가 시장에 출시되었고 사람들이 자신만의 일정을 고수하는 것을 (e) 가능하게 했다. 옛 문제에 대한 해결책이 발견되었고, 사람들은 드디어 그들의 시간에 대한 통제력을 가질 수 있었다.

구문 풀이

[2행] Individuals began coming up with different ways **to get up before the sun**.

→ to get up 이하는 '해가 뜨기 전에 일어나기 위한'이라는 의미로, to부정사의 형용사적 용법으로 쓰여 different ways를 수식하고 있다.

[3행] Around 427 B.C., Plato designed a water clock [**, which** would make sounds at certain times *so that* he could get to his early appointments].

→ [ ]는 앞에 온 a water clock을 선행사로 가지는 계속적 용법의 관계대명사절이다. 여기서는 '그런데 그것(물시계)은 ~하다'라고 해석한다.

→ so that은 부사절을 이끄는 접속사로 '~하도록'이라는 의미이다. *cf.* 「so + 형용사/부사 + that절」: 너무/매우 ~해서 …하다

[9행] This change of lifestyle increased demand for a clock [**whose** alarm could be set for different times].

→ [ ]는 앞에 온 선행사 a clock을 수식하는 소유격 관계대명사절이다. 소유격 관계대명사 whose는 관계대명사절 안에서 소유격 역할을 한다.

3
정답 ①

해석

① 알람 시계의 진화

② 오늘날 우리가 여전히 사용하는 고대 발명품들!

③ 약속을 놓치지 않는 방법

④ 플라톤의 몇몇 위대한 작품들을 발견하라

⑤ 당신의 습관을 바꾸고 일찍 일어나라

해설

초기 인간은 태양의 움직임을 따라 살다가, 사람들이 일어나야 하는 시간이 달라지기 시작했고 이를 위해 플라톤의 물시계, 중국의 초시계가 발명되었다고 했다. 이러한 초기 형태에서 더 발전해 오늘날의 현대적 알람 시계로 진화했다는 내용의 글이므로, 글의 제목으로 가장 적절한 것은 ①이다.

▮ 오답 분석 ②, ③, ④, ⑤는 알람 시계의 진화에 관한 글의 핵심 내용과 관련 없는 내용이므로 오답이다.

4
정답 ④

해설

기업들이 근로자들의 근로 시간을 달리하자 근로자들이 일어나야 하는 시간이 다양해지기 시작했다. 이에 따라 다양한 시간에 알람을 맞출 수 있는 알람 시계가 만들어져 사람들의 자신만의 일정을 고수하게 해주었다는 내용의 글이다. 따라서 (d)가 포함된 문장의 다양한 시간에 알람을 설정할 수 있는 시계에 대한 수요를 감소시켰다는 것은 문맥에 맞지 않으므로, decreased(감소시켰다)를 increased(증가시켰다)와 같은 단어로 고쳐야 한다.

독해력 PLUS

Q1 alarm clock

Q2 water clock, candle clock

5~6

해석

가장 흔히 묻는 질문들 중 하나는 "가장 좋아하는 색이 무엇인가요?"이다. 심지어 과학자들도 이에 대한 답에 관심이 있다. 그러나 대부분의 조사와 연구는 같은 결론에 도달한다. 전 세계 사람들은 파란색을 정말 좋아한다. 파란색의 (a) 인기에 대한 이유는 DNA와는 전혀 관계가 없지만, 대신에 사람들이 그 색과 연관 짓는 것과 관련되어 있다. 많은 사람들이 파란색을 보고 깨끗한 공기와 물을 머리에 떠올린다. 불쾌하다고 여겨지는 파란색 사물은 (b) 많다(→거의 없다). 똑같은 발상이 초록색과 같은 다른 색들에 (c) 적용된다. 초록색에 대한 한 사람의 생각은 그들이 잔디와 신호등과 같은 것들을 어떻게 느끼는지에 의존한다. 마찬가지로 인기가 없는 색들은 불쾌한 물체들과 연결되어 있다. 어두운 노란색은 많은 경우 가장 사랑받지 못하는 색들 중 하나에 포함된다. 과학자들은 이는 그것의 쓰레기와의 연관성과 (d) 관련 있을 수 있다고 말한다. 따라서 사람들이 각각의 색에 대해 어떻게 생각하는지는 그 색 자체에 대한 것만이 아니다. 그것은 우리가 세상을 어떻게 (e) 보는지에 대한 것이다. 우리 중 대부분이 그저 파란색을 우리가 좋아하는 것들에 연관시키는 것처럼 보인다.

[1행] **One of the most common questions** *asked* is "What's your favorite color?"

→ 「one of + 복수명사」는 '~ 중 하나'라는 의미이다. 「one of + 복수명사」는 단수 취급하므로, 뒤에 단수 동사 **is**가 쓰였다.

→ asked는 앞에 온 the most common questions를 수식하는 과거분사이다. 이때 asked는 '묻는'이라고 해석한다.

[3행] The reason for blue's popularity has nothing to do with DNA, but is instead connected to [**what** individuals associate with the color].

→ [ ]는 전치사 to(~에)의 목적어 역할을 하는 관계대명사절이다. 관계대명사 what은 선행사를 포함하고 있으며, '~하는 것'이라는 의미이다. 이때 what은 the thing(s) which[that]로 바꿔 쓸 수도 있다.

[5행] There are **few** blue objects [that are considered offensive].

→ 「few + 셀 수 있는 명사의 복수형」은 '거의 없는 ~'이라는 의미이다.
cf. 「a few + 셀 수 있는 명사의 복수형」: 몇 가지의, 약간의 ~

→ [ ]는 앞에 온 선행사 objects를 수식하는 주격 관계대명사절이다.

5

정답 ④

(해석)
① 문화가 인간의 시력에 미치는 영향
② 부모가 아이들의 취향을 결정한다
③ 당신이 좋아하는 것들이 당신에 대해 무엇을 말하는가?
④ 왜 모두의 색 선호도가 비슷한가?
⑤ 어떻게 다양한 색들이 다양한 감정을 불러일으키는가

(해설)
사람들이 각각의 색에 대해 어떻게 생각하는지는 색 자체에 대한 것만이 아니라, 사람들이 세상을 어떻게 보는지에 대한 것이라는 내용의 글이므로, 글의 제목으로 가장 적절한 것은 ④이다.
▍오답 분석 ①, ②, ③은 글의 중심 소재인 color가 포함되지 않았으므로 오답이다. ⑤은 중심 소재가 사용되었으나 다양한 색이 불러일으키는 감정은 글의 핵심 내용과 관련이 없으므로 오답이다.

6

정답 ②

(해설)
파란색의 인기는 사람들이 그 색과 연관시키는 것들과 관련이 있다고 했고, 사람들은 파란색을 보고 깨끗한 공기와 물을 떠올린다고 했다. 따라서 (b)가 포함된 문장의 불쾌하다고 여겨질 수 있는 파란색 사물이 많다는 것은 문맥에 맞지 않으므로, many(많은)를 few(거의 없는)와 같은 단어로 고쳐야 한다.

(독해력 PLUS)
Q1 ②
Q2 ②

Grammar Focus | 15. 부사절 접속사와 전치사   본문 p. 111

| 어법 출제 POINT | because of |
| 기출로 Check-Up | 1 because of 2 ○ 3 although 또는 though |

(예문 해석)
1) 비록 아기들은 시력이 나쁘지만, 그들은 어찌된 일인지 얼굴을 보는 것을 선호한다.
2) 비록 그녀는 깨어 있었지만, Reilly는 깊은 잠에 빠져 있는 척했다.
3) 감정을 숨기려는 당신의 노력에도 불구하고, 그것들은 어떻게든 드러날 것이다.

어법 출제 POINT

(해석)
우리가 발달시키도록 돕는 정신적인 역량들 때문에 우리는 철학을 공부한다.

(해설)
뒤에 명사구가 왔으므로 전치사 because of가 와야 한다.

기출로 Check-Up

1 because of

(해석)
많은 사람들은 모르는 것에 대한 두려움 때문에 그들의 안락한 영역에 머문다.

(해설)
뒤에 명사구가 왔으므로, because를 비슷한 의미의 전치사 because of로 고쳐야 한다.

2 ○

(해석)
직장 생활 동안 당신 자신을 몰입시키고 생산적이게 유지하는 것은 당신에게 달려 있다.

(해설)
뒤에 명사구가 왔으므로, 전치사 during을 쓴 것은 적절하다.

3 although 또는 though

(해석)
한 소년은 비록 자동차 사고로 왼팔을 잃었지만 유도를 배우기로 결심했다.

(해설)
뒤에 절이 왔으므로, despite을 비슷한 의미의 부사절 접속사 although 또는 though로 고쳐야 한다.

유형 16 | 장문 독해 2

본문 p. 112

기출 적용

정답 1 ④ 2 ② 3 ④

해석

(A) 옛날에, 한 농부가 헛간에서 일하는 동안 그의 귀중한 시계를 잃어버렸다. 그것은 평범한 시계로 보일 수도 있었지만, 그것은 그에게 어린 시절의 많은 행복한 기억을 가져다주었다. 그것은 (a) 그에게 가장 중요한 것들 중 하나였다. 오랫동안 그것을 찾아본 후에 그 나이 든 농부는 지쳐버렸다.

(D) 하지만, 그 지친 농부는 그의 시계를 찾는 것을 포기하고 싶지 않았고 밖에서 놀고 있는 한 무리의 아이들에게 그를 도와 달라고 요청했다. (e) 그는 그것을 찾을 수 있는 사람에게 매력적인 보상을 약속했다. 보상에 대해 듣고 난 후, 그 아이들은 헛간 안으로 서둘러 들어갔다. 그들은 시계를 찾으면서 건초 더미 전체를 살펴보았다. 시계를 찾느라 오랜 시간을 보낸 후, 아이들 중 일부는 지쳐서 포기했다.

(B) 시계를 찾는 아이들의 수가 천천히 줄어들었고 지친 아이들 몇 명만이 남았다. 그 농부는 찾는 것을 멈추었다. 농부가 헛간 문을 막 닫고 있었을 때 한 어린 소년이 그에게 다가와서 자신에게 또 한 번의 기회를 달라고 요청했다. 농부는 시계를 찾을 어떤 가능성도 놓치고 싶지 않아서 (b) 그를 헛간 안으로 들어오게 해주었다.

(C) 잠시 후 그 소년이 그의 손에 농부의 시계를 들고 나왔다. (c) 그는 행복에 겨워 놀랐고 그가 어떻게 시계를 찾는 데 성공했는지를 물었다. 그는 "저는 그저 시계의 소리를 들으려고 했어요. 고요함 속에서, 그것을 듣는 것은 훨씬 쉬웠어요."라고 답했다. (d) 그는 시계를 되찾아 기뻤고 그 소년에게 보상했다.

구문 풀이

[2행] It **may have appeared** to be an ordinary watch, but it brought a lot of happy childhood memories to him.

→ 「조동사 + have p.p.」는 과거 사실에 대한 추측이나 후회를 나타낸다. 이 문장에서는 조동사 may가 쓰여 '~했을 수도 있다, ~했을지도 모른다'라는 의미로 과거 사실에 대한 약한 추측을 나타낸다.

[13행] He was happily surprised and asked [how he had succeeded to find the watch].

→ [ ]는 「의문사(how) + 주어 + 동사」의 간접의문문으로, asked의 목적어 역할을 하고 있다.

[17행] However, the tired farmer did not want to give up on the search for his watch and **asked** [a group of children *playing outside*] **to help** him.

→ 「ask + 목적어 + to-v」는 '~에게 …할 것을 요청하다[부탁하다]'라는 의미이다.

→ playing outside는 앞에 온 a group of children을 수식하는 현재분사구이다. 이때 playing은 '놀고 있는'이라고 해석한다.

1

정답 ④

해설

(A)의 지쳐버린 the old farmer는 (D)의 the tired farmer로 이어지고, However 앞뒤로 농부는 지쳤지만 시계를 찾는 것을 포기하지 않기 위해 아이들에게 도움을 요청한 내용이 이어진다. 아이들이 시계를 찾느라 오랜 시간을 보냈다는 (D)의 내용은 점차 지친 나머지 시계를 찾는 아이들의 숫자가 천천히 줄어들었다는 (B)의 내용으로 이어진다. (B)의 a little boy는 (C)의 잠시 뒤 시계를 가지고 나온 the boy로 이어진다. 따라서 글의 순서로 가장 적절한 것은 ④이다.

2

정답 ②

해설

(a), (c), (d), (e)는 농부를 가리키고 (b)는 어린 소년을 가리키므로, 가리키는 대상이 다른 것은 ②이다.

3

정답 ④

해설

(D)에서 아이들은 헛간 안으로 서둘러 들어갔다고 했으므로, 적절하지 않은 것은 ④이다.

유형 16 TEST

본문 p. 114

| 1 ④ | 2 ⑤ | 3 ③ | 4 ⑤ | 5 ④ |
| 6 ③ | 7 ② | 8 ② | 9 ⑤ | |

1~3

해석

(A) 옛날에 위대한 어부가 되고 싶어 하는 젊은 남자가 있었다. 그러나 그는 근처 호수들에서는 많은 물고기를 잡을 수가 없었다. 그의 마을에 있는 한 늙은 어부는 항상 먹고 살기에 충분한 물고기를 잡았다. 하루는 젊은 어부는 그 늙은 어부에게 도움을 청하기로 했다. "당신과 같이 물고기를 잡으러 저를 데려갈 수 있으신가요?"라고 그는 물었다. 늙은 어부는 머뭇거렸지만 답하기를, "내일 아침에 나와 만나게, 그러면 (a) 자네를 그곳에 데려가지."

(D) 다음 날, 늙은 어부는 젊은 어부가 다가오는 것을 보고 "(e) 나를 따라오게"라고 말했다. 그들은 숲을 통하는 길을 몇 시간 동안 걸었다. 젊은 남자의 다리가 지칠 무렵, 그들은 마침내 큰 호수를 마주했다. "이 호수에는 물고기가 많네"라고 늙은 어부가 말했다. "하지만 자네가 필요한 것보다 더 많은 물고기를 잡으면, 그것들은 모두 사라질 수 있어." "알겠습니다"라고 젊은 어부가 대답했다.

(B) 두 남자는 남은 하루를 그 호수에서 보냈고 많은 물고기를 가지고 집으로 돌아왔다. 젊은 어부는 그렇게 성공적이었던 적이 없었다. "(b) 나는 거기에 또 갈 거야"라고 그는 생각했다. 물론, 그는 처음 며칠 동안은 늙은 어부의 충고를 따랐다. 하지만 그가 호수에 갈 때미다, 그는 항상 (c) 그가 필요한 것보다 더 많은 물고기를 잡을 수 있었다. 그가 생각하길, "어쩌면 그분이 틀렸을지도 몰라. 이렇게 많은 물고기가 있는데, 그것들이 사라지는 것은 불가능해."

(C) 하지만 몇 주 후, 젊은 어부는 물고기를 덜 잡기 시작했다. 그는 아무런 행운 없이 호수에 몇 시간 동안 앉아 있었다. 어느 날 저녁, 그는 결국 빈손으로 마을에 돌아왔다. 늙은 어부가 그에게 다가왔다. "이제 물고기는 모두 사라졌네"라고 그가 말했다. 젊은 어부는 그 순간 그가 무슨 일을 한 것인지 깨달았다. 미래를 생각하는 대신, (d) 그는 현재만 생각했다.

구문 풀이

[9행] With this many fish, **it**'s not possible *for them* **to disappear**.

→ it은 가주어이고, to disappear가 진주어이다. 이때 가주어 it은 따로 해석하지 않는다.

→ 「for + 목적격」은 to부정사의 의미상 주어로, to부정사(to disappear)가 나타내는 동작의 주체이다.

[13행] The young fisherman realized [what he had done] in that moment.

→ [ ]는 「의문사(what) + 주어 + 동사」의 의문사가 이끄는 명사절로, realized의 목적어 역할을 하고 있다.

[16행] The next day, the old man **saw the young fisherman coming** and said, "Follow me."

→ 「see + 목적어 + 현재분사」는 '~가 …하고 있는 것을 보다'라는 의미이다. 진행의 의미를 강조하기 위해 목적격 보어 자리에 동사원형 대신 현재분사가 쓰였다.

1
정답 ④

해설

(A)의 tomorrow morning은 (D)의 The next day로 이어지고, (D)의 a large lake는 (B)의 the lake로 이어진다. 젊은 어부가 호수에 갈 때마다 필요 이상으로 많은 물고기를 잡았다는 (B)의 내용이 몇 주 후 물고기를 덜 잡기 시작했다는 (C)의 내용으로 이어진다. 따라서 글의 순서로 가장 적절한 것은 ④이다.

2
정답 ⑤

해설

(a), (b), (c), (d)는 젊은 어부를 가리키고 (e)는 늙은 어부를 가리키므로, 가리키는 대상이 다른 것은 ⑤이다.

3
정답 ③

해설

(B)에서 젊은 어부는 늙은 어부의 충고를 처음 며칠 동안은 따랐다고 했으므로, 적절하지 않은 것은 ③이다.

독해력 PLUS

Q1 old fisherman

Q2 문장: Of course, he followed the old fisherman's advice for the first few days.

해석: 물론, 그는 처음 며칠 동안은 늙은 어부의 충고를 따랐다.

4~6

해석

(A) 어느 날 아침 학교에서 Lily는 과학 수업에 앉았다. 그녀는 평소처럼 가방에서 책들을 꺼내고 있었다. 그때, 그녀의 선생님이 갑자기 그녀에게 시험지를 건네주었다. 그녀는 시험에 대해 잊어버렸던 것이다! Lily는 그것에 대비하여 전혀 공부하지 않았기 때문에 아무것도 몰랐다. 그녀는 되는 대로 정답을 쓰려던 참이었다. 바로 그때 그녀는 (a) 그녀의 옆에 앉은 학생을 알아차렸다. 그녀의 반 친구 Annabel이었다.

(D) Annabel은 항상 열심히 공부하고 좋은 성적을 받았다. "(d) 그녀는 정답을 다 알고 있을 거야"라고 Lily가 생각했다. 그녀는 선생님이 보고 있지 않다는 것을 확인하고는 Annabel의 시험지를 쳐다보았다. 그녀는 Annabel의 답을 읽고는 그녀의 시험지에 똑같은 것들을 적었다. 그녀는 그것들을 전부 다 베꼈다. 선생님이 모두에게 시험지를 제출하라고 했을 때, Lily는 조용히 웃었다. "어쩌면 (e) 나는 받아본 점수 중 최고 점수를 받을지도 몰라"라고 그녀는 생각했다.

(C) 다음 날, 수업이 끝날 때 선생님은 Lily와 Annabel에게 다가왔다. "너희 둘 다에게 할 얘기가 있으니, 가지 마렴"이라고 그가 말했다. Lily는 침착한 것처럼 보이려 애썼지만, (c) 그녀의 심장이 빠르게 뛰는 것을 느꼈다. 나머지 학생들이 떠난 뒤, 선생님이 그들 앞에 와서 섰다. "너희 중 한 명이 시험에서 부정행위를 했어"라고 그가 말했다. "너희의 답이 정확하게 똑같았다."

(B) "그래서 나는 누가 부정행위를 했는지 찾기 위해 너희 둘 다에게 시험 주제에 관한 질문을 할 거야." Lily는 몹시 당황하기 시작했다. 선생님은 Annabel에게 먼저 질문했고, 그녀는 쉽게 대답했다. 그러고 나서 선생님은 Lily를 향했고 (b) 그녀에게 다른 질문을 했다. Lily는 이번에는 반 친구를 베낄 수 없었고 답을 알지 못했다. 그녀는 너무 부끄러웠고 다시는 부정행위를 하지 말아야겠다고 생각했다.

구문 풀이

[6행] So, I'm going to **ask [both of you]** a question about the test topic to find out *who cheated*.

→ 「ask + 간접목적어 + 직접목적어」는 '~에게 …을 묻다'라는 의미이다.

→ who cheated는 주어가 의문사인 간접의문문으로, to find out의 목적어 역할을 하고 있다. 이 문장에서처럼 간접의문문의 주어가 의문사인 경우 뒤에 바로 동사가 온다.

[11행] The next day, the teacher came up to Lily and Annabel **as** class was ending.

→ as는 '~할 때, ~하면서'라는 의미로, 부사절을 이끄는 접속사로 쓰여 뒤에 「주어 + 동사」의 절이 왔다.

[18행] "Maybe I'll get the best score [(that) I've ever gotten]," she thought.

→ [ ]는 앞에 온 선행사 the best score를 수식하는 목적격 관계대명사절로, 목적격 관계대명사 that이 생략되어 있다.

→ 've(have) gotten은 현재완료 시제(have p.p.)로, 이 문장에서는 과거의 [경험]을 나타내어 '받은 적이 있다'라고 해석한다. 현재완료 시제로 과거의 [경험]을 나타낼 때는 주로 ever, never, before 등이 함께 쓰인다.

4 정답 ⑤

해설

(A)의 her classmate Annabel은 (D)의 Annabel이 어떤 학생인지에 관한 설명으로 이어지고, Lily가 시험에서 Annabel의 답을 모두 베낀 (D)의 내용은 다음 날 선생님이 두 사람에게 할 말이 있다고 하는 (C)의 내용으로 이어진다. 두 사람 중 한 명이 부정행위를 했다는 (C)의 선생님의 말은 누가 부정행위를 했는지 찾기 위해 질문을 하겠다는 (B)의 내용으로 이어진다. 따라서 글의 순서로 가장 적절한 것은 ⑤이다.

5 정답 ④

해설

(a), (b), (c), (e)는 Lily를 가리키고 (d)는 Annabel을 가리키므로, 가리키는 대상이 다른 것은 ④이다.

6 정답 ③

해설

(B)에서 Lily는 선생님이 한 질문의 답을 알지 못했다고 했으므로, 적절하지 않은 것은 ③이다.

독해력 PLUS

Q1 Annabel

Q2 문장: Lily couldn't copy her classmate this time and didn't know the answer.

해석: Lily는 이번에는 반 친구를 베낄 수 없었고 답을 알지 못했다.

7~9

해석

(A) 어느 주말 아침, 한 어린 소년이 부엌에서 맛있는 냄새를 맡았다. 그의 아버지는 신선한 쿠키를 구워서 쿠키 병에 넣었다. "오, 그것들은 내가 가장 좋아하는 것들이야! (a) 나는 혼자서 그 병 전부를 먹을 수도 있어"라고 그는 생각했다. 그는 그의 아버지에게 조금 먹어도 괜찮은지 물었다. 그의 아버지는 미소를 지으며 "물론이지, 그렇게 하렴"이라고 말했다.

(C) 그래서 그는 병을 집어 들고 안으로 몇 개를 움켜쥐려고 손을 넣었다. 처음에 (c) 그는 두세 개만 먹으려고 했다. 하지만 그 냄새는 너무 맛있었다. 게다가, 그의 아버지는 이미 더 많은 쿠키를 만들었고, 그래서 그는 그가 원하는 만큼 먹을 수 있었다. 그는 그가 집을 수 있는 만큼 많은 쿠키를 움켜쥐었다. 그러나 그가 손을 빼려고 했을 때, (d) 그는 손이 움직이지 않는다는 것을 발견했다.

(B) 소년은 어느 하나의 쿠키도 놓고 싶지 않았다. 그는 몇 번이고 시도했지만, 무슨 일이 있어도 한 움큼 전체를 꺼내지 못했다. 울먹거리며 그는 아버지에게 도움을 청했다. 그의 아버지는 무엇이 잘못되었는지 보려고 살펴보았다.

"무슨 일이니?"라고 (b) 그가 물었다. 소년은 흐느꼈다. "내 손이 움직이지 않아요! 병의 입구가 너무 작아요!"

(D) "글쎄, 너의 손에 얼마나 많은 쿠키가 있는지 보렴"이라고 그의 아버지가 말했다. "정말 그렇게 많이 필요하니? (e) 네가 좀 놓는 게 어떠니?" 천천히, 그 소년은 그것들의 절반 정도를 떨어뜨렸다. "와!" 소년이 놀라서 말했다. 그의 손이 병에서 쉽게 미끄러져 나왔다. 두 사람은 함께 쿠키를 먹으며 미소를 지었다.

구문 풀이

[3행] He **asked his father** [if it was okay to have some].

→ 「ask + 간접목적어 + 직접목적어」는 '~에게 …을 묻다'라는 의미이다. 여기서는 if절 [ ]가 직접목적어 역할을 하고 있다.

[11행] He grabbed [as many cookies as he could hold].

→ [ ]는 'as + many + 명사 + as'의 표현으로, '그가 잡을 수 있는 만큼 많은 쿠키'의 의미로 해석한다. 'as ~ as 주어 could'는 '주어가 할 수 있는 만큼 -한'의 의미이다.

7 정답 ②

해설

아버지가 쿠키를 굽고 있었고 소년이 쿠키를 먹어도 되는지 물었다는 (A)의 내용은 (C)의 병을 집어 들어서 손을 넣었다는 내용으로 이어진다. 소년이 쿠키를 움켜쥔 손이 병에 낀 것을 발견한 (C)의 내용은 쿠키를 하나도 놓지 않고 손을 빼려고 애쓰는 (B)의 내용으로 이어진다. 소년이 결국 아버지에게 도움을 청하는 (B)의 내용은 아버지가 소년에게 쿠키를 좀 놓아보라고 말하는 (D)의 내용으로 이어진다. 따라서 글의 내용으로 가장 적절한 것은 ②이다.

8 정답 ②

해설

(a), (c), (d), (e)는 소년을 가리키고 (b)는 그의 아버지를 가리키므로, 가리키는 대상이 다른 것은 ②이다.

9 정답 ⑤

해설

(D)에서 소년이 쿠키의 절반 정도를 떨어뜨렸다고 했으므로, 적절하지 않은 것은 ⑤이다.

독해력 PLUS

Q1 father

Q2 문장: Slowly, the boy dropped about half of them.

해석: 천천히, 그 소년은 그것들의 절반 정도를 떨어뜨렸다.

어법 출제 POINT　　be

기출로 Check-Up　　1 stop　　2 ○　　3 (to) have

(예문 해석)

1) 그는 가능한 한 빨리 달렸고 공중으로 몸을 날렸다.

2) Becky는 그녀가 빌린 책이 흥미롭지만 어렵다고 말했다.

3) 약 1만 년 전에, 인간은 식물을 재배하고 동물을 길들이는 법을 배웠다.

4) 그녀는 미국과 멕시코 둘 다에서 많은 상을 받았다.

5) 우리 가족은 오늘 밤에 식당에 가거나 피자를 주문할 것이다.

어법 출제 POINT

(해석)

그들이 출판하는 자료는 상업적 가치를 가질 뿐만 아니라 잘 쓰여야 한다.

(해설)

상관접속사 not only A but B로 연결되어 있으므로 동사원형 have와 병렬 구조를 이루도록 동사원형 be가 와야 한다.

기출로 Check-Up

1 stop

(해석)

항생제는 박테리아를 죽이거나 그것들이 성장하는 것을 막는다.

(해설)

상관접속사 either A or B로 연결되어 있으므로 동사 kill과 병렬 구조를 이루도록 stopping을 동사 stop으로 고쳐야 한다.

2 ○

(해석)

당신 자신을 진정으로 알고 당신의 약점이 무엇인지 배워라.

(해설)

등위접속사 and 앞뒤로 명령문이 연결되어야 하므로 동사원형 get과 병렬 구조를 이루도록 동사원형 learn을 쓴 것은 적절하다.

3 (to) have

(해석)

명상은 사람들이 행복감을 높이고 더 나은 삶을 살 수 있게 해준다.

(해설)

등위접속사 and 앞뒤로 to부정사가 연결되어야 하므로 to increase와 병렬 구조를 이루도록 having을 to have 또는 have로 고쳐야 한다.

미니모의고사

미니모의고사 1

1 ⑤	2 ②	3 ②	4 ①	5 ⑤
6 ②	7 ⑤	8 ③	9 ④	10 ③
11 ③	12 ④	13 ③	14 ③	15 ③
16 ⑤	17 ②	18 ③	19 ③	20 ⑤

1

정답 ⑤

(해석)

나는 오랜 시간 알고 지낸 친구들이 있고, 그들 중 대부분은 친한 친구들이다. 그러나 우리가 함께 알고 지낸 오랜 시간에도 불구하고 내가 잘 알지 못하는 사람들이 여전히 몇 명 있다. 나는 이것의 이유에 대해 생각하고 있었고 우정은 시간에 의해서만 형성되는 게 아니라는 것을 깨달았다. 실은 우리가 친구들과 나누는 대화의 종류도 중요하다. 내가 취미나 좋아하는 영화처럼 가벼운 주제에 대해서만 친구들과 이야기한다면, 나는 그들과 더 친해지기 힘들 것이다. 그러나 우리가 꿈과 문제들을 서로 공유한다면, 그것은 친밀한 관계로 이어질 가능성이 더 높다. 보다 깊은 관계를 형성하기 위해서는 보다 깊은 논의가 필요하다.

① 새로운 사람들을 만나는 방법들

② 친구가 많은 것의 어려움

③ 지지 방법으로서의 관계

④ 어린 시절 관계의 중요성

⑤ 어떻게 대화가 친밀한 우정을 만드는가

(해설)

친구들과 깊은 관계를 형성하려면 꿈과 문제들을 공유하는 것과 같은 깊은 대화가 필요하다는 내용의 글이므로, 글의 주제로 가장 적절한 것은 ⑤이다.

▎오답분석 ①, ②, ③, ④은 깊은 논의가 있어야 깊은 관계를 맺을 수 있다는 글의 핵심 내용과 관련이 없으므로 오답이다.

(어휘)

close 형 친한, 친밀한, 가까운　　shape 동 형성하다, 만들다

share 동 공유하다, 나누다　　be likely to ~할 가능성이 높다

discussion 명 논의　　relationship 명 관계

[선택지] support 명 지지, 지원

구문 풀이

[1행] I have friends [that I've known for a long time], and **most of them** are close friends.

→ [ ]는 앞에 온 선행사 friends를 수식하는 목적격 관계대명사절이다. 이때 목적격 관계대명사 that은 생략하거나 who(m)로 바꿔 쓸 수 있다.

→ 「most of + 명사」는 '~ 중 대부분, 대부분의 ~'라는 의미이다. 주어로 쓰일 경우 of 뒤에 오는 명사에 따라 동사의 수가 결정된다. 이 문장에서는 them이 와서 복수동사 are가 쓰였다.

[14행] Deeper discussions are needed **to build deeper relationships**.

→ to build 이하는 '보다 깊은 관계를 형성하기 위해서는'이라는 의미로, [목적]을 나타내는 to부정사의 부사적 용법으로 쓰였다.

구문 풀이

[3행] This is [**where** reverse psychology comes in].

→ [ ]는 관계부사 where가 이끄는 관계부사절이다.

[7행] If she **tells him to stay up** all night, then it will *make the child want* to go to sleep.

→ 「tell + 목적어 + to-v」는 '~에게 …하라고 말하다'라는 의미이다.

→ 「make + 목적어 + 동사원형」은 '~가 …하게 만들다'라는 의미이다.

[9행] In the end, the mother makes her son go to bed by saying the opposite of [**what** she actually wanted].

→ [ ]는 전치사 of(~의)의 목적어 역할을 하는 관계대명사절이다. 관계대명사 what은 선행사를 포함하고 있으며, '~하는 것'이라는 의미이다. 이때 what은 the thing(s) which[that]로 바꿔 쓸 수도 있다.

2
정답 ②

해석

사람들은 이미 그것들을 하고 싶었다 할지라도, 다른 사람들이 그들에게 하라고 시키는 것을 하기는 싫어하는 경향이 있다. 이것이 반(反)심리학이 들어오는 지점이다. 그것(반심리학)은 누군가에게 반대로 하라고 말함으로써 누군가가 무언가를 하게 만드는 방법이다. 예를 들어, 어머니는 자러 가고 싶어 하지 않는 아이에게 이것을 사용할 수 있다. 만약 그녀가 그에게 밤을 새라고 말한다면, 그것은 아이가 자러 가고 싶게 만들 것이다. 결국, 어머니는 그녀가 정말로 원했던 것의 반대를 말함으로써 그녀의 아들이 자러 가게 만든다. 이 기법은 특정한 결과를 내기 위해 마케팅과 같은 다양한 상황에서 사용될 수 있다.

① 아이들은 어떻게 그들이 원하는 것을 얻는가
② 반대로 요구하여 통제력을 가져라
③ 아이들은 왜 늦게까지 깨어 있기를 좋아하는가?
④ 반심리학: 어려운 기술
⑤ 다양한 상황에 대한 마케팅 기법들

해설

반심리학을 이용하여 다른 사람에게 그들이 원하는 것의 반대를 말함으로써 결국 내가 원하는 것을 하게 만들 수 있다는 내용의 글이므로, 글의 제목으로 가장 적절한 것은 ②이다.

▮오답 분석 ①, ③, ⑤은 글의 핵심 소재인 '반대(opposite, reverse)'에 관한 내용이 포함되지 않았으므로 오답이다. ④은 글의 핵심 소재인 Reverse Psychology를 포함하고 있으나, 그것의 어려움은 글의 내용과 관련이 없으므로 오답이다.

어휘

tend to ~하는 경향이 있다   dislike 통 싫어하다
reverse psychology 반(反)심리학(반대로 행동하고 싶어 하는 심리를 이용하는 것)   opposite 명 반대 형 반대의
stay up all night 밤을 새다   technique 명 기법, 기술
marketing 명 마케팅, 홍보   [선택지] take control 통제력을 갖다

3
정답 ②

해석

대기 오염이 우리의 폐에 해롭다는 것은 상식이다. 새로운 증거는 오염된 공기를 피해야 할 또 다른 이유를 제공했다. 그것은 또한 아이들의 정신적 발달을 늦출 수 있다. 자동차 배기가스에서 발견된 분자는 집중력을 조절하는 뇌의 부위에 영향을 미친다. 그 결과, 대기 오염에 노출된 아이들은 추론과 판단에 문제를 겪을 수 있다. 전문가들은 어린 아이들의 부모들이 심하게 오염된 지역으로부터 떠날 것을 권장한다. 만약 그들이 그렇게 할 수 없다면, 그들은 그들의 아이들이 밖에서 너무 많은 시간을 보내지 못하게 해야 한다.

해설

대기 오염이 아이들의 뇌에 영향을 미쳐 정신적 발달을 늦출 수 있다는 내용의 글이므로, 글의 요지로 가장 적절한 것은 ②이다.

▮오답 분석 ①, ③, ⑤은 글의 중심 소재인 '대기 오염'이 포함되지 않았으므로 오답이다. ④은 글의 중심 소재인 '대기 오염'을 포함하고 있으나 그 원인이 자동차 배기가스라는 것은 글의 핵심 내용과 관련이 없으므로 오답이다.

어휘

common knowledge 상식   air pollution 대기 오염
lung 명 폐   evidence 명 증거   pollute 통 오염시키다
mental 형 정신적인   development 명 발달
emission 명 배기가스, 배출물   concentration 명 집중력
expose 통 노출시키다   reasoning 명 추론   judgment 명 판단
recommend 통 권장하다   move away 떠나다, 이사하다

구문 풀이

[1행] **It** is common knowledge [that air pollution is bad for our lungs].

→ It은 가주어이고, that절이 진주어이다. 이때 가주어 it은 따로 해석하지 않는다.

[5행] A molecule [**found** in car emissions] affects the part of the brain {that controls concentration}.

→ [ ]는 앞에 온 A molecule을 수식하는 과거분사구이다. 이때 found는 '발견된'이라고 해석한다.

→ { }은 앞에 온 선행사 the part of the brain을 수식하는 주격 관계대명사절이다. 이때 주격 관계대명사 that은 which로 바꿔 쓸 수 있다.

[7행] As a result, children [**who are** exposed to air pollution] can have problems with reasoning and judgment.

→ [ ]은 앞에 온 선행사 children을 수식하는 주격 관계대명사절이다. 이때 「주격 관계대명사 + be동사」는 생략할 수 있다.

[10행] Experts recommend [that parents of young children (should) move away from areas that are heavily polluted].

→ [ ]은 recommend의 목적어 역할을 하는 명사절이다. 이때 명사절 접속사 that은 생략할 수 있다.

→ 제안을 의미하는 동사 recommend 뒤에 오는 that절의 동사 자리에는 「(should) + 동사원형」이 온다. 이 문장에서는 should가 생략되어 쓰였다.

구문 풀이

[1행] [**Spending** a lot of time with negative people] can threaten our emotions and mental state.

→ [ ]은 문장의 주어 역할을 하는 동명사구이다.

[5행] That's why **it** is important **to surround** ourselves with *positive influences, people who motivate and encourage us*.

→ it은 가주어이고, to surround 이하가 진주어이다. 이때 가주어 it은 따로 해석하지 않는다.

→ positive influences와 people who motivate and encourage us는 콤마로 연결된 동격 관계이다.

4

정답 ①

해석

부정적인 사람들과 많은 시간을 보내는 것은 우리의 감정과 정신 상태를 위협할 수 있다. 우리는 그들의 걱정거리를 듣고 그들의 나쁜 태도를 감당한다. 시간이 지나면서, 이것은 우리의 행동과 행복에 영향을 미치기 시작한다. 그것이 우리 자신을 긍정적인 영향력, 즉 우리에게 동기를 부여하고 격려하는 사람들로 둘러싸는 것이 중요한 이유이다. 낙관적인 사람들은 우리가 느끼고 있을지 모르는 어떤 슬픔도 줄여줄 수 있다. 그들은 우리가 더 확신을 갖고 삶 속의 어려움들을 벗어나게 도와줄 수 있다. 우리는 또한 그들로부터 긍정적인 습관들을 익히게 되고 우리 삶의 질을 전반적으로 향상시킬 수 있다.

해설

부정적인 사람이 아닌 긍정적인 사람들을 곁에 두어야 한다는 내용의 글이므로, 필자의 주장으로 가장 적절한 것은 ①이다.

어휘

threaten ⑧ 위협하다   state ⑨ 상태
deal with ~을 감당하다, 다루다   well-being ⑲ 행복
surround ⑧ 둘러싸다   motivate ⑧ 동기를 부여하다
sadness ⑲ 슬픔   get through ~에서 벗어나다
confidently ⑨ 확신을 갖고, 자신있게
pick up ~을 익히게 되다, 알게 되다

5

정답 ⑤

해석

경청은 좋은 의사소통의 중요한 부분이다. 그러나 경청이 항상 다른 사람이 말하게 두고 조용히 있는 것에 대한 것은 아니다. 유능한 청취자는 말하는 사람의 생각과 아이디어를 이해하려고 노력한다. 이것은 화자가 밝히는 핵심을 반복함으로써 이루어질 수 있다. "…라고 말하고 있는 거죠?"와 같은 질문을 함으로써 당신이 그들의 발언들을 정확하게 이해하고 있는지 확실히 하라. 만약 그들의 생각에 대한 당신의 요약이 옳다면 대화는 계속될 수 있다. 그렇지 않다면 상대방이 당신을 바로잡아 줄 수 있다. 어느 쪽이든, 화자는 당신이 요점을 이해하려 노력했고 대화에 깊이 참여했다는 데에 감사할 것이다.

① 새로운 주제로 대화를 돌림
② 그 사람에게 더 창의적으로 생각하라고 말함
③ 그 사람이 다음에 당신에게 무엇을 말할지 예상함
④ 과거의 비슷한 경험을 묘사함
⑤ 화자가 밝히는 핵심을 반복함

해설

말하는 사람의 발언을 요약하여 질문함으로써 그들의 생각을 이해하려 노력하고 대화에 깊이 참여하는 경청이 가능하다고 했다. 따라서 빈칸에 들어갈 말로 가장 적절한 것은 ⑤이다.

▌오답 분석 ①은 글에서 언급된 conversation을 포함하고 있으나 대화를 새로운 주제로 돌리는 것은 글의 핵심 내용과 관련이 없으므로 오답이다. ②, ③, ④은 상대의 말을 요약하여 질문함으로써 효과적인 경청이 이루어질 수 있다는 글의 핵심 내용과 관련이 없으므로 오답이다.

어휘

significant ⑱ 중요한   effective ⑱ 유능한   figure out 이해하다
accomplish ⑧ 이루다, 해내다   accurately ⑨ 정확하게
interpret ⑧ 이해하다, 해석하다   comment ⑲ 발언
summary ⑲ 요약   correct ⑱ 옳은 ⑧ 바로잡다, 정정하다
grateful ⑱ 감사하는   participate ⑧ 참여하다
[선택지] direct ⑧ (어떤 방향으로) 돌리다
describe ⑧ 묘사하다, 말하다

[2행] But listening is**n't always** about [*letting* the other person speak and *staying* quiet].

→ not always는 '항상 ~한 것은 아니다'라는 의미로, 전체가 아닌 일부를 부정하는 [부분 부정]을 나타낸다.

→ [ ]는 전치사 about(~에 대한)의 목적어로, letting과 staying이 이끄는 동명사구가 등위접속사 and로 연결되어 쓰였다.

[7행] **Make sure [(that) you are accurately interpreting their comments]** by {*asking* questions like, "You are saying that …?"}

→ 「make sure + that」절은 '확실히[반드시] ~하다'라는 의미이다.

→ { }는 전치사 by(~함으로써)의 목적어 역할을 하는 동명사구이다.

[3행] [**Not wanting** to throw out fine clothes], people often donate them to charities {that send secondhand clothes to poor people in Africa}.

→ [ ]는 '양호한 상태의 옷을 버리는 것을 원치 않기 때문에'라는 의미로, [이유]를 나타내는 분사구문이다. 분사구문의 부정형은 분사 앞에 not이나 never를 붙여서 나타낸다.

→ { }는 앞에 온 선행사 charities를 수식하는 주격 관계대명사절이다.

[9행] **As** these free clothes from overseas flood the market, people have no reason *to buy local textile products*.

→ as는 '~하기 때문에'라는 의미로, 부사절을 이끄는 접속사로 쓰여 뒤에 「주어 + 동사」의 절이 왔다.

→ to buy 이하는 '현지의 섬유 제품을 살'이라는 의미로, to부정사의 형용사적 용법으로 쓰여 reason을 수식하고 있다.

[12행] This is why the governments are prohibiting such imports[**, which** harm the textile industry and worsen economic problems].

→ [ ]는 앞에 온 such imports를 선행사로 가지는 계속적 용법의 관계대명사절로, '그런데 그것들(이러한 수입품들)은 ~하다'라고 해석한다.

---

6 정답 ②

해석

매년 봄, 사람들이 봄맞이 대청소를 하면서 산더미 같은 옷들이 그들의 옷장에서 치워진다. 양호한 상태의 옷을 버리는 것을 원치 않기 때문에, 사람들은 그것들을 아프리카의 빈곤한 사람들에게 중고 옷을 보내는 자선단체에 종종 기부한다. 그러나, 몇몇 아프리카 국가들은 중고 옷의 전달을 막기 위해 노력하고 있다. 문제는 기부된 옷이 이 나라들의 경제에 부정적으로 영향을 미친다는 점이다. 해외에서 온 이러한 공짜 옷들이 시장에 넘치게 되면, 사람들은 현지의 섬유 제품을 살 이유가 없다. 이것이 정부가 이러한 수입품들을 금지하고 있는 이유인데, 그것은 섬유 산업에 해를 끼치고 경제적인 문제들을 악화시킨다.

① 장려하는
② 금지하는
③ 조사하는
④ 준비하는
⑤ 지연시키는

해설

빈곤 국가에 기부하는 중고 옷이 결국은 현지 섬유 산업에 해를 끼치고 경제적 문제들을 악화시키기 때문에, 몇몇 아프리카 국가들이 중고 옷의 전달을 막기 위해 노력하고 있다고 했다. 따라서 빈칸에는 ②이 가장 적절하다.

어휘

mountains of 산더미 같은   clear out 치우다, 청소하다
spring cleaning 봄맞이 대청소   donate 통 기부하다
charity 명 자선단체   secondhand 형 중고의, 고물의
delivery 명 전달, 배달   flood 통 넘치다, 물밀듯이 밀려들다
textile 명 섬유, 옷감   [선택지] prohibit 통 금지하다
inspect 통 조사하다, 점검하다

---

7 정답 ⑤

해석

항상 "응"이라고 말하기는 쉽다. 예를 들어, 친구를 돕는 것에 동의했던 상황에 처해본 적이 있을 것이다. 당신은 시간이 없다는 것을 알고 있음에도 불구하고, 어쨌든 돕겠다고 약속한다. 당신은 친구를 실망시키는 것이 두렵다. 그러나 "응"이라고 말함으로써 당신은 근본적으로 당신 자신의 배를 침몰시켰다. 당신은 그들의 목표를 당신의 것보다 더 중요하게 만들고 있다. 그리고 당신이 당신의 친구들을 위해 부탁을 항상 들어주고 있다면, 그것은 당신 자신의 이익에 부정적인 영향을 미칠 수 있다. 이것에 대해 이야기하는 것은 좌절감을 주고 또한 어렵다. 결국 당신은 친구가 당신을 이용한다고 느낄 수 있고 그들은 심지어 당신이 속상하다는 것을 알지도 못한다. 그러므로, 당신은 "아니"라고 말하는 법을 배워야 한다.

① 당신의 잘못을 인정하기를 거부했다
② 누군가가 당신을 속이도록 허용했다
③ 아무 이유 없이 말다툼을 시작했다
④ 당신에게만 이로운 방식으로 행동했다
⑤ 다른 사람의 요구를 당신 자신의 것보다 더 우선시했다

해설

친구를 실망시키기가 두려워서 그들의 부탁을 모두 들어준다면 자신의 이익에 부정적인 영향을 미칠 것이라 하였다. 따라서 '당신 자신의 배를 침몰시켰다'의 의미로 ⑤이 가장 적절하다.

▌오답 분석 ①, ②, ③은 글에서 언급된 일부 단어와 관련이 있으나 친구의 부탁을 거절할 줄도 알아야 한다는 글의 핵심 내용과는 상관없는 서술이므로 오답이다. ④은 거절하지 못하면 자신이 아닌 다른 사람에게만 이롭게 된다는 글

의 내용과 반대되므로 오답이다.

어휘

disappoint ⑧ 실망시키다　　sink ⑧ 침몰시키다, 가라앉히다
interest ⑱ 이익　　frustrating ⑲ 좌절감을 주는
take advantage of ~을 이용하다　　[선택지] deceive ⑧ 속이다
argument ⑱ 말다툼　　benefit ⑧ ~에 이롭다

구문 풀이

[1행] For example, you've probably been in a situation [**where** you've agreed to help a friend].

→ [ ]는 앞에 온 선행사 a situation을 수식하는 관계부사절이다. 관계부사는 「전치사 + 관계대명사」로 바꿔 쓸 수 있다.
= a situation **in which** you've agreed to help a friend

[7행] You are **making their goals more important** than yours.

→ 「make + 목적어 + 형용사」는 '~을 …하게 만들다'라는 의미이다. 이 문장에서는 형용사의 비교급 more important가 쓰였다.

[11행] In the end, you may feel [(that) a friend is taking advantage of you], and they don't even know {(that) you are upset}.

→ [ ]와 { }는 각각 may feel과 don't know의 목적어 역할을 하는 명사절로, 명사절 접속사 that이 생략되어 있다.

[14행] Thus, you need to learn **how to say** "no."

→ 「how + to-v」는 '~하는 법, 어떻게 ~할지'라는 의미로, to learn의 목적어 역할을 하고 있다. 「의문사 + to-v」는 문장의 주어, 보어 또는 목적어 역할을 한다. = 「how + 주어 + should + 동사원형」

8
정답 ③

해석

Frederick 선생님께,

저는 저희 학교 치어리딩 동아리를 대표하여 씁니다. 알고 계시듯이 저희 동아리는 연습을 위해 토요일마다 도시 공원에서 항상 만났습니다. 그 공원은 항상 붐비고, 가끔은 날씨 때문에 저희는 연습할 수조차 없습니다. 저희가 정기적인 일정을 지키기가 어렵습니다. 그래서 저희는 선생님께서 저희가 학교 체육관을 대신 사용할 수 있게 해주시기를 희망합니다. 그것은 저희 동아리가 더 많이 연습할 수 있도록 정말 도움이 될 것입니다. 저희에게 허가하는 것을 고려해주세요.

Alicia Thomas 올림

해설

치어리딩 연습을 위해 학교 체육관 사용을 허가해달라고 요청하는 글이므로, 글의 목적으로 가장 적절한 것은 ③이다.

어휘

on behalf of ~을 대표하여, ~을 대신하여　　crowded ⑲ 붐비는, 복잡한
stick to 지키다, ~을 고수하다　　regular ⑲ 정기적인, 규칙적인
gym ⑱ 체육관　　permission ⑱ 허가, 허락

구문 풀이

[3행] **As** you know, our club *has* always *met* for practice at the city park on Saturdays.

→ as는 '~하듯이, ~처럼'라는 의미로, 부사절을 이끄는 접속사로 쓰여 뒤에 「주어 + 동사」의 절이 왔다.

→ has met은 현재완료 시제(have p.p.)로, 이 문장에서는 과거에 시작된 일이 현재까지 이어지는 [계속]을 나타낸다.

[8행] It is hard *for us* **to stick to** a regular schedule.

→ It은 가주어이고, to stick to 이하가 진주어이다. 이때 가주어 It은 따로 해석하지 않는다.

→ 「for + 목적격」은 to부정사의 의미상 주어로, to부정사(to stick to)가 나타내는 동작의 주체이다.

9
정답 ④

해석

"그녀가 그걸 좋아할까요?" Hannah의 파티에 가는 길에 Katie가 엄마에게 물었다. "그럼, 좋아할 거야"라고 그녀의 엄마가 대답했다. Katie는 그녀의 친구 Hannah에게 그녀의 생일을 맞아 집에서 만든 케이크를 주려고 하던 참이었다. 그녀는 정말 그것을 그녀에게 보여 주고 싶어 했다. Katie는 케이크를 내려다봤다. 그것은 완벽했다! 그것은 연보라색 아이싱과 형형색색의 잘게 뿌려진 초콜릿으로 덮여 있었다. 파티에서 Katie는 Hannah를 찾아 달려갔고 웃으면서 그녀의 케이크를 보여 주었다. "생일 축하해!"라고 그녀가 소리쳤다. Hannah는 눈에 행복한 눈물을 보이면서 Katie를 한껏 안아주었다. Katie는 친구 얼굴에 띤 미소를 언제나 기억할 것이다.

① 침착하고 평화로운
② 피곤하고 기진맥진한
③ 긴장하고 걱정하는
④ 기쁘고 신이 난
⑤ 화나고 실망한

해설

Katie는 친구 Hannah의 생일 파티에 가며 자신이 만든 생일 케이크를 빨리 보여 주고 싶었고(excited), 파티에 도착해서 Hannah에게 달려가 생일 축하한다고 소리치며 케이크를 공개했다. Katie는 행복한 눈물을 보이는 Hannah를 보고, 그녀의 미소를 언제나 기억할 것이라고 했다(delighted). 따라서 Katie의 심경으로 가장 적절한 것은 ④이다.

어휘

homemade ⑲ 집에서 만든　　sprinkle ⑱ 잘게 뿌려진 초콜릿
reveal ⑧ 보이다, 드러내다

구문 풀이

[1행] Do you think [(that) she'll like it]?

→ [ ]은 think의 목적어 역할을 하는 명사절로, 명사절 접속사 that이 생략되어 있다.

[3행] Katie **was about to** give a homemade cake to her friend Hannah for her birthday.

→ be about to는 '막 ~하려고 하는 참이다'라는 의미로, 예정된 일을 막 하려는 상황을 나타낸다.

→ 「give + 직접목적어 + to + 간접목적어」는 '~에게 …을 주다'라는 의미이다. =「give + 간접목적어 + 직접목적어」

[5행] She **couldn't wait to show** it to her.

→ 「can't wait + to-v」는 '정말 ~하고 싶어 하다, ~할 것을 기다릴 수 없다'라는 의미로, 바람이나 기대를 나타내는 표현이다.

10
정답 ③

해석

한 연구에서, 연구자들은 온라인 쇼핑이 우리의 구매에 실제로 효과를 미치는지 확인하기를 원했다. 그래서 그들은 미국 성인들에게 그들이 인터넷에서 구매한 물건들과 가게들에서 구매한 것들을 비교해 달라고 요청했다. 참가자들은 실제 가게에서 쇼핑할 때 그들이 사탕이나 쿠키 같은 단 것을 더 많이 구매했다고 말했다. 단것이 그들의 바로 앞에 있었기 때문에, 참가자들은 그 단것을 사지 않을 수 없었다. 그러나, 참가자들은 그들이 온라인에서 쇼핑을 했을 때는 단것을 더 적게 샀다. 실제로, 그들은 그것들을 살 가능성이 더 적었는데 왜냐하면 그들은 화면상으로는 실제 음식을 마주치지 않았기 때문이다. 온라인에서 쇼핑을 함으로써, 소비자들은 그들이 실제 상품들을 볼 기회가 아예 없었기 때문에 단것을 사지 않을 수 있었다.

↓

사람들은 가게들이 보통 마련하는 진열품들을 안 (B) 보기 때문에, 온라인 쇼핑을 하는 동안 단것을 사도록 덜 (A) 설득된다.

(A)		(B)
① 산만해진	……	만들다
② 설득된	……	망치다
③ 설득된	……	보다
④ 안도한	……	구매하다
⑤ 안도한	……	무시하다

해설

단것이 눈에 바로 보이는 가게에서와 달리 사람들은 온라인 쇼핑을 할 때는 단것이 눈에 보이지 않아서 단것을 덜 사게 된다는 내용의 글이다. 따라서 요약문은 '사람들은 가게들이 보통 마련하는 진열품들을 안 (B) 보기 때문에, 온라인 쇼핑을 하는 동안 단것을 사도록 덜 (A) 설득된다'는 내용이 되어야 하므로 빈칸에 들어갈 말로 가장 적절한 것은 ③이다.

어휘

have an effect on ~에 효과를 미치다   compare 통 비교하다
participant 명 참가자   sweet 명 단것 형 달콤한
encounter 통 마주치다, 직면하다   chance 명 기회, 가능성
goods 명 상품, 물건   display 명 진열품, 전시품
[선택지] distract 통 산만하게 하다   persuade 통 설득하다
ruin 통 망치다

구문 풀이

[3행] So they asked American adults to compare the things [(which/that) they bought on the Internet] to {**what** they bought at stores}.

→ [ ]는 앞에 온 선행사 the things를 수식하는 목적격 관계대명사절로, 목적격 관계대명사 which/that이 생략되어 있다.

→ { }는 전치사 to의 목적어 역할을 하는 관계대명사절이다. 관계대명사 what은 선행사를 포함하고 있으며, '~하는 것'이라는 의미이다. 이때 what은 the thing(s) which[that]로 바꿔 쓸 수도 있다.

[15행] **By shopping** online, customers could keep themselves from buying sweets as they had no chance of seeing the real goods.

→ 「by + v-ing」는 '~함으로써, ~해서'라는 의미로 수단이나 방법을 나타낸다.

→ 「keep + 목적어 + from + v-ing」는 '~가 …하는 것으로부터 멀리하다/예방하다'라는 의미이다.

11
정답 ③

해석

많은 부모들이 비용과 그들(반려동물)이 얼마나 많은 보살핌을 필요로 하는지로 인해 아이들에게 반려동물을 기르게 하기를 거부한다. 그러나 반려동물은 특히 아이들에게 몇몇 이점을 정말 제공한다. ① 아이들은 동물을 돌보면 책임감에 대해 배울 수 있다. ② 더 나아가 아이가 반려동물과 강한 유대를 형성하면, 그것은 그들에게 관계와 신뢰에 대해 일찍 가르침을 줄 것이다. (③ 부모들은 아이들에게 그들 자신의 선택을 할 자유를 줌으로써 신뢰를 쌓을 수 있다.) ④ 이것은 그들이 나이가 들어감에 따라 사회적으로 발달하는 것을 도울 것이고 미래에 그들에게 이롭다는 것이 드러날 수 있다. ⑤ 아이들은 또한 반려동물과의 친밀한 우정을 통해 이러한 삶의 가르침을 배우는 과정을 즐길 것이다.

해설

반려동물을 기르는 일이 아이들에게 미치는 긍정적인 영향에 대해 설명하는 글이므로, 부모가 아이들에게 선택할 자유를 줌으로써 신뢰를 쌓는다는 ③은 글의 전체 흐름과 무관하다.

어휘

care 명 보살핌, 돌봄   responsibility 명 책임감   form 통 형성하다
bond 명 유대, 결속   early on 일찍, 초기에
advantageous 형 이로운, 유리한   lesson 명 가르침, 교훈

[1행] Many parents refuse to get their children pets because of the costs and [how much care they require].

→ [ ]는 「how + 부사 + 주어 + 동사」의 의문사가 이끄는 명사절로, 이때 how는 '얼마나'라고 해석한다. 여기서 care는 명사절의 목적어에 해당하며, how much의 수식을 받고 있다.

[3행] However, pets **do offer** some benefits, especially for children.

→ 일반동사 offer를 강조하기 위해 동사원형 앞에 조동사 do가 쓰였다.

[10행] This will **help them develop** socially *as* they get older and can prove to be advantageous to them in the future.

→ 「help + 목적어 + 동사원형」은 '~가 …하도록 돕다'라는 의미이다. = 「help + 목적어 + to-v」

→ as는 '~함에 따라, ~하면서'라는 의미로, 부사절을 이끄는 접속사로 쓰여 뒤에 「주어 + 동사」의 절이 왔다.

12 정답 ④

19세기 중반, 많은 사람들이 미국 동부에서 서부로 이주하기 시작했다. 그 결과, 사람들은 서부로 그리고 서부로부터 빠르게 메시지를 전할 수 있는 우편 서비스를 필요로 했다.

(C) 이러한 수요는 1860년 Pony Express의 설립으로 이어졌다. 그 서비스는 고객들에게 열흘 안에 8개 주를 가로질러 우편을 전달할 것을 약속했다. (A) Pony Express는 1,800마일까지의 거리를 지나 우편을 전달하기 위해 말과 기수만 이용했다. 이동을 시작하려면 한 기수가 여행의 첫 번째 100마일을 이동했다. (B) 어느 지점에서 그 기수는 다음 기수와 말이 여정을 계속할 수 있도록 우편을 그들에게 전달했다. 이런 식으로 그들은 동부와 서부를 연결하는 데에 성공했다.

19세기 중반 미국 사람들이 서부와 메시지를 주고받을 수 있는 우편 서비스를 필요로 했다는 주어진 글의 내용은 (C)의 This demand로 이어진다. (C)의 8개 주를 건너 우편을 전달한다는 약속은 (A)의 1,800마일까지의 거리를 이동한다는 내용으로 이어진다. (A)의 한 기수가 첫 번째 100마일을 이동했다는 내용은 (B)의 At some point와 the rider로 이어진다. 따라서 글의 순서로 가장 적절한 것은 ④이다.

deliver 동 전하다, 배달하다   rider 명 기수, (말·자전거 등을) 타는 사람
distance 명 거리   up to ~까지   travel 동 이동하다, 가다
journey 명 여정, 이동   connect 동 연결하다
establishment 명 설립, 수립

[3행] As a result, people needed a mail service [that could quickly deliver messages to and from the West].

→ [ ]는 앞에 온 선행사 a mail service를 수식하는 주격 관계대명사절이다. 이때 주격 관계대명사 that은 which로 바꿔 쓸 수 있다.

[11행] At some point, the rider passed mail to the next rider and horse, **so that** they could continue the journey.

→ so that은 부사절을 이끄는 접속사로, '~하도록'이라는 의미이다. 이 문장에서는 '그들이 여정을 계속할 수 있도록'이라고 해석한다.

13 정답 ③

테니스 선수들이 겪는 부상들 중 거의 3분의 2는 팔과 어깨 근육의 과도한 사용과 관련이 있다. 이 질환은 흔히 테니스 엘보라고 불린다.

(B) 그 이름은 팔꿈치의 과도한 사용을 암시하지만, 사실 테니스 엘보는 손목을 조절하는 근육에 가해진 압박의 결과이다. 이는 공을 치려고 손목을 끊임없이 움직이는 것이 아래쪽 팔 근육에 압박을 초래하는데, 이것이 근육 손상으로 이어지기 때문이다.

(C) 그러나, 이러한 손상은 방지될 수 있다. 트레이너들은 이 팔 근육들을 강화하기 위한 운동을 실시하는 것과 부상을 예방하기 위해 테니스를 치기 전에 준비 운동을 하는 것을 제안한다.

(A) 게다가, 그들은 치는 동안 적절한 기술을 사용하는 것과 근육에 대한 압박을 줄이는 장비를 찾는 것이 중요하다고 말한다.

'테니스 엘보'에 대한 주어진 글의 내용은 (B)의 the name으로 이어진다. 공을 치려고 손목을 끊임없이 움직인 결과 근육 손상으로 이어진다는 (B)의 내용은 (C)의 this damage로 이어지고, (C)의 However를 통해 이 손상이 발생하는 원인과 예방법이 이어진다. (C)의 트레이너들은 (A)의 they로 이어지고, (A)의 In addition 앞뒤로 테니스 엘보의 예방법에 대한 설명들이 이어진다. 따라서 글의 순서로 가장 적절한 것은 ③이다.

overuse 명 과도한 사용   condition 명 질환, 조건
be referred to as ~라고 불리다
tennis elbow 테니스 엘보(팔꿈치 부위의 염증)   proper 형 적절한
equipment 명 장비   stress 명 압박, 긴장   wrist 명 손목
constantly 부 끊임없이, 거듭   damage 명 손상, 피해
perform 동 실시하다, 행하다   prevent 동 예방하다

[6행] In addition, they say **it** is important **to use** proper techniques *while playing* and **to find** equipment that reduces stress on the muscles.

→ it은 가주어이고 등위접속사 and로 연결되어 쓰인 to use 이하와 to find 이하가 진주어이다. 이때 가주어 it은 따로 해석하지 않는다.

→ while playing은 '치는 동안'이라는 의미로, [동시동작]을 나타내는 분사구문이다. 분사구문의 의미를 분명하게 하기 위해 접속사 while이 생략되지 않았다.

= to use proper techniques **while they play**

[10행] While the name suggests overuse of the elbow, tennis elbow is actually the result of the stress [**put** on the muscles {that control the wrist}].

→ [ ]는 앞에 온 the stress를 수식하는 과거분사구이다. 이때 put은 '가해진'이라고 해석한다.

→ { }는 앞에 온 선행사 the muscles를 수식하는 주격 관계대명사절이다.

[18행] Trainers suggest [**performing** exercises to strengthen these arm muscles] and [**doing** warm-ups before playing tennis to prevent injuries].

→ 등위접속사 and로 연결되어 쓰인 [ ]는 suggest의 목적어 역할을 하는 동명사구이다.

14

[해석]
지휘자는 오케스트라에서 아주 중요한 역할을 하기 때문에 종종 "소리 없는 음악가"라고 불린다. (①) 비록 음악가들이 혼자서 클래식 음악을 연주할 수 있기는 하지만, 큰 그룹의 음악가들이 조화를 이루어 연주하기 위해서는 지휘자가 없어서는 안 된다. (②) 그 이유는 지휘자는 작품이 반드시 정확하게 연주되게 하면서 오케스트라의 리더 역할을 하기 때문이다. (③ 지휘자는 또한 오케스트라가 감정과 깊이를 가지고 연주하도록 영감을 불어넣는다.) 이런 식으로, 그 또는 그녀는 음악가들이 음악 이면의 감정을 표현하도록 이끌어 교향곡이 활기를 띠게 만든다. (④) 결국 연주되는 음악 작품의 모든 면을 이해하는 것이 지휘자의 책임이다. (⑤) 이런 이유로 모든 오케스트라에는 유능한 지휘자가 필요하다.

[해설]
주어진 문장의 also로 보아, 바로 앞에 지휘자가 하는 일에 대한 다른 설명이 와야 한다는 것을 알 수 있다. 따라서 지휘자는 오케스트라의 리더 역할을 한다는 문장 바로 뒤이자, 영감을 불어넣는 일을 가리키는 In this way 바로 앞인 ③에 들어가는 것이 적절하다.

[어휘]
conductor 몡 지휘자   depth 몡 깊이   silent 혱 소리 없는, 조용한
on one's own 혼자서, 단독으로   ensure 동 반드시 ~하게 하다
perform 동 연주하다   symphony 몡 교향곡
come alive 활기를 띠다   capable 혱 유능한

[구문 풀이]

[8행] The reason is [that a conductor acts as the leader of an orchestra, {**ensuring** that a piece is performed correctly}].

→ [ ]는 is의 보어 역할을 하는 명사절이다. 이때 명사절 접속사 that은 생략할 수 있다.

→ { }는 '작품이 정확하게 연주되게 하면서'라는 의미로, [동시동작]을 나타내는 분사구문이다.

= **while/as a conductor ensures** that a piece is performed correctly

[14행] In the end, **it** is the responsibility of a conductor **to understand** all aspects of the piece of music *being played*.

→ it은 가주어이고, to understand 이하가 진주어이다. 이때 가주어 it은 따로 해석하지 않는다.

→ being played는 앞에 온 the piece of music을 수식하는 현재분사구이다. 이때 being played는 '연주되는'이라고 해석한다.

15

[해석]

Bristol 국립 공원 미술 대회

이 대회는 아이들이 재미있게 자연과 연결되는 기회를 제공합니다! 저희는 아이들이 공원의 식물과 동물들의 창의적인 그림을 제출하기를 기다리고 있습니다.

참가자
- 7-13세 어린이

제출
- 응모 기한: 4월 5일
- 제출하는 곳: Bristol 국립 공원 사무실 (오직 본인이 직접)

세부 사항
- 아이들이 어른들의 도움을 받는 것이 허용되지 않습니다.
- 한 사람당 응모작 하나!

※ 우승자는 4월 29일에 저희 웹사이트에 발표될 것입니다.
※ 대회에 대한 더 많은 정보를 원하시면 www.bnp.com에 방문하세요.

[해설]
Bristol 국립 공원 사무실에 오직 본인이 직접 그림을 제출해야 한다고 했으므로, 안내문의 내용과 일치하지 않는 것은 ③이다.

[어휘]
connect with ~와 연결되다   submit 동 제출하다
entry 몡 응모, 응모작   in person 본인이 직접
assistance 몡 도움, 지원   announce 동 발표하다, 알리다

[2행] This contest provides an opportunity *for kids* **to connect with nature in a fun way!**

→ to connect 이하는 '재미있게 자연과 연결되는'이라는 의미로, to부정사의 형용사적 용법으로 쓰여 an opportunity를 수식하고 있다.

→ for kids는 to부정사의 의미상 주어로, to부정사(to connect)가 나타내는 동작의 주체이다.

[14행] Children **are** not **allowed to receive** assistance from adults.

→ 「be allowed + to-v」는 '~하도록 허락되다'라는 의미로, 「allow + 목적어 + to-v(~가 …하도록 허락하다)」의 수동태 표현이다.

[3행] Australians use customer reviews more than **twice as much as** Americans.

→ 「배수사 + as + 부사 + as」는 '~보다 몇 배 더 …하게'라는 의미이다. 이 문장에서는 '미국인들보다 두 배 더 많이'라고 해석한다.
= 「배수사 + 비교급 + than」

[12행] In Australia, search engines are used **the most** for online shopping, [*followed* by advertisements].

→ 「the + 형용사/부사의 최상급」은 '가장 ~한/하게'라는 의미이다.

→ [ ]는 '광고가 그 뒤를 잇는다'라는 의미로, [동시동작]을 나타내는 분사구문이다. 분사구문으로 만드는 부사절에 수동태가 쓰였을 경우 동사를 「Being p.p.」로 바꾸는데, 이때 Being은 생략할 수 있다.
= **while/as** search engines are followed by ~

16
정답 ⑤

미국과 호주에서 온라인에서 쇼핑할 때 정보 출처의 이용

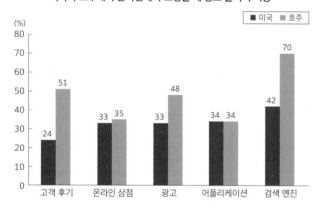

위 그래프는 미국과 호주 사람들이 온라인 쇼핑을 할 때 어떤 정보 출처를 참조하는지 보여 준다. ① 호주인들은 미국인들보다 고객 후기를 두 배 이상 더 많이 이용한다. ② 미국에 있는 사람들은 온라인 쇼핑을 할 때 온라인 상점을 광고만큼 자주 참고한다. ③ 광고의 경우, 미국과 호주의 차이는 15퍼센트포인트이다. ④ 어플리케이션을 참고하는 사람들의 비율은 미국과 호주에서 동일하다. ⑤ 호주에서는 온라인 쇼핑을 위해 검색 엔진이 가장 많이 이용되고, 광고가 그 뒤를 잇는다.

호주에서는 온라인 쇼핑을 위해 검색 엔진을 가장 많이 사용하고 그 다음으로는 광고가 아닌 고객 후기를 많이 이용하므로, 도표의 내용과 일치하지 않는 것은 ⑤이다.

source 명 출처, 원천   advertisement 명 광고
search engine 검색 엔진   gap 명 차이   follow 동 뒤를 잇다

17
정답 ②

스트레스를 받는 상황에 의해 속상함을 느끼는 것은 인간의 흔한 반응이다. 그러나 매우 예민한 사람(HSP)에게 이런 종류의 경험은 ① 더 큰 감정적 영향을 미칠 수 있다. HSP는 사회적, 신체적, 감정적 상호 작용에 대해 태어나면서부터 더 큰 민감도를 가지고 있는 것으로 여겨진다. 그들에게는, ② 내부의(→외부의) 요인들이 극렬한 감정을 일으킬 수 있다. 예를 들어, 그들은 다른 사람들 때문에 쉽게 기분이 상할 수 있고, 미술이나 자연에 더 많이 ③ 영향을 받을 수도 있다. 이것은 그들이 다른 사람들에 비해 많은 정신적 에너지를 소모하고 쉽게 ④ 지치게 만든다. 따라서 그들이 이따금 그들을 긴장하거나 불안하게 만드는 것들을 피하는 것은 놀랍지 않다. 이는 이상한 행동처럼 보일 수 있지만 매우 예민한 그 사람들은 그저 그들 자신을 ⑤ 보호하려는 것이다.

매우 예민한 사람(HSP)은 사회적, 신체적, 감정적 상호 작용에 태어나면서부터 더 큰 민감도를 가지고 있어서 그들을 긴장하거나 불안하게 만드는 것들을 피하기도 한다는 내용의 글이다. 따라서 ②이 포함된 문장의 내부 요인이 극렬한 감정을 일으킬 수 있다는 것은 문맥에 맞지 않으므로, internal(내부의)을 external(외부의)과 같은 단어로 고쳐야 한다.

sensitive 형 예민한, 민감한   naturally 부 태어나면서부터
sensitivity 명 민감도, 예민함   intense 형 극렬한, 강렬한
offend 동 기분을 상하게 하다   consume 동 소모하다
tense 형 긴장한, 신경이 날카로운   anxious 형 불안한

[11행] This **causes them to consume** a lot of mental energy compared to other people and **to *become*** easily *exhausted*.

→ 「cause + 목적어 + to-v」는 '~가 …하도록 만들다, 야기하다'라는 의미이다. 여기서는 to consume과 to become이 등위접속사 and로 연결되어 쓰였다.

→ 「become + 형용사」는 '~하게 되다'라는 의미이다.

[13행] So, **it** is not surprising [that they sometimes avoid what *makes them tense* or *anxious*].

→ it은 가주어이고, that절이 진주어이다. 이때 가주어 it은 따로 해석하지 않는다.

→ 「make + 목적어 + 형용사」는 '~을 …하게 만들다'라는 의미이다. 여기서는 tense와 anxious가 등위접속사 or로 연결되어 쓰였다.

[15행] This might **seem like** strange behavior, but those highly sensitive people are just trying to protect *themselves*.

→ 「seem like + 명사」는 '~처럼 보이다'라는 의미이다.

→ to부정사(to protect)의 목적어가 주어(those highly sensitive people)와 같은 대상이므로 재귀대명사(themselves)가 쓰였다.

18
정답 ③

[해석]

인터넷은 잔인한 공간일 수 있다. 인기 있는 소셜 미디어 네트워크가 이것의 증거이다. 사람들은 주기적으로 무례한 댓글을 더하면서 서로에게 덜 공손하다. 한 조사는 다른 사람들을 향한 나쁜 행동이 심지어 밀레니얼 세대의 3분의 2까지만큼에 의해 온라인상에 보여졌다는 것을 발견했다. 그러나 전문가들은 이것의 이유가 무엇인지 궁금해한다. 물리적 거리는 그들이 고려해본 한 가지 요인이다. 예를 들어 사람들이 휴대전화로 댓글을 작성하고 있으면, 아무도 그들이 입력하는 동안 메시지를 볼 수 없다. 그것은 그들이 그들 자신에게 말하는 것과 같고, 그들은 다른 누군가가 관련되어 있다는 것을 잊어버린다. 만약 그들에게 다른 사람과 마주보고 말할 기회가 주어진다면, 그들은 아마 더 친절할 것이다.

[해설]

③은 불완전한 절을 이끌고 있으며, 선행사 one factor를 수식하고 있으므로 선행사를 포함하는 관계대명사 what을 관계대명사 which 또는 that으로 고쳐야 한다.

■ 오답 분석 ①은 분사구문을 이끌고 있으며, 주절의 주어 Individuals가 더하는 행동의 주체이므로 현재분사 adding이 온 것은 적절하다.

②은 found의 목적어 역할을 하는 완전한 절을 이끌고 있으므로, 명사절 접속사 that이 온 것은 적절하다.

④은 전치사 to의 목적어이며, 문맥상 문장의 주어 they와 같은 대상이므로, 재귀대명사 themselves가 오는 것이 적절하다.

⑤은 문장의 주어 they가 문맥상 주는 행위의 대상이므로, 수동태 동사 were given이 온 것은 적절하다.

[어휘]

cruel 형 잔인한   polite 형 공손한, 예의 바른
regularly 부 주기적으로, 정기적으로   up to ~까지
physical 형 물리적인, 신체의   involve 동 관련시키다
face-to-face 부 마주보고

구문 풀이

[4행] One survey even found [that bad behavior towards others **has been demonstrated** online by up to two-thirds of millennials].

→ [ ]는 found의 목적어 역할을 하는 명사절이다. 이때 명사절 접속사 that은 생략할 수 있다.

→ 수동태가 현재완료 시제로 쓰였다. 현재완료 시제는 have/has 뒤에 과거분사(p.p.)가 오므로, 현재완료 시제의 수동태는 「have/has been + p.p.」가 된다.

[7행] But experts wonder [what the reason for this is].

→ [ ]는 「의문사(what) + 주어 + 동사」의 간접의문문으로, wonder의 목적어 역할을 하고 있다.

19~20

[해석]

교육에 있어서, 우리는 많은 경우 더 오래 공부하는 것이 더 좋다고 생각한다. 요즘의 학생들은 몇 시간씩 학습하도록 강요받는데, 왜냐하면 사람들이 그것이 미래의 성공으로 이어질 것이라고 여기기 때문이다. 그러나 (a) 충분한 휴식 또한 학습에 중요하다. 만약 학생들이 너무 많은 과업에 지친다면, 그들은 어떤 새로운 것이라도 실제로 받아들이는 것을 (b) 힘들어할 것이다. 핀란드에서는 정부가 이 논리를 교육 시스템에 적용했다. 그들에게 더 적은 것이 더 많은 것이다. 핀란드 학생들은 다른 여러 나라의 학생들보다 적은 수업 시간과 수업 일수를 가진다. 그런데도 그 나라는 여전히 (c) 훌륭한 교육으로 알려져 있다. 이 학생들이 그렇게 적은 공부 시간으로도 그렇게 많이 배울 수 있는 이유는 그들이 충분한 휴식을 취한다는 것이다. 그들은 교실에 항상 머무르는 대신 가족 및 친구들과 시간을 보내도록 (d) 권장받는다. 이것은 그들의 뇌에 정보를 정리할 기회를 준다. 이와 같은 휴식 없이는, 정보를 (e) 잊어버리기(→기억하기) 더 어렵다. 따라서 좋은 교육을 위해 공부는 필수적이긴 하지만, 그것으로부터 벗어난 시간을 보내는 것 역시 필요하다.

[어휘]

push 동 강요하다, 떠밀다   sufficient 형 충분한
absorb 동 받아들이다, 흡수하다   apply 동 적용하다
remain 동 머무르다, 남다   organize 동 정리하다
break 명 휴식, 쉬는 시간   [선택지] class material 수업 자료
motivate 동 동기를 부여하다

구문 풀이

[6행] If students are exhausted from too much work, they will struggle to actually absorb **anything new**.

→ anything과 같이 -thing으로 끝나는 대명사는 형용사가 뒤에서 수식한다. 이 문장에서는 형용사 new가 대명사 anything을 수식하여 '어떤 새로운 것'이라고 해석한다.

[15행] **The reason** [(why) these students are able to learn so much with so little study time] is that they get enough rest.

→ [ ]는 앞에 온 선행사 The reason을 수식하는 관계부사절로, 관계부사 why가 생략되어 있다. 관계부사의 선행사가 the reason, the place, the time과 같이 이유, 장소, 시간을 나타내는 일반적인 명사인 경우 선행사나 관계부사 중 하나를 생략할 수 있다.

[24행] So, **while** studying is essential for a good education, [*taking* time away from it] is also needed.

→ while은 부사절을 이끄는 접속사로, '~이긴 하지만'이라는 의미이다.

→ [ ]는 문장의 주어 역할을 하는 동명사구이다.

19

정답 ③

(해석)
① 효과적인 수업 자료들을 준비하는 방법
② 독립적인 학습이 교육의 핵심이다!
③ 휴식을 위한 시간: 효과적인 학습의 비결
④ 좋은 성적 거두기: 열심히가 아니라 똑똑하게 공부하라
⑤ 아이들이 학습에 관심을 갖도록 동기를 부여하는 비결

(해설)
효과적인 학습을 위해서는 충분한 휴식 역시 중요하다는 내용의 글이므로, 글의 제목으로 가장 적절한 것은 ③이다.

▌ 오답 분석 ①, ②, ④, ⑤은 글의 중심 소재인 rest가 포함되어 있지 않으므로 오답이다.

20

정답 ⑤

(해설)
효과적인 학습을 위해서는 충분한 휴식 역시 중요하다는 내용의 글로, 휴식하는 동안 뇌가 정보를 정리할 기회를 가진다고 설명하고 있다. 그런데 ⑤의 휴식이 없으면 정보를 잊어버리기 더 어렵다는 것은 문맥에 맞지 않으므로, forget(잊어버리다)을 remember/recall(기억하다)과 같은 단어로 고쳐야 한다.

미니모의고사 2

1 ⑤	2 ④	3 ③	4 ④	5 ②
6 ④	7 ②	8 ②	9 ①	10 ③
11 ③	12 ④	13 ③	14 ⑤	15 ④
16 ⑤	17 ③	18 ②	19 ⑤	20 ④
21 ⑤				

1

정답 ⑤

(해석)
사람들이 스트레스를 받는 상황에 직면할 때, 그들의 호흡은 빠르고 얕아진다. 이와 같은 경우 "심호흡을 하다"라는 문구가 생각난다. 그것은 호흡이란 그저 사람들의 몸이 산소를 얻도록 해 주는 자연적인 과정이기만 하지 않기 때문이다. 심호흡을 하는 것은 또한 사람들의 기분을 나아지게 할 수 있다. 배에서부터 심호흡을 함으로써 사람들은 그들의 호흡 패턴을 바꾸고 공기의 흐름을 늘릴 수 있다. 이것은 신경계를 진정시키기 때문에 신체적으로 그들을 진정시킬 수 있다. 부정적인 감정이 줄어들기 때문에 그들은 좀 더 편안함을 느낀다. 따라서 심호흡은 스트레스를 다루기 위한 간단한 해결 방법이다.

① 산소가 인체에 미치는 영향
② 스트레스 수준을 조절하는 것의 중요성
③ 공기 흐름을 늘리는 호흡 기법
④ 초조함과 스트레스의 차이점들
⑤ 스트레스를 완화하는 방법으로서 심호흡

(해설)
심호흡은 신경계를 진정시켜 부정적인 감정을 줄여준다는 내용의 글이므로, 글의 주제로 가장 적절한 것은 ⑤이다.

▌ 오답 분석 ①, ②, ④은 글의 중심 소재 중 하나인 deep breathing이 포함되지 않았으므로 오답이다. ③은 breathing을 포함하고 있으나 글의 중심 소재인 stress에 대한 내용이 빠져 있으므로 오답이다.

(어휘)
phrase 몡 문구, 구절   take a deep breath 심호흡을 하다
come to mind 생각나다   oxygen 몡 산소   stomach 몡 배
airflow 몡 공기의 흐름   physically 봄 신체적으로
quiet 동 진정시키다, 가라앉히다   manage 동 다루다, 관리하다
[선택지] nervousness 몡 초조함

(구문 풀이)

[1행] When people face stressful situations, their breathing **becomes quick** and **light**.

→ 「become + 형용사」는 '~하게 되다'라는 의미이다. 여기서는 quick과 light가 등위접속사 and로 연결되어 쓰였다.

[4행] That's because breathing isn't just a natural process [that *allows people's bodies to get* oxygen].

→ [ ]는 앞에 온 선행사 a natural process를 수식하는 주격 관계 대명사절이다. 이때 주격 관계대명사 that은 which로 바꿔 쓸 수 있다.

→ 「allow + 목적어 + to-v」는 '~이 …하도록 (허락)해 주다'라는 의미이다. 여기서는 '사람들의 몸이 산소를 얻도록 해 주다'라고 해석한다.

[10행] This can physically calm them **since** it quiets the nervous system.

→ since는 '~ 때문에'라는 의미로, 부사절을 이끄는 접속사로 쓰여 뒤에 「주어 + 동사」의 절이 왔다.

구문 풀이

[4행] This **makes *it* more difficult** for us *to get* a good night's rest because our bodies need to cool down before bed.

→ 「make + 목적어 + 형용사」는 '~을 …하게 만들다'라는 의미이다. 여기서는 목적어 it 뒤에 형용사의 비교급 more difficult가 쓰였다.

→ it은 가목적어이고, to get 이하가 진목적어이다. 이때 가목적어 it은 따로 해석하지 않는다.

→ 「for + 목적격」은 to부정사의 의미상 주어로, to부정사(to get)가 나타내는 동작의 주체이다.

[6행] **It** is recommended **[that** people (should) get around seven hours of sleep**]**.

→ It은 가주어이고, that절이 진주어이다. 이때 가주어 it은 따로 해석하지 않는다.

→ 제안을 의미하는 동사 recommend 뒤에 오는 that절의 동사 자리에는 「(should) + 동사원형」이 온다. 이 문장에서는 should가 생략되어 있다.

[13행] So, **unless** climate change is addressed, there could be many uncomfortable nights in our future.

→ unless는 부사절을 이끄는 접속사로, '~하지 않는 한'이라는 의미이다.

2 정답 ④

해석

기후 변화는 우리의 가장 귀중한 자원 중 하나를 해치고 있다: 바로 수면이다. 지구가 더 따뜻해지면서 밤 기온이 오르고 있다. 이것은 우리가 밤에 잠을 잘 자는 것을 더 어렵게 만드는데, 왜냐하면 우리의 몸은 자기 전에 식어야 하기 때문이다. 사람들은 약 7시간의 수면을 취하는 것이 권장된다. 그러나 기온이 너무 높을 때는 이것을 이루기가 더 어렵다. 그 결과 우리는 잠드는 데에 더 긴 시간을 보낸다. 실제로 전문가들은 사람들이 기후 변화 때문에 이미 매년 약 44시간의 수면을 잃고 있다고 추정한다. 그들은 기온이 오름에 따라 그 수치가 증가할 것이라 예상한다. 따라서 기후 변화에 대처하지 않는 한, 우리 미래에는 많은 불편한 밤들이 있을 것이다.

① 자는 동안 시원하게 있기 위한 방법들
② 왜 수면이 우리 건강에 중요한가
③ 지구의 기온: 미래 예측
④ 상승하는 기온은 더 적은 수면을 의미할 수 있다
⑤ 수면의 단계들: 수면 주기의 개요

해설

우리는 밤에 잠을 자려면 몸이 식어야 하는데 기후 변화로 인해 밤 기온이 오르자 수면 시간이 짧아지고 있다는 내용의 글이므로, 글의 제목으로 가장 적절한 것은 ④이다.

▌오답 분석 ①, ②, ⑤은 글의 중심 소재 sleep이 포함되어 있지만 기후 변화로 인해 상승하는 온도에 대한 내용이 빠져 있으므로 오답이다. ③은 글의 중심 소재 sleep이 포함되지 않았으므로 오답이다.

어휘

harm 동 해치다　　valuable 형 귀중한, 소중한　　resource 명 자원
temperature 명 기온　　rest 명 잠, 수면, 휴식
cool down 식다, 서늘하게 하다　　recommend 동 권장하다
fall asleep 잠들다　　estimate 동 추정하다　　address 동 대처하다
[선택지] forecast 명 예측　　overview 명 개요, 개관

3 정답 ③

해석

당신이 방금 배운 것들을 잊어버리는 것은 정상이다. 그러나 이것이 일어날 가능성을 줄이는 쉬운 방법이 있다. 당신에게 필요한 것은 펜과 종이가 전부이다. 당신이 무언가를 적을 때, 당신의 몸과 감각은 더 몰두해 있게 된다. 만약 당신이 수업을 들으면서 필기하지 않는다면, 당신은 그저 수업을 듣고 선생님이 말하는 것을 지켜보고 있을 뿐이다. 하지만 만약 당신이 수업 동안 정보를 받아 적게 되면, 당신은 손을 움직이고 종이를 보고 펜을 만지고 있기도 한다. 정보에 대한 당신의 기억은 각 글자를 쓰기 위해 당신이 하는 움직임과 관련되게 된다. 이러한 보다 높은 수준의 감각 활동은 당신에게 자료를 기억할 더 나은 가능성을 준다.

해설

수업 시간에 정보를 받아 적으면 더 많은 감각이 관련되어 더 잘 기억할 수 있다는 내용의 글이므로, 글의 요지로 가장 적절한 것은 ③이다.

어휘

reduce 동 줄이다　　happen 동 일어나다, 발생하다
engaged 형 몰두해 있는　　take notes 필기하다, 기록하다
tied to ~과 관련 있는　　material 명 자료, 재료

[1행] **It** is normal **to forget** things [(which/that) you have just learned].

→ It은 가주어이고 to forget 이하가 진주어이다. 이때 가주어 it은 따로 해석하지 않는다.

→ [ ]는 앞에 온 선행사 things를 수식하는 목적격 관계대명사절로, 목적격 관계대명사 which/that이 생략되어 있다.

[2행] But there's an easy way **to reduce the chances of** *this happening*.

→ to reduce 이하는 '이것이 일어날 가능성을 줄이는'이라는 의미로, to부정사의 형용사적 용법으로 쓰여 an easy way를 수식하고 있다.

→ this는 동명사의 의미상 주어로, 동명사(happening)가 나타내는 동작의 주체이다.

[8행] However, if you're writing down information during the class, you're also **moving** your hand, **looking** at the paper, and **touching** your pen.

→ 현재분사 moving, looking, touching이 등위접속사 and로 연결되어 쓰였다. 이때 세 가지 이상의 단어가 나열되었으므로 「A, B, and C」로 나타냈다.

[2행] With this quote, tennis player Andre Agassi highlights [how practice is needed for success].

→ [ ]는 「의문사(how) + 주어 + 동사」의 의문사가 이끄는 명사절로, highlights의 목적어 역할을 하고 있다.

[11행] **Even if** the rewards of your labor seem far away, you should continue practicing.

→ even if는 부사절을 이끄는 접속사로, '비록 ~하더라도'라는 의미이다.

4

정답 ④

해석

"만약 당신이 연습하지 않는다면 당신은 이길 자격이 없다." 이 인용구를 통해 테니스 선수 Andre Agassi(안드레 애거시)는 연습이 어떻게 성공에 필요한지를 강조한다. 그것이 없다면 당신은 실력을 향상시킬 수 없다. 그것이 바로 목표를 달성하는 것이 매일 노력할 것을 당신에게 요구하는 이유이다. 만약 당신이 유명한 작가가 되고 싶다면, 당신은 글을 쓰고 당신의 글을 공유하고 매일 피드백을 받아야 한다. 또는 만약 당신이 인기 있는 그림을 만들어 내고 싶다면, 당신은 하루에 적어도 한 번은 당신의 작품에 노력을 들일 시간을 내야 한다. 비록 당신이 들인 노력의 보상이 멀리 있는 것처럼 보일지라도, 당신은 계속 연습해야 한다. 그 전념은 미래에 결실을 맺을 것이고, 결국 당신이 꿈을 이루도록 도와줄 것이다.

해설

목표를 향해 매일 노력하고 연습해야 꿈을 이룰 수 있다는 내용의 글이므로, 필자의 주장으로 가장 적절한 것은 ④이다.

▌ 오답 분석 ①, ②, ③, ⑤은 글의 중심 소재인 '노력' 혹은 '연습'이 포함되지 않았으므로 오답이다.

어휘

deserve 동 ~할 자격이 있다　highlight 동 강조하다

skill 명 실력, 기량　make an effort 노력하다, 애쓰다

piece 명 글, 작품　make time 시간을 내다

work on ~에 노력을 들이다　reward 명 보상　labor 명 노력, 노동

commitment 명 전념, 헌신　pay off 결실을 맺다

5

정답 ②

해석

문제를 정확하게 정의할 수 있는 것이 그것을 해결하는 것의 중요한 부분이다. 우리가 직면한 정확한 문제를 인식하지 못할 때, 우리는 아무것도 달성하지 못하는 "해결책들"에 굉장히 많은 노력을 허비한다. 우리는 많은 에너지를 쓰고도 어떠한 진전도 이루지 못할 때 결국 헛수고를 하게 된다. 그것은 우리가 포기하게 만들 수 있는 좌절감을 일으키는 감정이다. 이러한 상황을 피하려면 분석에 시간을 들여야 한다. 우리는 우리가 직면하고 있는 어려움을 해결하기 위해 즉각적으로 다양한 것들을 시도해서는 안 된다. 문제를 신중하게 검토하고 그것의 본질에 대해 앎으로써, 우리는 그것에 대한 효과적인 해결책을 발견할 훨씬 더 큰 가능성을 가진다.

① 비교

② 분석

③ 토론

④ 교육

⑤ 협력

해설

문제를 정확하게 인식하지 못하면 시간과 노력을 허비하게 되고, 문제를 신중하게 검토하고 그것의 본질에 대해 알아야 효과적인 해결책을 발견할 더 큰 가능성을 가진다고 했다. 따라서 빈칸에 들어갈 말로 가장 적절한 것은 ②이다.

▌ 오답 분석 ①, ③, ④, ⑤은 문제를 신중하게 검토하고 그것의 본질에 대해 알아야 효과적인 해결책을 발견할 수 있다는 글의 핵심 내용과 관련이 없으므로 오답이다.

어휘

accurately 부 정확하게　define 동 정의하다

identify 동 인식하다, 알아채다　exact 형 정확한

accomplish 동 달성하다

spin one's wheels 헛수고하다, 시간을 낭비하다

progress 명 진전, 진행　frustrating 형 좌절감을 일으키는

resolve 동 해결하다　examine 동 검토하다　true nature 본질

effective 형 효과적인

구문 풀이

[1행] [**Being** able to accurately define a problem] **is** a crucial part of solving it.

→ [ ]는 문장의 주어 역할을 하는 동명사구이다. 동명사구는 단수 취급하므로 뒤에 단수동사 is가 쓰였다.

[5행] We end up spinning our wheels, [**using** lots of energy and **not making** any progress].

→ [ ]는 '~할 때'라는 의미의 시간을 나타내는 분사구문으로, 여기서는 현재분사 using과 not making이 등위접속사 and로 연결되어 쓰였다. 분사구문의 부정형은 분사 앞에 not이나 never를 붙여 만든다.

= ~ **when we use** lots of energy and **do not make** any progress.

[7행] It is a frustrating feeling [that can **make us give up**].

→ [ ]는 앞에 온 선행사 a frustrating feeling을 수식하는 주격 관계대명사절이다.

→ 「make + 목적어 + 동사원형」은 '~가 …하도록 만들다'라는 의미이다.

어휘

avoid 동 예방하다, 피하다   controlled 형 통제된
prevent 동 예방하다, 막다   wildfire 명 산불, 들불
dead leaves 낙엽   soil 명 토양   nutrient 명 영양분
protect 동 보호하다, 지키다   [선택지] cause 명 원인
limit 동 제한하다

구문 풀이

[1행] Most people think [(that) forest fire is dangerous and must be avoided], but a "controlled burn" is different.

→ [ ]는 think의 목적어 역할을 하는 명사절로, 명사절 접속사 that이 생략되어 있다.

[4행] Controlled burns ~ by [**removing** dry things like dead leaves from the forest floor].

→ [ ]는 전치사 by(~함으로써)의 목적어 역할을 하는 동명사구이다.

[7행] And forestry experts always control the fires **so that** they only go through certain areas.

→ so that은 부사절을 이끄는 접속사로, '~하도록'이라는 의미이다.

6
정답 ④

해석

대부분의 사람들은 산불이 위험하고 반드시 예방되어야 한다고 생각하지만, "통제된 산불"은 다르다. 그것은 숲에 몇몇 이로움을 주기 위해 전문가들에 의해 신중하게 이루어진다. 통제된 산불은 숲의 바닥에서 낙엽과 같은 건조한 것들을 없앰으로써 미래의 산불을 예방한다. 그리고 산림 관리 전문가들은 항상 불이 특정 지역만 통과하도록 불을 통제한다. 이렇게 해서, 이 불들은 숲 전체를 해치지 않는다. 불에 탄 나무들이 중요한 영양분을 제공하기 때문에 그것들은 토양에 도움을 준다. 통제된 산불로, 지역 주민들은 보호받고 숲은 장기적으로 더 건강해진다.

① 나무의 성장을 막기
② 사람들에게 화재 안전에 관해 교육하기
③ 산불의 원인을 밝히기
④ 숲에 몇몇 이로움을 주기
⑤ 식물과 동물의 수를 제한하기

해설

산림 전문가들이 산불을 신중하게 통제함으로써 산불이 숲 전체를 해치지 않고 토양에 영양분을 준다고 했다. 또한 지역 주민들이 보호받고 숲이 더 건강해진다고 했으므로 빈칸에 들어갈 말로 가장 적절한 것은 ④이다.

▌오답 분석 ①, ⑤은 통제된 산불은 장기적으로 숲을 더 건강하게 만든다는 글의 내용과 반대되므로 오답이다. ②은 사람들에게 화재 안전을 교육한다는 것은 글의 핵심 내용과 관련이 없으므로 오답이다. ③은 글의 중심 소재인 forest wildfires를 포함하고 있으나, 그 원인을 밝힌다는 것은 글의 핵심 내용과 관련이 없으므로 오답이다.

7
정답 ②

해석

갈등은 사람들이 싸우거나 의견이 충돌할 때 일어난다. 그것은 사람들이 가지고 있는 차이점에서 생겨나고 고정된 태도와 입장에 의해 더 악화된다. 그러나 우리의 차이점들을 무언가 부정적인 것으로 여기는 것은 갈등에 대한 편협한 관점을 가지는 것이다. 그것은 우리가 모든 의견 충돌을 인신공격으로 여기도록 만든다. 우리는 갈등에 이렇게 접근하면 안 되는데, 왜냐하면 그러면 우리는 방어적이고 더 감정적이게 되기 때문이다. 그 대신, 갈등이 우리의 지평을 넓히게 하자. 다른 사람들의 다양한 관점을 소중히 여김으로써, 우리는 갈등을 통해 기회를 얻을 수 있다. 만약 우리가 새로운 관점을 듣는 데에 우리 자신의 마음을 터놓는 기회로 갈등에 접근한다면, 우리는 우리의 이해를 넓힐 수 있다. 우리는 더 큰 개인적 성공을 달성하고 우리 자신을 위해 더 나은 결정을 할 수 있다.

① 미래를 위해 우리의 토론 능력을 향상시키다
② 제한된 생각의 방식을 극복하다
③ 우리 감정의 폭을 넓히다
④ 우리가 이미 가지고 있는 믿음을 확실하게 하다
⑤ 다른 사람들과의 닮은 점을 더 쉽게 찾다

해설

갈등을 새로운 관점을 배우는 기회로 여기면 우리의 이해를 넓힐 수 있다고 하고 있다. 따라서 '우리의 지평을 넓히다'의 의미로 ②이 가장 적절하다.

▌오답 분석 ①, ③, ⑤은 갈등을 새로운 관점을 접해서 우리의 이해를 넓히는 기회로 여겨야 한다는 글의 핵심 내용과 관련이 없으므로 오답이다. ④은 글의 핵심 내용과 반대되므로 오답이다.

disagreement 몡 의견 충돌, 다툼   come from ~에서 생겨나다
fixed 휑 고정된   position 몡 입장, 태도   narrow 휑 편협한, 좁은
personal attack 인신공격   defensive 휑 방어적인
horizon 몡 지평, 수평선   value 동 소중히 여기다
viewpoint 몡 관점   open oneself up ~의 마음을 터놓다
perspective 몡 관점, 시각   [선택지] confirm 동 확실하게 하다
similarity 몡 닮은 점, 유사점

구문 풀이

[4행] But [**seeing** our differences as *something negative*] is {**taking** a narrow view of conflict}.

→ [ ]는 문장의 주어 역할을 하는 동명사구, { }는 is의 보어 역할을 하는 동명사구이다.
→ something과 같이 -thing으로 끝나는 대명사는 형용사가 뒤에서 수식한다. 이 문장에서는 형용사 negative가 대명사 something을 뒤에서 수식하여 '무언가 부정적인 것'이라고 해석한다.

[13행] **If** we approach conflict as a chance *to open ourselves up* to [hearing new perspectives], we can expand our understanding.

→ if는 부사절을 이끄는 접속사로, '만약 ~한다면'이라는 의미이다.
→ to open 이하는 '마음을 터놓는'이라는 의미로, to부정사의 형용사적 용법으로 쓰여 a chance를 수식하고 있다.
→ [ ]는 전치사 to(~에)의 목적어 역할을 하는 동명사구이다.

8
정답 ②

해석

Miller 씨께,

귀하의 숙박을 위해 Sunset Palms 호텔을 선택해 주셔서 대단히 감사합니다. 저희는 고객님의 방문이 즐거우셨기를 바랍니다. 저희는 객실과 서비스에 관한 고객님의 의견을 듣고 싶습니다. 그래서 이 이메일에 고객님이 저희와의 경험에 대해 작성할 양식을 첨부하였습니다. 고객님께서 설문을 작성해주신다면 정말 감사드리겠습니다. 그것은 저희가 서비스를 개선하는 데에 도움이 될 것입니다. Sunset Palms 호텔에서 저희는 여러분께 최상의 것을 제공하는 데에 전념하며, 가까운 시일에 고객님을 다시 뵙기를 바랍니다.

Sunset Palms 호텔 관리자 Trent Harper 드림

해설

호텔에 숙박한 고객에게 설문을 작성해 달라고 부탁하는 글이므로, 글의 목적으로 가장 적절한 것은 ②이다.

어휘

stay 몡 숙박, 머무름   attach 동 첨부하다, 붙이다   form 몡 양식
fill out ~을 작성하다   complete 동 작성하다, 기입하다
survey 몡 설문   dedicated 휑 전념하는, 헌신하는

구문 풀이

[6행] So, we have attached a form to this email for you *to fill out about your experience with us*.

→ to fill out 이하는 '저희와의 경험에 대해 작성할'이라는 의미로, to부정사의 형용사적 용법으로 쓰여 a form을 수식하고 있다.
→ 「for + 목적격」은 to부정사의 의미상 주어로, to부정사(to fill out)가 나타내는 동작의 주체이다.

[10행] At Sunset Palms Hotel, we are dedicated to [**giving** you the very best], and we *hope to see* you again sometime soon.

→ [ ]는 전치사 to(~에)의 목적어 역할을 하는 동명사구이다.
→ 「hope + to-v」는 '~하기를 바라다'라는 의미이다. hope는 목적어로 to부정사를 쓴다.

9
정답 ①

해석

공원 입구에서 기다리면서 내 심장은 빠르게 뛰고 있었다. 나는 오래된 공원을 청소하는 것을 도와달라고 모두에게 요청하는 데에 몇 주를 보냈었다. 시작 시간이 점점 더 다가왔고 아직 아무도 도착하지 않았기 때문에 나는 걱정이 되었다. 내 손은 떨렸고 나는 땀을 흘리기 시작했다. 그때 근처에서 목소리가 들렸다. 나는 돌아섰고 나를 향해 걸어오는 사람들을 보았다. 그것은 마치 모든 이웃들이 도와주러 온 것 같아 보였다. 나는 너무 감사해서 눈에 눈물이 차올랐다. 나는 모두에게 포옹을 함으로써 고마움을 표했다. 최악의 하루가 될 거라고 생각했지만 최고의 날들 중 하나였다.

① 긴장한 → 감사하는
② 겁먹은 → 실망한
③ 신이 난 → 질투하는
④ 당황스러운 → 차분한
⑤ 희망찬 → 걱정하는

해설

'I'는 오래된 공원 청소에 함께해 달라고 부탁한 사람들을 기다리면서 아무도 오지 않을까 봐 손이 떨리고 땀을 흘렸는데(nervous), 많은 사람들이 와 주어서 너무나 감사해서 모두에게 포옹을 했다(grateful). 따라서 'I'의 심경 변화로 가장 적절한 것은 ①이다.

어휘

beat 동 (심장이) 뛰다   sweat 동 땀을 흘리다   nearby 튄 근처에서
towards 전 ~을 향해   neighborhood 몡 이웃, 주변
[선택지] frightened 휑 겁먹은   embarrassed 휑 당황스러운

구문 풀이

[7행] I turned around and **saw people walking** towards me.

→ 「see + 목적어 + 현재분사」는 '~가 …하고 있는 것을 보다'라는 의미이다. 진행의 의미를 강조하기 위해 동사원형 대신 현재분사가 쓰였다.

[10행] I was **so thankful that** my eyes filled with tears.

→ 「so + 형용사/부사 + that」절은 '너무 ~해서 …하다'라는 의미이다. 이 문장에서는 형용사 thankful과 함께 쓰여 '너무 감사해서 눈에 눈물이 차올랐다'라고 해석한다.

[12행] I thought [(that) it was going to be the worst day], but it was one of the best (days).

→ [ ]는 thought의 목적어 역할을 하는 명사절로, 명사절 접속사 that이 생략되어 있다.

→ the best 뒤에는 days가 생략되어 있다. 반복되는 말은 생략하는 경우가 많다.

10 정답 ③

해석

우리는 멀티태스킹을 얼마나 잘하는가? 소위 보이지 않는 고릴라 실험은 이 질문에 답하고자 했다. 그 연구에서, 참가자들은 영상을 보고 흰 옷을 입은 팀에 의해 농구공이 패스된 횟수를 세라고 들었다. 그들만의 농구공을 패스하는 검은 옷을 입은 팀도 있었다. 모든 패스는 천천히 일어났고 추적하기 쉬웠다. 하지만, 작업의 단순함에도 불구하고, 그것은 참가자들의 모든 주의력을 차지하는 것처럼 보였다. 그들이 숫자를 세고 있었기 때문에, 고릴라 수트를 입은 남자가 영상에 나타났다는 것을 알아차린 사람은 절반도 되지 않았다. 고릴라 수트를 입은 그 남자는 심지어 그의 가슴을 치며 농구장 한가운데에 서 있었지만, 많은 사람들은 농구공만 보았다. 한 가지 쉬운 일에 집중하는 것은 우리가 다른 것을 보지 못하게 할 수 있는 것처럼 보인다.

↓

하나의 일에 집중하는 것은 심지어 그 일이 (B) 복잡하지 않을 때에도 우리가 명백한 세부적인 것들을 (A) 간과하게 한다.

	(A)		(B)
①	고려하다	……	예상할 수 있는
②	알아차리다	……	예상할 수 있는
③	간과하다	……	복잡하지 않은
④	고려하다	……	복잡하지 않은
⑤	간과하다	……	익숙한

해설

한 실험에서 참가자들은 영상 속 흰색 옷을 입은 팀이 농구공을 패스하는 횟수를 셌는데, 그들 중 절반보다 적은 사람들만이 영상 중간에 고릴라 수트를 입은 남자가 등장했다는 것을 알아차렸다는 내용의 글이다. 따라서 요약문은 '하나의 일에 집중하는 것은 심지어 그 일이 (B) 복잡하지 않을 때에도 우리가 명백한 세부적인 것들을 (A) 간과하게 한다'는 내용이 되어야 하므로 빈칸에 들어갈 말로 가장 적절한 것은 ③이다.

어휘

multitasking 몡 멀티태스킹, 다중 작업   invisible 혱 보이지 않는
count 동 (수를) 세다   pass 동 패스하다, 건네주다 몡 (공의) 패스
track 동 추적하다   simplicity 몡 단순함

take up ~을 차지하다, 쓰다   attention 몡 주의력, 집중
attend to ~에 집중하다, 몰두하다
[선택지] predictable 혱 예상할 수 있는   overlook 동 간과하다
accustomed 혱 익숙한

구문 풀이

[7행] There was also a team in black [**passing** their own basketball].

→ [ ]는 앞에 온 a team in black을 수식하는 현재분사구이다. 이때 passing은 '패스하고 있는'이라고 해석한다.

[18행] Attending to one easy task, [it seems], can **prevent us from seeing** anything else.

→ [ ]는 콤마와 콤마 사이에 들어간 삽입절이다.

→ 「prevent A from v-ing」는 '~가 …하지 못하게 하다'라는 의미의 표현이다.

11 정답 ③

해석

오늘날 많은 사람들이 새로운 주제에 대해 배우기 위해 더 이상 책을 읽지 않는다. 대신에, 그들은 다양한 주제들에 대한 짧은 영상을 보고 그들이 충분한 정보를 배웠다고 생각한다. ① 그들은 영상을 선호하는데 왜냐하면 영상을 보는 것이 책을 읽는 것보다 더 적은 시간과 노력을 필요로 하기 때문이다. ② 그러나 대부분의 영상은 하나의 주제에 관한 더 깊은 이해보다는 재미있는 사실들만 제공한다. (③ 성취를 측정하는 것은 한 사람이 어떠한 주제에 대해 얼마나 많은 지식을 가지고 있는지를 드러내는 핵심이다.) ④ 사람들은 영상으로부터 많은 것을 배우지 않는데 왜냐하면 영상은 충분한 세부 정보와 설명을 포함할 만큼 충분히 길지 않기 때문이다. ⑤ 만약 어떤 사람이 하나의 주제에 대해 정말 알고 싶다면, 그들은 그것에 대한 책 한 권을 다 읽으려고 해야 한다.

해설

영상을 보는 것으로는 하나의 주제에 대한 충분한 정보를 얻을 수 없고 그러려면 책을 읽어야 한다는 내용의 글이므로, 성취를 측정하는 것에 대해 이야기하는 ③은 글의 전체 흐름과 무관하다.

어휘

prefer 동 선호하다   measure 동 측정하다, 평가하다
achievement 몡 성취, 업적   reveal 동 드러내다, 밝히다
sufficient 혱 충분한   description 몡 설명, 서술

구문 풀이

[1행] Many people **no longer** read books *to learn about new topics* these days.

→ no longer는 '더 이상 ~않는'이라는 의미이다.
= not ~ any longer = not ~ anymore

→ to learn 이하는 '새로운 주제에 대해 배우기 위해'라는 의미로, [목적]을 나타내는 to부정사의 부사적 용법으로 쓰였다.

[2행] Instead, they watch short videos on different subjects and think [(that) they have learned **enough information**].

→ [ ]는 think의 목적어 역할을 하는 명사절로, 명사절 접속사 that이 생략되어 있다.

→ 「enough + 명사」는 '충분한 ~'이라는 의미로 이때 enough는 형용사이다.

12
정답 ④

해석

"목표를 설정하는 것은 눈을 보이지 않는 것을 보이는 것으로 바꾸는 첫 걸음이다." 이 인용구에서 저자 Tony Robbins(토니 로빈스)는 목표는 우리가 진정한 변화를 만드는 데에 도움이 될 수 있다고 우리에게 말한다.

(C) 분명한 목표가 있으면 우리는 우리의 현재 위치에서 그곳으로 가는 최선의 길을 확인할 수 있다. 그것은 우리가 올바른 방향으로 나아가기 위해 필요한 일들을 알아내는 것에서부터 시작함을 의미한다.

(A) 그 다음 단계는 우리가 실제로 앞으로 나아가고 있는지를 확실하게 하기 위해 우리의 진척도를 측정하는 것이다. 우리가 목표에 한 발자국 더 가까워질 때마다, 그것은 우리가 계속하도록 용기를 북돋울 것이다.

(B) 이 동기 부여는 결국 우리가 그것을 달성하게 도울 것이다. 그 결과 우리는 눈에 보이지 않는 생각을 가지고 그것을 진짜 눈에 보이는 변화로 바꾸어 낼 수 있다.

해설

목표 설정이 진짜 변화를 만드는 데에 도움이 될 수 있다는 주어진 글의 내용은 (C)의 분명한 목표가 있는 경우에 대한 내용으로 이어진다. 우리가 필요한 일들을 알아내는 것에서부터 시작한다는 (C)의 내용은 (A)의 그 다음 단계에서 진척도를 측정한다는 내용으로 이어진다. 목표에 가까워질 때마다 우리가 계속하도록 용기를 북돋울 것이라는 (A)의 내용은 (B)의 This motivation으로 이어진다. 따라서 글의 순서로 가장 적절한 것은 ④이다.

어휘

invisible ⑱ 눈에 보이지 않는   forward ⑲ 앞으로
encourage ⑧ 용기를 북돋우다, 격려하다
motivation ⑲ 동기 부여, 자극   identify ⑧ 확인하다, 알아보다
position ⑲ 위치

구문 풀이

[5행] The next step is [to measure our progress {to ensure we are actually moving forward}].

→ [ ]는 to부정사의 명사적 용법으로 쓰여 is의 보어 역할을 하고 있다.

→ { }는 [목적]을 나타내는 to부정사의 부사적 용법으로 쓰였다.

[7행] **Every time** we get a step closer to our goal, it will encourage us to continue.

→ 「Every time + 주어 + 동사」는 '~할 때마다'라는 의미이다.

13
정답 ③

해석

1800년대 후반부터 1900년대 초까지 보드빌은 미국 가정에서 가장 인기 있는 종류의 오락물이었다. (①) 보드빌 공연은 코미디, 음악, 춤 그리고 서커스 곡예를 포함했다. (②) 모든 인종과 사회 계급의 사람들이 보드빌을 즐겼다. (③ 그러나 보드빌은 오락을 위한 더 새로운 기술 때문에 쇠퇴하기 시작했다.) 사람들은 라디오를 듣고 영화를 보기 시작했다. (④) 그 결과 보드빌 관중은 줄어들었다. (⑤) Charlie Chaplin(찰리 채플린)과 Buster Keaton(버스터 키튼)과 같은 유명한 연기자들이 이 새로운 미디어 형태들로 옮겨갔기 때문에, 그것의 인기는 훨씬 더 줄어들었다.

해설

주어진 문장의 However로 보아, 앞에는 보드빌이 쇠퇴하기 시작한 것과 반대되는 내용이 와야 한다는 것을 알 수 있다. 따라서 모든 인종과 사회 계급의 사람들이 보드빌을 즐겼다는 문장 바로 뒤, 쇠퇴의 원인이 되는 라디오나 영화에 대한 내용 앞인 ③에 들어가는 것이 적절하다.

어휘

fade away 쇠퇴하다, 죽다   entertainment ⑲ 오락
race ⑲ 인종, 혈통   social class 사회 계급   audience ⑲ 관중, 청중
shrink ⑧ 줄어들다   decline ⑧ 줄어들다, 감소하다
performer ⑲ 연기자, 연주자

구문 풀이

[1행] However, vaudeville **started to fade away** due to newer technology for entertainment.

→ start는 목적어로 to부정사와 동명사 모두 쓸 수 있는데, 여기서는 to부정사가 쓰였다.

→ due to는 '~ 때문에'라는 의미의 전치사이다.

[9행] People **began listening** to the radio and **watching** films.

→ begin은 목적어로 동명사와 to부정사 모두 쓸 수 있다. 여기서는 동명사 listening과 watching이 등위접속사 and로 연결되어 쓰였다.

14
정답 ⑤

해석

사람들은 종종 할 일이 많기 때문에 주중에 더 적게 잔다. (①) 그러고 나서 그들은 주말에 늦게까지 잠으로써 그들의 놓친 수면을 보충하려고 한다. (②) 비록 이러한 접근이 그들이 일시적으로 더 낫다고 느끼게 만들더라도, 그것은 그다지 효과적이지 않다. (③) 그것은 불충분한 수면에서 비롯되는 모든 문제들을 해결하지 않는다. (④) 주중에 정기적으로 충분히 잠을 안 자는 사람들은 그들이 주말에 취하는 수면의 양과 상관없이 다양한 건강 문제로 고통받을 것이다. (⑤ 이러한 상황을 피하려면, 사람들이 매일 밤 일고여덟 시간 자야 한다고 권고된다.) 이것이 그들이 불충분한 수면의 부정적인 영향을 겪지 않도록 하는 유일한 방법이다.

해설

주어진 글의 this situation으로 보아, 바로 앞에 이것이 가리키는 내용이 나와야 한다는 것을 알 수 있다. 따라서 주중에 충분히 잠을 안 자는 사람들은 주말에 얼마나 자든 건강 문제로 고통받을 것이라는 문장 바로 뒤 ⑤에 들어가는 것이 적절하다.

어휘

advise ⑤ 권고하다   make up for ~을 보충하다, 보상하다
approach ⑲ 접근   temporarily ⑨ 일시적으로
effective ⑲ 효과적인   insufficient ⑲ 불충분한
regularly ⑨ 정기적으로   regardless of ~와 상관없이
inadequate ⑲ 불충분한, 부적당한

구문 풀이

[1행] **To avoid this situation**, *it* is advised *[that people sleep for seven or eight hours every night]*.

→ To avoid this situation은 '이러한 상황을 피하려면'이라는 의미로, [목적]을 나타내는 to부정사의 부사적 용법으로 쓰였다.
→ it은 가주어이고, that절이 진주어이다. 이때 가주어 it은 따로 해석하지 않는다.

[11행] **Those** *[who* regularly do not sleep enough during the week]* will suffer from a variety of health problems {**regardless of** the amount of sleep they get on weekends}.

→ [ ]는 앞에 온 선행사 Those를 수식하는 주격 관계대명사절이다. 이때 those who는 '~하는 사람들'이라고 해석한다.
→ { }는 앞에 온 절 전체를 수식하는 전치사구이다. regardless of는 '~에 상관없이'라는 의미의 전치사이다.

---

15   정답 ④

해석

Anthony van Dyck(안토니 반 다이크)는 네덜란드 출신의 17세기 화가였다. 1599년에 태어나, 10세에 그림을 그리기 시작했다. 10대 때, 그는 네덜란드의 가장 훌륭한 바로크 화가인 Peter Paul Rubens(피터 폴 루벤스)의 조수로 일했다. 반 다이크는 이후 이탈리아에서 시간을 보냈고 이탈리아 화가 Titian(티치아노)에게 더 큰 영향을 받게 되었다. 그는 그곳에 있는 동안 그만의 스타일을 발전시켰다. 1632년 영국의 Charles(찰스) 1세가 반 다이크에게 그의 공식 궁정 화가가 되어 달라고 초청했다. 반 다이크는 영국 왕실 가족과 다른 중요한 유럽인들의 초상화로 유명해지게 되었다. 그는 빠르게 그렸고 그의 모델들을 좋아 보이게 만들었다. 그는 영국 화가들과 유럽에 있는 더 젊은 예술가들 둘 다에게 영향을 미쳤다.

해설

Anthony van Dyck는 영국 왕실 가족의 초상화로 유명해졌다고 했으므로, 글의 내용과 일치하지 않는 것은 ④이다.

어휘

assistant ⑲ 조수, 보조원   invite ⑤ 초청하다, 요청하다
official ⑲ 공식적인, 정식의   court painter 궁정 화가

---

portrait ⑲ 초상화, 묘사   royal ⑲ 왕실의

구문 풀이

[3행] **As** a teenager, he worked as an assistant for *Peter Paul Rubens, the Netherlands' greatest Baroque painter*.

→ as는 '~때에'라는 의미의 전치사이다.
→ Peter Paul Rubens와 the Netherlands' greatest Baroque painter는 콤마로 연결된 동격 관계로, Peter Paul Rubens가 네덜란드의 가장 훌륭한 바로크 화가라는 의미이다.

[13행] He painted quickly and **made his models** *look good*.

→ 「make + 목적어 + 동사원형」은 '~가 …하도록 만들다'라는 의미이다.
→ 「look + 형용사」는 '~하게 보이다'라는 의미로, 이 문장에서는 형용사 good이 쓰여 '좋아 보인다'라고 해석한다.

---

16   정답 ⑤

해석

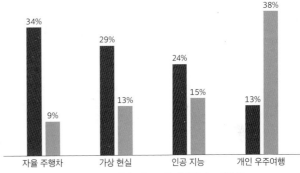

최신 기술에 대해 들어본 적 있는 미국 성인
(2022년 미국 성인 대상 조사에 기반)

주의: 나머지 응답자는 "조금 들어봄"이라고 대답함.

위 그래프는 최신 기술에 대해 들어본 적 있는 미국 성인의 비율을 보여 준다. ① 자율 주행차는 10퍼센트 미만의 사람들이 전혀 들어보지 못했던 유일한 범주이다. ② 3분의 1보다 많은 사람들이 자율 주행차에 대해 많이 들어본 반면, 3분의 1보다 적은 사람들이 가상 현실에 대해 많이 들어보았다. ③ 가상 현실에 대해 전혀 들어보지 못한 사람들의 비율은 인공 지능의 그것(전혀 들어보지 못한 사람들의 비율)보다 2퍼센트포인트 더 낮다. ④ 네 개 범주들 중에서 인공 지능은 두 응답 간의 가장 작은 차이를 보인다. ⑤ 개인 우주여행에 관해서는, 전혀 들어보지 못한 사람들의 비율은 많이 들어본 사람들의 그것(비율)보다 세 배 이상 높다.

해설

개인 우주여행을 전혀 들어보지 못한 사람들의 비율은 38퍼센트이며, 이는 많이 들어본 사람들의 비율(13퍼센트)의 세 배인 39퍼센트보다 높지 않으므로, 도표의 내용과 일치하지 않는 것은 ⑤이다.

어휘

self-driving car 자율 주행차   virtual reality 가상 현실
artificial intelligence 인공 지능
personal space travel 개인 우주여행   respondent 몡 응답자
category 몡 범주   gap 몡 차이

어휘

achieve 동 성취하다, 달성하다   chase 동 좇다, 추구하다
appreciation 몡 감사   satisfied 혱 만족하는
concentrate 동 집중하다, 전념하다   fully 붜 충실히, 완전히
gratitude 몡 감사

구문 풀이

[5행] More than a third of people heard a lot about self-driving cars, **while** less than a third of people heard a lot about virtual reality.

→ while은 부사절을 이끄는 접속사로, '~하는 반면에'라는 의미이다.
   cf. while의 두 가지 의미: ① ~하는 반면에 ② ~하는 동안

[8행] The percentage of people [who heard nothing at all about virtual reality] is two percentage points lower than **that** of artificial intelligence.

→ [ ]는 앞에 온 선행사 people을 수식하는 주격 관계대명사절이다.
→ that은 앞에서 언급한 명사의 반복을 피하기 위해 사용된 대명사로, 여기서는 앞에 나온 나온 the percentage of people who heard nothing at all을 대신해서 쓰였다.

[13행] As for personal space travel, the percentage of people who heard nothing at all is over **three times higher than** that of people who heard a lot.

→ 「배수사 + 비교급 + than」은 '~보다 몇 배 더 …한/하게'라는 의미이다. 이 문장에서는 '많이 들어본 사람들의 그것보다 세 배 높은'이라고 해석한다.

구문 풀이

[3행] That's because most of us are chasing too many things without appreciation for everything [that we have now].

→ [ ]는 앞에 온 선행사 everything을 수식하는 목적격 관계대명사절이다. 선행사에 -thing, -body, -one으로 끝나는 대명사가 쓰였을 때는 주로 that을 쓴다.

[8행] But as we work towards this, we end up forgetting [**what** we already have].

→ [ ]는 forgetting의 목적어 역할을 하는 관계대명사절이다. 관계대명사 what은 선행사를 포함하고 있으며, '~하는 것'이라는 의미이다. 이때 what은 the thing(s) which[that]로 바꿔 쓸 수도 있다.

18   정답 ②

해석

요즘 많은 사람들이 조깅을 즐기는 이유는 그것이 단지 운동화 한 켤레와 편안한 옷만 필요로 한다는 것이다. 특별한 장비는 필요하지 않을 수 있는 반면, 제대로 된 폼을 유지하는 것은 중요하다. 이것은 조깅하는 동안에 당신의 머리와 등을 똑바로 유지하는 것이 접질림의 위험을 크게 줄이기 때문이다. 당신은 또한 당신의 발이 그것들(무릎)의 앞 대신 무릎 바로 아래에 있는 도로에 닿게 하는 것을 확실히 할 필요가 있다. 이러한 지침들을 따르는 것은 당신이 다칠 가능성을 줄이도록 도울 것이다. 이것은 당신이 인생의 후반까지 이러한 형태의 운동을 계속할 수 있도록 보장해준다.

해설

②은 주어가 동명사구 keeping your head ~ jogging이므로 복수동사 reduce를 단수동사 reduces로 고쳐야 한다.

▌오답 분석 ①은 셀 수 없는 명사 jogging을 가리키고 있으므로 단수 대명사 it이 온 것은 적절하다.
③은 전치사구 beneath your knees를 수식하고 있으므로 부사 directly가 온 것은 적절하다.
④은 전치사 of의 목적어 역할을 하는 동명사구를 이끌고 있으므로 동명사 being이 온 것은 적절하다.
⑤은 ensures의 목적어 역할을 하는 완전한 절을 이끌고 있으므로 명사절 접속사 that이 온 것은 적절하다.

어휘

jogging 몡 조깅   require 동 필요로 하다   equipment 몡 장비
proper 혱 제대로 된, 적절한   form 몡 폼, 형태   back 몡 등, 허리
pavement 몡 (포장된) 도로   beneath 전 ~ 아래에
guideline 몡 지침

17   정답 ③

해석

당신의 삶에 대해 자주 불행하다고 느끼는가? 마치, 당신이 원하는 모든 것을 절대 성취할 수 없다고? 그것은 우리 대부분이 우리가 지금 가지고 있는 모든 것에 대한 감사함 없이 너무 많은 것을 좇고 있기 때문이다. 우리는 모두 멋진 직장, 비싼 집, 많은 친구를 ① 원한다. 우리는 그것들을 모두 가지기 전까지 ② 만족할 수 없을 거라고 느낀다. 그러나 우리가 이것을 향해 노력할수록 우리는 결국 우리가 이미 가지고 있는 것들을 ③ 기억하게(→잊어버리게) 된다. 그래서 우리는 현재에 절대 집중하지 않는다. 이 순간에 ④ 충실히 살아가려면, 우리는 우리에게 일어났던 모든 좋은 것들에 감사해야 한다. 우리가 하루에 적어도 한 번 감사함을 느낄 시간을 낸다면 그것은 우리가 그 순간을 ⑤ 즐기게 해줄 것이다.

해설

우리가 불행하다고 느끼는 것은 지금 가지고 것에 대한 감사함 없이 너무 많은 걸 좇기 때문이라는 내용의 글이다. 따라서 ③이 포함된 문장의 모든 걸 가지려고 노력할수록 이미 가지고 있는 것들을 기억하게 된다는 것은 문맥에 맞지 않으므로, remembering(기억하기)을 forgetting(잊어버리기)과 같은 단어로 고쳐야 한다.

구문 풀이

[1행] The reason [**why** many people enjoy jogging these days] is that it only requires a pair of sneakers and some comfortable clothes.

→ [ ]는 앞에 온 선행사 The reason을 수식하는 관계부사절이다. 관계부사의 선행사가 the reason, the place, the time과 같이 이유, 장소, 시간을 나타내는 일반적인 명사인 경우 선행사나 관계부사 중 하나를 생략할 수 있다.

[8행] You also need to **make sure** [(that) your feet are hitting the pavement directly beneath your knees instead of in front of them**]**.

→ 「make sure + that절」은 '~하도록 확실히 하다, 반드시 ~하도록 하다'라는 의미로, 여기서는 명사절 접속사 that이 생략되어 있다.
= 「make sure + to-v」

구문 풀이

[10행] His pieces became better, and Paul found **himself** [really *enjoying* his time in the art classroom].

→ 동사 found의 목적어가 주어(Paul)와 같은 대상이므로 재귀대명사 himself가 쓰였다. 이때 재귀대명사는 '그 자신'이라고 해석하며, 생략할 수 없다.

→ [ ]는 앞에 온 himself를 수식하는 현재분사구이다. 이때 enjoying은 '즐기고 있는'이라고 해석한다.

[14행] Art was just **as important** to him **as** soccer now, and he couldn't imagine a life without it.

→ 「as + 형용사 + as」는 '~만큼 …한'이라는 의미이다. 이 문장에서는 '축구만큼 중요한'이라고 해석한다.

[20행] He **had liked** to play soccer *since* he was young, so it was easy for him.

→ had liked는 과거완료 시제(had p.p.)로, 이 문장에서는 과거의 특정 시점보다 더 이전에 시작된 일이 그 시점까지 계속 이어지는 [계속]을 나타낸다.

→ since는 '~이후로'라는 의미로, 부사절을 이끄는 접속사로 쓰여 뒤에 「주어 + 동사」의 절이 왔다.

19~21

해석

(A) Paul은 창밖의 축구장을 보았다. 그의 친구들은 서로에게 공을 패스하고 있었다. 하지만 Paul은 다리를 다쳤고 축구를 할 수 없었다. 한 선생님이 Paul이 창밖을 바라보고 있는 것을 보고는 (a) 그의 기분을 풀어주기로 했다. "나한테 네가 할 무언가가 있단다"라고 선생님이 말했다.

(D) 선생님은 Paul을 미술실로 안내했다. 그는 Paul에게 종이와 물감을 가져다주었다. "네가 그림 그리는 것을 좋아하게 될 것 같구나"라고 그가 말했다. Paul은 그저 종이를 쳐다보았고 움직이지 않았다. 그는 미술을 좋아해본 적이 없었고 그림을 그리는 건 어려워 보였다. "(e) 제가 무엇을 그리나요?"라고 그가 물었다. "네가 원하는 무엇이든"이라고 그의 선생님이 대답했다.

(C) 잠시 뒤 Paul은 그가 세상에서 가장 좋아하는 것을 그리기로 마음먹었다: 바로 축구공이었다. 그는 어렸을 때부터 축구를 하는 것을 좋아했기 때문에 그것은 그에게 쉬웠다. 그는 첫 번째 작품을 완성하고 선생님에게 보여 주었다. "잘했어!"라고 (d) 그가 말했다. "더 그리고 싶니?" "네, 그런데 선생님께서 저에게 그림에 대해 좀 더 가르쳐 주시면 좋겠어요"라고 Paul이 대답했다.

(B) Paul의 선생님은 그 다음 몇 주에 걸쳐 (b) 그가 그림 실력을 향상시키는 것을 도왔다. 그의 그림은 더 나아졌고 Paul은 미술실에서 그의 시간을 정말 즐기고 있는 자신을 발견했다. Paul의 상처가 마침내 다 나았을 때, 그의 선생님은 "여전히 그림 그릴 거니?"라고 물었다. "그럼요"라고 Paul이 대답했다. 이제 그에게 미술은 축구만큼 중요했고, (c) 그는 그것이 없는 삶은 상상할 수 없었다.

어휘

soccer field 축구장　　cheer up 기분을 풀어주다, 격려하다
injury 명 상처, 부상　　heal 동 낫게 하다, 치유하다
paint 동 그리다 명 물감　　art room 미술실
stare 동 쳐다보다, 응시하다

19　　　　　　　　　　정답 ⑤

해설

선생님이 교실에 앉아 있는 Paul에게 할 일이 있다고 말하는 (A)의 내용은 선생님이 (D)의 Paul을 미술실로 안내하는 내용으로 이어진다. (D)의 선생님이 Paul에게 좋아하는 무엇이든 그리라고 하는 내용은 (C)의 Paul이 자신이 세상에서 제일 좋아하는 축구공을 그리는 내용으로 이어지고, (C)의 Paul이 그림을 더 배우고 싶어 하는 내용은 (B)의 선생님이 Paul의 그림 실력을 향상시키는 것을 도왔다는 내용으로 이어진다. 따라서 글의 순서로 가장 적절한 것은 ⑤이다.

20　　　　　　　　　　정답 ④

해설

(a), (b), (c), (e)는 Paul을 가리키고 (d)는 선생님을 가리키므로, 가리키는 대상이 다른 것은 ④이다.

21　　　　　　　　　　정답 ⑤

해설

(D)에서 Paul은 미술을 좋아해본 적이 없다고 했으므로, Paul에 관한 내용으로 적절하지 않은 것은 ⑤이다.

MEMO

앞서가는 중학생을 위한 **수능 첫걸음!**

해커스

첫수능 영어

유형독해

정답 및 해설

수능·내신 한 번에 잡는
해커스 불변의 패턴 시리즈

해커스 수능 어법 불변의 패턴

기본서
필수편 [고1]

· 역대 수능·모의고사 기출에서 뽑아낸
55개의 불변의 패턴
· 출제포인트와 함정까지 빈틈없이 대비하는
기출 예문 및 기출 문제

훈련서
실력편 [고2]

· 역대 수능·모의고사 기출 분석으로
실전에 바로 적용하는 **37개의 불패 전략**
· 핵심 문법 설명부터 실전 어법까지
제대로 실력을 쌓는 **단계별 학습 구성**

해커스 수능 독해 불변의 패턴

기본서
유형편 (예비고~고1)

· 역대 수능·모평·학평에서 뽑아낸
32개의 불변의 패턴
· 끊어 읽기와 구문 풀이로
독해 기본기 강화

실전서
실전편 [고2~고3]

· 최신 수능·모평·학평 출제경향과 패턴을
그대로 반영한 **실전모의고사 15회**
· 고난도 실전모의고사 3회분으로
어려운 수능에 철저히 대비

HackersBook.com 해커스북 중·고등

나에게 맞는 교재 선택!

	예비중	중 1	중 2	중 3
문법	Hackers Grammar Smart Starter	Hackers Grammar Smart Level 1	Hackers Grammar Smart Level 2	Hackers Grammar Smart Level 3
		기출로 적중 해커스 중학영문법 1학년	기출로 적중 해커스 중학영문법 2학년	기출로 적중 해커스 중학영문법 3학년
서술형		해커스 쓰기 자신감 Level 1	해커스 쓰기 자신감 Level 2	해커스 쓰기 자신감 Level 3
구문				
독해	Hackers Reading Smart Level 1	Hackers Reading Smart Level 2	Hackers Reading Smart Level 3	Hackers Reading Smart Level 4
		Hackers Reading Path Level 1	Hackers Reading Path Level 2	Hackers Reading Path Level 3
			해커스 첫수능 영어 기초독해	해커스 첫수능 영어 유형독해
듣기		해커스 중학영어듣기 모의고사 24회 Level 1	해커스 중학영어듣기 모의고사 24회 Level 2	해커스 중학영어듣기 모의고사 24회 Level 3
어휘		해커스 3연타 중학영단어		
		해커스 보카 중학 기초	해커스 보카 중학 필수	해커스 보카 중학 고난도
			해커스 보카 중학 숙어	

	READING	LISTENING	VOCA
토플	HACKERS APEX READING for the TOEFL iBT Basic/Intermediate/ Advanced/Expert	HACKERS APEX LISTENING for the TOEFL iBT Basic/Intermediate/ Advanced/Expert	HACKERS APEX VOCA for the TOEFL iBT HACKERS VOCABULARY